D1207783

COLLECTION TEL

Martin Heidegger

Questions III et IV

TRADUIT DE L'ALLEMAND PAR
JEAN BEAUFRET, FRANÇOIS FÉDIER
JULIEN HERVIER, JEAN LAUXEROIS
ROGER MUNIER, ANDRÉ PRÉAU
ET CLAUDE ROËLS

Gallimard

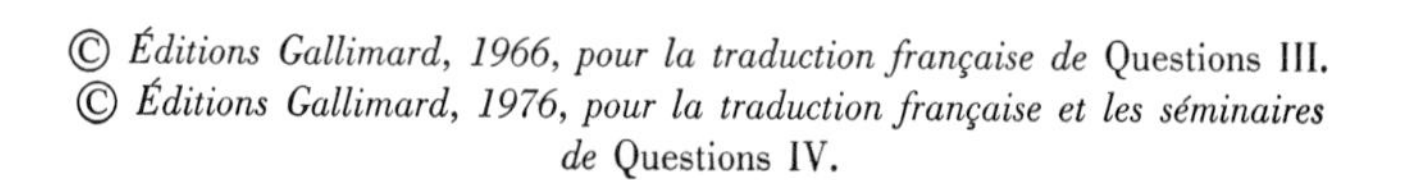

Questions III

Le Chemin de campagne

Traduit par André Préau.

Titre original:

DER FELDWEG

Ce texte a été écrit à l'automne de 1948 pour le Recueil commémorant le 100e anniversaire (1949) de la mort du compositeur allemand Conradin Kreutzer, et publié dans ce recueil.

Tirage à part 1956 (chez Klostermann, à Francfort-sur-le-Main).

Il quitte à sa porte le Jardin du Château et court vers les terres humides d'Ehnried. Par-dessus le mur, les vieux tilleuls du Jardin le regardent s'éloigner, soit qu'aux environs de Pâques il allonge son trait clair entre les champs déjà verts et les prairies renaissantes ou qu'à Noël il disparaisse derrière la première colline parmi les tourbillons de neige. A partir de la croix, il tourne vers la forêt. A sa lisière il salue en passant un grand chêne, sous lequel est un banc tout juste équarri.

Parfois reposait sur le banc tel ou tel des écrits des grands penseurs, qu'une jeune gaucherie essayait de déchiffrer. Quand les énigmes se pressaient et qu'aucune issue ne s'offrait, le chemin de campagne était d'un bon secours. Car, sans rien dire, il conduit nos pas sur sa voie sinueuse à travers l'étendue de ce pays parcimonieux.

C'est toujours à nouveau que la pensée, aux prises avec les mêmes écrits ou avec ses propres problèmes, revient vers la voie que le chemin trace à travers la plaine. Il demeure, sous les pas, aussi près de celui qui pense que du paysan qui s'en va faucher aux premières heures du matin.

Plus souvent avec les années le chêne au bord du chemin ramène nos pensées vers les jeux de l'enfance et les premiers choix. Quand parfois, au cœur de la forêt, un chêne tombait sous la cognée, mon père aussitôt partait, traversant futaies et clairières ensoleillées, à la recherche du stère de bois accordé à son atelier. C'est là, dans son atelier, qu'il travaillait, attentif et réfléchi, dans les intervalles de son service à l'horloge de la tour et aux cloches qui, l'une comme les autres, ont leur relation propre au temps et à la temporalité.

Cependant, dans l'écorce du chêne, les gamins découpaient leurs bateaux qui, munis d'un banc de rameur et d'un gouvernail, flottaient sur la rivière Mettenbach ou dans le bassin de l'école. Dans ces jeux, les grandes traversées arrivaient encore facilement à leur terme et retrouvaient la rive. La part de rêve qu'elles contenaient demeurait prise dans le vernis brillant, encore à peine discernable, qui recouvrait toutes choses. L'espace qui leur était ouvert n'allait pas plus loin que les yeux et la main d'une mère. Tout se passait comme si sa sollicitude discrète veillait sur tous les êtres. Ces traversées pour rire ne savaient rien alors des expéditions au cours desquelles tous les rivages restent en arrière. Cependant la dureté et la senteur du bois de chêne commençaient à parler, d'une voix moins sourde, de la lenteur et de la constance avec lesquelles l'arbre croît. Le chêne lui-même disait qu'une telle croissance est seule à pouvoir fonder ce qui dure et porte des fruits ; que croître signifie : s'ouvrir à l'immensité du ciel, mais aussi pousser des racines dans l'obscurité de la terre ; que tout ce qui est vrai et authentique n'arrive à maturité que si l'homme est disponible à l'appel du ciel le plus haut, mais demeure en même temps sous la protection de la terre qui porte et produit.

Cela, le chêne le dit toujours au chemin de campagne, qui passe devant lui sûr de sa direction. Le chemin rassemble ce qui a son être autour de lui ; et, à chacun de ceux qui le suivent, il donne ce qui lui revient. Les mêmes champs, les mêmes pentes couvertes de prairies font escorte au chemin de campagne en toute saison, proches de lui d'une proximité toujours autre. Que la chaîne des Alpes au-dessus des forêts s'efface dans le crépuscule du soir, que, là ou le chemin se hisse sur une colline, l'alouette au matin s'élance dans le ciel d'été, que le vent d'est souffle en tempête de la région du village maternel, que le bûcheron, à la tombée de la nuit, traîne son fagot vers l'âtre, que le char de la moisson rentre à la ferme en vacillant dans les ornières du chemin, que les enfants cueillent les premières primevères au bord des prés, que tout le long du jour le brouillard promène sur la vallée sa sombre masse, toujours et de tous côtés c'est le Même qui nous parle autour du chemin.

Le Simple garde le secret de toute permanence et de toute grandeur. Il arrive chez les hommes sans préparation, bien qu'il lui faille beaucoup de temps pour croître et mûrir. Les dons qu'il dispense, il les cache dans l'inapparence de ce qui est toujours le Même. Les choses à demeure autour du chemin, dans leur ampleur et leur plénitude, donnent le monde. Comme le dit le vieux maître Eckhart, auprès de qui nous apprenons à lire et à vivre, c'est seulement dans ce que leur langage ne dit pas que Dieu est vraiment Dieu.

Mais le chemin ne nous parle qu'aussi longtemps que des hommes, nés dans l'air qui l'environne, ont pouvoir de l'entendre. Ils sont les servants de leur origine, mais non les esclaves de l'artifice. C'est en vain que l'homme par ses plans s'efforce d'imposer un ordre à la terre, s'il n'est pas ordonné lui-même à l'appel du chemin. Le danger menace, que les hommes d'aujourd'hui n'aient plus d'oreille pour lui. Seul leur parvient encore le vacarme des machines, qu'ils ne sont pas loin de prendre pour la voix même de Dieu. Ainsi l'homme se disperse et n'a plus de chemin. A qui se disperse le Simple paraît monotone. La monotonie rebute. Les rebutés autour d'eux ne voient plus qu'uniformité. Le Simple s'est évanoui. Sa puissance silencieuse est épuisée.

Le nombre de ceux qui connaissent encore le Simple comme un bien qu'ils ont acquis diminue sans doute rapidement. Mais partout ces peu nombreux sont ceux qui resteront. Grâce à la puissance tranquille du chemin de campagne, ils pourront un jour survivre aux forces gigantesques de l'énergie atomique, dont le calcul et la subtilité de l'homme se sont emparés pour en faire les entraves de son œuvre propre.

La parole du chemin éveille un sens, qui aime l'espace libre et qui, à l'endroit favorable, s'élève d'un bond au-dessus de l'affliction elle-même pour atteindre à une sérénité dernière. Celle-ci s'oppose au désordre qui ne connaît que le travail, à l'affairement qui, recherché pour lui-même, ne produit que le vide.

Dans l'air, variable avec les saisons, du chemin de campagne prospère une gaieté qui sait et dont la mine paraît souvent morose. Ce gai savoir est une sagesse malicieuse[1]. Nul ne l'obtient qui ne l'ait déjà. Ceux qui l'ont le tiennent du chemin de campagne. Sur sa voie la tempête d'hiver et le jour de la moisson se croisent, la turbulence vivifiante du printemps et le déclin paisible de l'automne se rencontrent, l'humeur joueuse de la jeunesse et la sagesse de l'âge échangent des regards. Mais tout devient serein dans une harmonie unique, dont le chemin dans son silence emporte çà et là l'écho.

1. Littéralement: « Ce gai savoir est *das Kuinzige.* » Ce terme dialectal, propre à la Souabe du Sud (où se trouve Messkirch, ville natale de Heidegger), correspond étymologiquement à *keinnützig*, « bon à rien », « propre à rien », dont le sens est passé à celui d'« espiègle », « malicieux », et finalement désigne aujourd'hui un état de sérénité libre et joyeux, aimant à se dissimuler, marqué par une ironie affectueuse et par une touche de mélancolie: mélancolie souriante, sagesse qui ne se livre qu'à mots couverts. (*Renseignements fournis par l'auteur.*) (*N.d.T.*)

La sérénité qui sait est une porte donnant sur l'éternité. Ses battants tournent sur des gonds, qu'un habile artisan a forgés un jour en partant des énigmes de l'existence.

Des basses prairies d'Ehnried, le chemin revient au Jardin du Château. Franchissant une dernière colline, son étroit ruban traverse une dépression plate, puis arrive aux remparts. Il luit faiblement à la clarté des étoiles. Derrière le Château se dresse la tour de l'église Saint-Martin. Avec lenteur, presque avec hésitation, les onze coups de l'heure s'égrènent et s'effacent dans la nuit. La vieille cloche, aux cordes de laquelle les garçons ont eu leurs mains rudement chauffées, tremble sous les coups du marteau, dont nul n'oublie la silhouette amusante et sombre.

Avec le dernier coup le silence s'approfondit encore. Il s'étend jusqu'à ceux qui ont été sacrifiés prématurément dans deux guerres mondiales. Le Simple est devenu encore plus simple. Ce qui est toujours le Même dépayse et libère. L'appel du chemin de campagne est maintenant tout à fait distinct. Est-ce l'âme qui parle? est-ce le monde? est-ce Dieu?

Tout dit le renoncement qui conduit vers le Même. Le renoncement ne prend pas, mais il donne. Il donne la force inépuisable du Simple. Par l'appel, en une lointaine Origine, une terre natale nous est rendue.

L'Expérience de la pensée

Traduit par André Préau.

Titre original :

AUS DER ERFAHRUNG DES DENKENS

Ecrit en l'année 1947.

Voie et balance,
passerelle et verbe
s'unissent dans une même progression.

Avance, et supporte
l'échec et la question,
fidèle à ton unique sentier.

Quand, dans le silence de l'aube, le ciel peu à peu s'éclaire au-dessus des montagnes...

L'assombrissement du monde n'atteint jamais la lumière de l'Etre.

Nous venons trop tard pour les dieux et trop tôt pour l'Etre. L'homme est un poème que l'Etre a commencé.

Marcher vers une étoile, rien d'autre.

Penser, c'est se limiter à une unique idée, qui un jour demeurera comme une étoile au ciel du monde.

Quand, devant la fenêtre de la maisonnette, la girouette chante dans l'orage qui monte...

Si le courage de la pensée vient d'un appel de l'Etre, ce qui nous est dispensé trouve alors son langage.

Dès que nous avons la chose devant les yeux et que notre cœur est aux écoutes, tendu vers le verbe, la pensée réussit.

Peu d'hommes sont suffisamment entraînés à distinguer un objet savant d'une chose pensée.

La cause de la pensée serait meilleure, si déjà s'y rencontraient des tenants de vues opposées, et non de simples adversaires.

Quand, dans un ciel de pluie déchiré, un rayon de soleil passe tout à coup sur les prairies sombres...

Nous ne parvenons jamais à des pensées. Elles viennent à nous.

C'est alors l'heure marquée pour le dialogue.

Il rassérène et dispose à la méditation en commun. Celle-ci n'accuse pas les oppositions, pas plus qu'elle ne tolère les approbations accommodantes. La pensée demeure exposée au vent de la chose.

Dans de tels échanges, certains peut-être s'affirmeront comme des compagnons dans le métier de la pensée. Afin qu'un jour, sans qu'on ait pu le prévoir, l'un d'eux se révèle un maître.

Quand, aux premiers beaux jours, des narcisses isolés fleurissent, perdus dans la prairie, et que sous l'érable la rose des Alpes sourit...

Magnificence de ce qui est simple.

Seule la forme conserve la vision.
Mais la forme est œuvre de poète.

Quel homme, aussi longtemps qu'il fuit la tristesse, pourrait être jamais touché par un souffle vivifiant ?

La douleur dispense sa force de guérison, là où celle-ci est le moins soupçonnée.

Quand le vent, changeant tout d'un coup, gronde dans les combles de la maisonnette et que le temps veut se gâter...

Trois dangers menacent la pensée.

Le bon et salutaire danger est le voisinage du poète qui chante.

Le danger qui a le plus de malignité et de mordant est la pensée elle-même. Il faut qu'elle pense contre elle-même, ce qu'elle ne peut que rarement.

Le mauvais danger, le danger confus, est la production philosophique.

Lorsque en été le papillon s'arrête sur une fleur et, les ailes fermées, se balance avec elle au vent de la prairie...

Tout courage qui remplit le cœur est la réponse à une touche de l'Etre qui rassemble notre pensée et l'unit au jeu du monde.

Dans la pensée toute chose devient solitaire et lente.

Dans la patience mûrit la grandeur.

Qui pense grandement, il lui faut errer grandement.

Quand le torrent, dans le silence des nuits, raconte ses chutes sur les blocs de rocher...

Ce qu'il y a de plus ancien parmi les choses anciennes nous suit dans notre pensée et pourtant vient à notre rencontre.

C'est pourquoi la pensée s'attache à la venue de ce qui était et pourquoi elle est commémoration.

Etre ancien veut dire : s'arrêter à temps, là où l'idée unique d'une voie de pensée a trouvé sa place et s'y est logée.

Nous pouvons risquer le pas qui ramène de la philosophie à la pensée de l'Etre, dès lors qu'à l'origine de la pensée nous respirons un air natal.

Quand, par les nuits d'hiver, les tourmentes de neige secouent la maisonnette et qu'au matin le paysage est recueilli sous la neige...

Le dire de la pensée n'arriverait à s'apaiser et ne retrouverait son être que s'il devenait impuissant à dire ce qui doit rester au-delà de la parole.

Une telle impuissance conduirait la pensée devant la chose.

Ce que l'on énonce en mots n'est jamais, ni dans aucune langue, ce que l'on dit.

Qu'une pensée brusquement soit, qui, parmi ceux qui s'en étonnent, voudrait sonder cette profondeur?

Quand, sur les pentes de la haute vallée que les troupeaux parcourent lentement, les cloches des bêtes n'arrêtent pas de sonner...

Ce caractère de la pensée, qu'elle est œuvre de poète, est encore voilé.

Là où il se laisse voir, il est tenu longtemps pour l'utopie d'un esprit à demi poétique.

Mais la poésie qui pense est en vérité la topologie de l'Etre.

A celui-ci elle dit le lieu où il se déploie.

Quand le soleil du soir, débouchant quelque part dans la forêt, revêt d'or les fûts...

Chanter et penser sont les deux troncs voisins de l'acte poétique.

Ils naissent de l'Etre et s'élèvent jusqu'à sa vérité.

Leur relation nous donne à méditer ce qu'Hölderlin chante des arbres de la forêt :

« Et les fûts voisins, tout le temps qu'ils sont debout,
Demeurent inconnus l'un à l'autre. »

Hebel

L'ami de la maison

Traduit par Julien Hervier.

Titre original:

HEBEL — DER HAUSFREUND

Les forêts s'étendent
Les torrents s'élancent
Les rochers durent
La pluie ruisselle.

Les campagnes sont en attente
Les sources jaillissent
Les vents remplissent l'espace
La pensée heureuse trouve sa voie[1].

1. *Segen sinnt*, à première vue : « la bénédiction médite ». Nous donnons ici au verbe *sinnen* son sens ancien de cheminer, aller, voyager (de *sind*, « chemin », d'où le verbe *sindnan*, devenu *sinnan*, puis *sinnen*). (*N.d.T.*)

Qui est Johann Peter Hebel? La meilleure voie pour trouver la réponse à cette question serait peut-être de nous faire raconter l'histoire de sa vie. Il nous arrive encore d'entendre prononcer le nom de Johann Peter Hebel ici ou là à l'école communale. Nous avons appris dans notre livre de lecture quelques-uns de ses poèmes et nous en avons conservé un certain souvenir. Nous rencontrons parfois son nom en lisant dans un almanach telle ou telle de ses histoires.

Il importe de connaître la carrière de ce poète ; car c'est grâce à elle qu'a pu jaillir la source poétique qui sommeillait en lui.

Johann Peter Hebel naquit en 1760, à Bâle, où ses parents, d'origine allemande, étaient entrés dans l'administration suisse. Le père ne survécut qu'un an à la naissance du petit Jean-Pierre. A treize ans le gamin perdit sa mère, qui était de Hausen, dans la vallée de la Wiese. Partant du coude que fait le Rhin près de Bâle-Lörrach, cette vallée remonte jusqu'en Forêt-Noire, jusqu'au Feldberg ; c'est là que prend sa source cette rivière dont Hebel a chanté l'allure et le cours dans son grand poème *La Wiese*.

Plus tard, le jeune Hebel fréquenta le lycée de Karlsruhe. Il étudia la théologie à Erlangen, devint vicaire dans le Markgräflerland protestant et bientôt professeur à Lörrach. A trente et un ans Hebel retourna au lycée de Karlsruhe, mais cette fois en qualité de professeur, puis de directeur de l'établissement, et il parvint finalement à de hauts emplois et de hautes dignités religieuses et politiques, jusqu'à ce que la mort vînt l'atteindre, le 22 septembre 1826, à l'âge de soixante-six ans. Il passa donc plus de la moitié de sa vie loin de sa terre natale.

Karlsruhe, c'était déjà pour lui l'éloignement, car la proximité du pays de sa naissance et de son enfance ne cessa jamais d'exercer sur lui une influence profonde et de l'attirer irrésistiblement. Les sèves et les forces de la terre natale et l'enjouement un peu massif de ses habitants — qui eurent toujours beaucoup de sympathie pour lui — restèrent vivants dans son cœur et son esprit. Cependant, il ne put réaliser le rêve de sa vie : être curé de village dans le Markgräflerland. Pourtant, le charme magique du pays natal tenait Hebel sous son emprise. Les *Poésies alémaniques* sont issues de cette nostalgie. Elles parurent en 1803. Hebel écrit dans la préface[1] :

« Le dialecte dans lequel ces poésies ont été écrites justifie leur titre. Il se parle dans la boucle du Rhin entre le Fricktal et l'ancien Sundgau et, plus loin, sous des formes diverses, jusqu'aux Vosges, aux Alpes et par-delà la Forêt-Noire dans une grande partie de la Souabe. »

Nous pourrions penser que, poésie régionaliste, la poésie de Hebel ne sait parler que de son petit monde. En outre on pense généralement que le dialecte ne représente qu'incorrection et déformation par rapport à la langue littéraire. C'est une opinion erronée. Le dialecte est la source secrète de toute langue parvenue à maturité. De lui continue

1. Les textes de Hebel sont cités d'après l'édition de Wilhelm Altwegg, t. I à III, Atlantis-Verlag, Zürich-Fribourg-en-Brisgau, 1940 ; les lettres sont citées d'après l'édition complète de la *Correspondance* de Hebel, de Wilhelm Zentner, C. F. Müller éd., Karlsruhe, 1939. (*N.d.A.*)

d'affluer vers nous tout ce que recèle et sauvegarde l'esprit de la langue.

Que recèle, que sauvegarde l'esprit d'une véritable langue ? Il conserve en lui, inapparents mais fondamentaux, les rapports à Dieu, au monde, aux hommes, à leurs œuvres et à leurs faits et gestes. Ce que sauvegarde l'esprit de la langue, c'est cette haute et souveraine omniprésence d'où chaque chose tire son origine de telle sorte qu'elle ait vigueur et fécondité.

Cette souveraineté garante de la vigueur revit dans la langue. Mais elle meurt aussi avec elle, dès qu'une langue voit s'épuiser cet afflux de sang nouveau qu'est le dialecte.

Johann Peter Hebel le savait parfaitement. C'est pourquoi il écrivait dans une lettre, peu avant la publication des *Poésies alémaniques*, que ces dernières restaient bien conformes « au caractère et aux perspectives de ce petit peuple » (il entendait par là le peuple alémanique), mais qu'elles étaient en même temps « de noble poésie » (*Correspondance*, p. 114).

« Noble poésie », dit-il, comment l'entendre ? C'est une poésie dont le fond est noblesse ; elle tire ainsi sa haute origine de ce qui est en soi le permanent dont la force dispensatrice jamais ne se tarit. C'est pourquoi Johann Peter Hebel n'est pas un simple poète dialectal et régionaliste. Hebel est un poète universel. Voilà déjà une réponse à notre question : qui est Johann Peter Hebel ? Pourtant nous n'avons pas encore la réponse. Nous ne l'aurions que si nous savions aussi de quelle façon Hebel put devenir le grand poète qu'il est. C'est pourquoi nous reposons la question : Qui est Johann Peter Hebel ?

Nous anticipons sur la réponse en disant dès maintenant : Johann Peter Hebel est l'*ami de la maison.*

Cette réponse semble d'abord surprenante, sinon incompréhensible. L'ami de la maison — un titre sans prétention, mais un mot profond et de portée lointaine. Par une merveilleuse clairvoyance, Hebel a trouvé ce nom et en a retenu la stimulante richesse de significations. Il l'a choisi pour l'almanach du pays de Bade dont il était l'éditeur. Mais en même temps Hebel a su reconnaître dans ce titre d'almanach la parole de sa propre vocation poétique. Ainsi qu'il l'écrivait en 1811 au « Vénérable Ministère grand-ducal » de Karlsruhe, il fut « enthousiasmé par la belle idée » « de faire de l'almanach rhénan de l'ami de la maison une apparition bienvenue et bienfaisante et, si possible, le plus bel almanach de toute l'Allemagne, assuré de remporter la victoire sur n'importe quel concurrent[1] ».

Ce que Hebel dit ici de sa belle idée d'almanach mérite d'être médité mot pour mot.

L'almanach devrait devenir une apparition. Sans cesse il devrait briller visiblement et éclairer l'existence quotidienne des hommes. L'almanach ne doit pas se contenter de paraître comme tout autre imprimé, déjà disparu presque avant d'avoir été vu.

L'apparition de l'almanach devrait être « la bienvenue » : elle devrait être saluée de bon gré et non imposée aux gens par les autorités, comme c'était alors courant.

L'apparition de l'almanach devrait être « bienfaisante » : portée par le désir de renforcer les joies et de soulager les peines des lecteurs.

En même temps l'almanach doit, « de la plus belle façon », franchir les étroites frontières de sa province pour s'adresser à toute l'Allemagne ; car Hebel se réfère, pour juger ses paroles et ses écrits, aux critères les plus hauts.

1. Le passage concernant « la belle idée qui poussa (Hebel) à s'occuper avec enthousiasme de l'almanach rhénan de l'ami de la maison », se trouve dans une lettre de Hebel datée du 17 novembre 1811 et adressée au « Vénérable Ministère grand-ducal » de Karlsruhe ; cf. Heinrich Funck, *L'ami rhénan de la maison et Johann Peter Hebel*, 1886, p. 77. (*N.d.A.*)

C'est ce qui lui permet aussi d'apprécier la portée d'une telle apparition.

Enfin Hebel ne craint pas d'avouer que tout ce que l'homme est capable de produire d'essentiel, même un simple almanach, est la récompense d'une victoire remportée dans une noble rivalité.

Aujourd'hui, le « magazine illustré » a remplacé et détruit le vieil almanach. Le magazine distrait, désagrège, jette l'essentiel et l'inessentiel pêle-mêle sur le même plan : celui de la platitude et de l'actualité sensationnelle mais tout aussitôt démodée. L'almanach au contraire était autrefois capable de faire voir le permanent dans ce qui est apparemment insignifiant et se prêtait à des lectures et des méditations toujours reprises.

Cependant, sans même s'en douter, Hebel a conféré à la « belle idée » de son almanach un éclat qui persistera bien au-delà de notre temps et qui ne cessera jamais d'enchanter le sens et les sens des hommes. Comment y est-il parvenu ? En devenant celui qu'il était : l'ami de la maison. Ce terme sans prétention et pourtant lourd de résonances est le nom qui désigne le trait fondamental de sa poésie.

Si l'on considère que le métier de poète se ramène exclusivement à une production de poèmes, on peut soutenir que Hebel a cessé d'être poète après la publication des « poésies alémaniques ». Cependant les poèmes écrits « pour les amis de la nature et des mœurs rustiques » ne sont que le début de son aventure poétique dans ce qu'elle aura d'universel. Ce n'est que dans les récits et dans les « moralités » de son almanach qu'il atteint à la plus haute noblesse de la langue allemande. Hebel, qui vivait avec l'allemand dans un voisinage lucide, en savait long sur ce trésor. Il fit selon ses propres critères poétiques un choix des meilleurs morceaux qu'il avait publiés dans l'« almanach rhénan de l'ami de la maison ». Il réduisit ainsi le trésor à ses pièces les plus précieuses, leur donna un écrin et en fit présent en 1811 au monde où l'allemand est parole sous le titre de *Schatzkästlein*[1].

Le cheminement vers l'apparition grâce auquel un tel livre atteignit dans le domaine de la langue les dimensions d'une œuvre qui requiert notre admiration, c'est le geste poétique même auquel nous reconnaissons Hebel comme l'« ami de la maison ». Mais en même temps, dans le *Schatzkästlein*, les poésies alémaniques sont recueillies (*aufgehoben*) dans le triple sens que prend ce mot dans la pensée de l'un des grands contemporains du poète, le penseur Georg Wilhelm Friedrich *Hegel*, souabe d'origine.

Aufheben signifie tout d'abord : ramasser par terre ce qui traîne. Ce genre d'*aufheben* reste cependant extérieur aussi longtemps qu'il ne se précise pas en un *aufheben* qui ne signifie pas moins que : conserver. Mais cet *aufheben* ne reçoit à son tour vigueur et durée qu'en provenant d'un *aufheben* encore plus originaire dont le sens est : élévation, transfiguration, anoblissement — par conséquent : métamorphose. C'est ainsi que Hebel a « recueilli » les « poésies alémaniques » dans le *Schatzkästlein*. Leur charme puissant rayonne de l'anthologie, bien qu'elles ne s'y trouvent pas en effet.

Notre vision habituelle du monde, des choses humaines et divines, est entièrement refondue par la vertu du dire poétique dans le trésor sans prix, la surabondance de ce qui demeure secret. Cette refonte anoblissante advient grâce à l'exaltation de la parole. Mais cette exaltation regarde à la simplicité. Exalter la langue jusqu'au simple, cela veut dire : tout métamorphoser sous le tendre rayonnement d'une parole dont la résonance pacifie. Cette parole qui anoblit, voilà l'être poétique de Johann Peter Hebel.

1. Le mot *Schatzkästlein*, composé de *Schatz*, trésor, et de *Kästlein*, petit coffre, signifie à la fois « coffret à bijoux » et « anthologie », « choix de textes ». (*N.d.T.*)

C'est ce qu'il faut avoir suffisamment médité pour pouvoir comprendre en profondeur et durablement ce que des hommes de valeur tels qu'Emil Strauss, Wilhelm Altwegg et Wilhelm Zentner ont déjà reconnu : la *Correspondance* de Hebel, elle aussi, fait partie, avec les *Poésies alémaniques* et le *Schatzkästlein*, de la totalité que constitue son œuvre poétique.

Seul le poète qui s'identifiait toujours plus clairement dans son essence propre comme l'ami de la maison, et qui adhérait toujours plus résolument à cette vocation, pouvait écrire ces lettres.

Cependant nous persistons à poser la question : Qui donc est-il, l'ami de la maison ? De quelle façon Hebel est-il cet ami et dans quelle maison ?

Nous pensons d'abord aux maisons où habitent campagnards et citadins. Aujourd'hui, et souvent par force, nous avons trop tendance à représenter les maisons comme des assemblages de pièces où se déroule au jour le jour la routine de la vie humaine. La maison devient presque un simple récipient où habiter. Pourtant ce n'est qu'en l'habitant que l'on fait vraiment de la maison une maison. La construction qui produit la maison n'est ce qu'elle est dans sa vérité que si elle s'est accordée dès le départ à cette faculté de se laisser habiter qui éveille et assure constamment des possibilités plus originales d'habitation.

Si nous parvenons à penser le verbe « habiter » avec suffisamment d'ampleur et de sens, il nous nomme la façon dont les hommes accomplissent sur terre et sous la voûte du ciel leur migration de la naissance vers la mort. Cette migration est multiforme et riche en métamorphoses. Partout cependant une telle migration demeure fondamentale pour celui dont le séjour se déploie entre ciel et terre, naissance et mort, joie et douleur, œuvre et parole.

Si nous appelons *monde* cet intervalle multiple, le monde

alors est la maison qu'habitent les mortels. Les maisons, les villages et les cités ne sont en revanche que des bâtiments qui rassemblent en eux et autour d'eux cet intervalle multiple. Les bâtiments transforment la terre en une contrée habitée, désormais à proximité de l'homme, et en même temps ils installent sous la voûte du ciel la proximité qu'est le voisinage. C'est seulement dans la mesure où l'homme, ce mortel, habite la maison du monde qu'il lui revient de bâtir à ceux du ciel leur maison, et à lui-même sa demeure.

C'est de cette maison du monde que l'ami de la maison est l'Ami. Il s'incline amicalement sur ce trait de la vie humaine que nomme dans toute son ampleur le verbe habiter. Pareille inclination a cependant son site dans une appartenance originelle mais toujours de saison au monde tel qu'il est bâti. Aussi trouvons-nous dans le *Schatzkästlein* de l'ami de la maison des « Considérations sur le bâtiment du monde ». Bien plus: l'ami de la maison n'a pas réparti ces considérations au hasard et en désordre entre les récits. Il a mûrement choisi, et disposé avec art les trésors dans leur écrin.

Bien plus: le *Schatzkästlein débute* par les « Considérations générales sur le bâtiment du monde ». L'ami de cette maison présente d'abord à nos yeux « la terre et le soleil ». Viennent ensuite les considérations sur la lune. Puis, au milieu des récits qui rapportent, innocents ou aventureux, honnêtes ou lourds de malice, les faits et gestes des hommes, c'est le scintillement des étoiles: d'abord, et en deux fois, les planètes, puis les comètes et, placées exprès à la fin, les étoiles fixes.

Evidemment on pourrait dire non sans raison que les considérations de Hebel sur le bâtiment du monde sont tout à fait dans la ligne de son époque, avec sa vénération des « lumières ». Il était alors devenu impossible d'ignorer plus longtemps les découvertes de la science moderne de la nature en plein essor. On voulait communiquer aux hommes ce qui représentait le dernier mot de la connaissance. Mais si cette constatation s'applique très bien à l'ère des lumières, elle méconnaît pourtant foncièrement les intentions de l'ami de la maison, Johann Peter Hebel. Ces intentions, nous ne les comprendrons bien qu'après avoir découvert *qui* est le *véritable* ami de la maison.

Chose surprenante, ce n'est pas Hebel. Alors qui donc? Hebel lui-même nous donne la réponse dans un passage significatif de ses considérations sur le bâtiment du monde. Si nous prenons bien garde à ce qu'il a de caractéristique, il suffira à orienter de façon décisive notre tentative de penser dans son essence l'ami de la maison à partir de la maison du monde. Le passage en question se trouve à la fin des considérations sur la lune. Il y est dit:

« Huitième et dernier point: la lune, qu'a-t-elle donc au juste à faire au ciel? — Réponse: ce qu'y fait la terre. La chose est sûre: le clair de lune, de sa douce lumière, reflet de la clarté qu'il reçoit du soleil, illumine nos nuits et regarde les garçons embrasser les filles. C'est lui le véritable ami de la maison et le premier faiseur d'almanachs ici-bas, c'est le veilleur en chef tandis que les autres dorment. » (Considérations sur le bâtiment du monde, la lune, I, p. 326 sq.)

Le véritable ami de notre demeure terrestre est le clair de lune. Qui oserait tenter d'exprimer en quelques mots forcément trop grossiers ce que cette image dit d'essentiel sur l'ami de la maison? Comme la lune avec son éclat, Hebel, l'ami terrestre de la maison, apporte avec sa parole une lumière des plus douces. Le clair de lune apporte la lumière dans nos nuits. Mais il n'a pas allumé lui-même la lumière qu'il apporte. Elle n'est que le reflet auparavant reçu par la lune — de son soleil dont l'éclat illumine aussi la terre.

Le reflet du soleil que la lune renvoie adouci à la terre

est, dans sa façon même de briller, l'image poétique de cette parole révélée à l'Ami afin qu'ainsi illuminé il restitue ce qui *lui* a été révélé à ceux qui habitent avec lui la terre.

Dans tout ce qu'il dit, l'Ami sauvegarde l'essentiel auquel sont confiés les hommes, ces habitants, qui, dans leur torpeur, le laissent trop souvent échapper.

L'ami de la maison, comme le veilleur en chef, le clair de lune, reste éveillé pendant la nuit. Il veille au bon repos des habitants, et il prend garde aux éléments de menace ou de trouble.

Premier faiseur d'almanach, le clair de lune prescrit la succession des heures. Ainsi la parole poétique précède les mortels sur leur chemin de la naissance à la mort.

L'ami de la maison regarde les garçons embrasser les filles. Son regard est pure merveille, il ne s'appesantit sur rien. L'Ami veille à ce que soit accordé aux amants le doux éclat lunaire qui n'est pas seulement terrestre ou céleste, mais les deux à la fois dans l'indivision originelle.

Dans l'image de la lune, Hebel nous invite à déchiffrer la nature profonde de l'ami de la maison. Les marches et les haltes, l'attitude et les gestes de l'Ami ne sont qu'un unique rayonnement, retenu en sa guise, mais toujours vigilant et qui plonge toutes choses dans la douceur d'une lumière à peine sensible.

C'est bien à cela que correspond ce que dit Hebel de lui-même lorsqu'il se considère en tant qu'ami de la maison. Il glisse par-ci par-là « une toute petite mais précieuse pépite » (II, 99) dans ses récits et considérations. « Car l'ami de la maison n'épargne pas ses allées et venues sur les rives du Rhin, il regarde par plus d'une fenêtre, on ne l'aperçoit pas ; il s'assied dans maintes auberges, mais on ne le reconnaît pas ; avec maint brave homme, il fait un bout de promenade, si c'est dimanche, mais il ne laisse pas deviner son identité. »

Ainsi, tout en parlant à son aimable lecteur, l'ami de la maison a bien des arrière-pensées quoiqu'il laisse l'essentiel informulé. Comme il l'écrit une fois à la fin d'une historiette (II, 164): « L'ami de la maison a son idée là-dessus, mais il ne dit mot. » Certes, il sait à quoi s'adresse sa parole, « à la grande foire du monde et de la vie » (II, 172). « On ne prête d'abord pas grande attention à la façon dont l'un s'en va et l'autre s'en vient, jusqu'à ce qu'à la fin l'on se trouve environné de tout autres gens qu'au commencement. »

L'ami de la maison sait parfaitement de quelle façon essentielle la vie des mortels est déterminée et supportée par la parole. Dans une lettre de septembre 1808, Hebel écrit: « Une grande partie de notre vie est une agréable ou désagréable errance à travers les mots, et la plupart de nos guerres sont... des guerres de mots » (*Correspondance*, p. 372).

Quoi d'étonnant si l'Ami peine plus durement que nous ne le pensions à soutenir de la bonne façon par sa parole cette guerre de mots!

Hebel écrit un jour à Justinus Kerner (20 juillet 1817, *Correspondance*, p. 565): « Vous savez à quoi cela engage lorsque l'on veut faire passer ce qu'il faut dire à un public déterminé dans la vérité et l'évidence de sa vie »... et, pouvons-nous ajouter, lorsqu'on veut le faire « sans être aperçu ni interpellé » (10 août 1817, *Correspondance*, p. 567). Car tel est le style de l'ami de la maison. Hebel commente encore une fois ce nom vers cette époque en écrivant (à Justinus Kerner, le 24 octobre 1817, *Correspondance*, p. 569), que, sous ce nom, on « parle à cœur ouvert avec le lecteur et l'on peut, sans façons, lui en conter à son aise... ».

Par cette parole discrète qui laisse informulé ce qu'elle doit vraiment dire, l'amitié de l'Ami s'épanche sur les lecteurs. Dans une telle parole, l'Ami trouve et conserve une inclination vers la demeure des mortels, en cela qu'il descend dans la maison du monde et devient son hôte —, mais comme s'il ne l'était pas.

« Ami de la maison » — c'est le nom à la fois clairvoyant et énigmatique qui désigne dans son être ce que nous appelons autrement un *poète*.

Le poète concentre le monde en une parole dont le mot ne constitue qu'un reflet d'une douceur retenue, sous lequel le monde apparaît comme s'il était aperçu pour la première fois. L'Ami ne veut pas seulement instruire ou éduquer. Il laisse au lecteur ses coudées franches, afin qu'il parvienne de lui-même à cette inclination vers l'essentiel sur lequel se penche l'Ami pour dialoguer avec nous.

Quel dialogue l'ami de la maison du monde envisage-t-il? De quoi compte-t-il parler d'abord? Réponse: de ce qui constitue le début de sa propre parole dans le *Schatzkästlein*. Ce sont les « Considérations générales sur le bâtiment du monde ». L'introduction se termine sur cette phrase:

« Et maintenant, l'ami de la maison va faire un prêche, d'abord sur la terre et le soleil, puis sur la lune et enfin sur les étoiles. »

Un prêche? Sans doute. Mais prenons garde à qui prêche. L'Ami, non le prêtre. Mais un poète qui prêche est un mauvais poète; sauf si nous entendons le verbe prêcher dans un sens plus profond. Prêcher, c'est le *praedicare* latin. A savoir: proclamer quelque chose, et par là annoncer, vanter et faire apparaître ainsi dans tout son éclat ce qui est à dire. Ce « prêche » constitue l'essence de la parole poétique.

En conséquence, les « Considérations sur le bâtiment du monde » sont poétiques. Que voilà une affirmation risquée! Car les intentions et les propos de Hebel lui-même semblent aller à son encontre. Par ces considérations, Hebel voudrait orienter les lecteurs de son almanach vers une meilleure connaissance du monde, afin de les libérer de leur ignorance paresseuse.

La première page du *Schatzkästlein* commence ainsi (I, 264) :

« Lorsque mon aimable lecteur est assis entre les siens, au milieu de ses montagnes et de ses arbres familiers, ou lorsqu'il est attablé devant un petit verre à « l'Aigle d'or », il se sent bien et ne réfléchit pas plus loin. Mais lorsque le soleil matinal se lève dans une calme magnificence, il ne sait pas d'où il vient, et le soir, lorsqu'il se couche, il ne sait pas non plus où il va, ni où il cache sa lumière pendant la nuit, ni par quel sentier secret il regagne au matin les montagnes de son orient. Et lorsque, tantôt pâle et mince, tantôt ronde et pleine, la lune traverse les nuits, il ne sait pas non plus à quoi l'attribuer ; et lorsqu'il lève les yeux vers le ciel rempli d'étoiles qui, belles et amicales, scintillent à l'envi, il s'imagine qu'elles sont toutes là pour lui, sans trop savoir ce qu'elles lui veulent. Cela ne va pas, mon bon ami, de voir tout cela chaque jour sans se demander ce que cela veut dire. »

L'ami de la maison voudrait amener ses lecteurs à réfléchir sur ce qui se révèle dans les mouvements ou les repos de la nature dont est tissu le monde que nous habitons. C'est pourquoi il présente aussi la nature à ses lecteurs telle que, dans la science moderne, les « physiciens et les astronomes », et en particulier « l'admirable Copernic », se la représentent : par des nombres, des figures et des lois. Nous disons en pesant nos mots : l'ami de la maison montre *aussi* la nature sous son aspect scientifiquement mesurable. Mais il ne se perd pas dans cette conception de la nature. Il porte ses regards sur la nature mesurable, mais en même temps il replonge la nature ainsi représentée dans son *naturel* de nature. Ce naturel de la nature est dans son essence, et donc aussi selon l'histoire, beaucoup plus ancien que la nature conçue comme objet de la science naturelle des temps modernes. Le naturel de la nature ne se dégage pas directement de la nature même, on le reconnaît plus proprement dans ce qu'autrefois les anciens penseurs grecs nommaient la « Physis »: l'éclosion-retrait de tout étant dans sa présence-absence.

Le naturel de la nature, c'est ce lever et ce coucher du soleil, de la lune, des étoiles, qui s'adressent directement aux hommes, habitants de la terre, en leur révélant en quoi le monde est plein de son secret. Même si dans l'explication scientifique du monde le soleil est pensé selon Copernic, au sein de la nature naturelle il n'en reste pas moins, ainsi que le dit Hebel dans deux poèmes, ce « sacré gaillard » dont « tout le monde attend la lumière et la bonne chaleur », de qui « chacun sollicite la faveur », et qui n'en est pas moins « si brave homme et pas fier! » (*Das Habermus*, I, 104 sq, *La soirée d'été*, I, 78; sq.)

Hebel transforme-t-il ici le soleil en un paysan, ou bien la simplicité d'un tel paysan ou de tout autre être humain apparaît-elle seulement lorsque le soleil et les astres de la nature naturelle nous éclairent de leur calme splendeur?

Sans doute *Goethe* écrit-il dans ses commentaires des poésies alémaniques de Hebel: « L'auteur transforme les phénomènes naturels en campagnards et, de la façon la plus naïve et la plus gracieuse, il travestit le monde entier à la paysanne: de sorte que la campagne, dans laquelle on aperçoit pourtant toujours le campagnard, semble ne plus faire qu'un avec lui dans notre imagination exaltée et ravie. »

Hebel travestit le monde à la paysanne. Voilà un jugement sans douceur, bien qu'il parte d'une intention amicale. Il touche même une *question* qui préoccupa de façon constante la dernière poésie et l'ultime pensée de Goethe.

Qu'est-ce donc qui mérite, de notre part aussi, et surtout de nos jours, un questionnement si instant?

C'est cette énigme, devenue entre-temps illimitée et impénétrable, qui emporte notre époque, nous ne savons où.

C'est cette énigme dont nous ne connaissons pas encore aujourd'hui le véritable nom: c'est que la nature techniquement maîtrisable de la science et la nature naturelle du séjour humain, à la fois habituel et historiquement déterminé, prennent leurs distances comme deux domaines étrangers et s'éloignent l'un de l'autre à une vitesse toujours plus folle.

C'est cette énigme, qu'on donne aujourd'hui pour seule clef au mystère du monde ce caractère mesurable de la nature.

C'est cette énigme, que la nature mesurable, en tant que monde prétendu vrai, accapare toute la réflexion et l'activité humaines, transforme et sclérose en une simple pensée calculatrice la représentation humaine.

C'est cette énigme, que la nature naturelle déchoie jusqu'à n'être que le néant d'un mirage qui n'intéresse plus même les poètes.

C'est cette énigme, que la poésie elle-même ne soit plus capable d'être la figure exemplaire de la vérité.

Tout ceci peut encore se dire ainsi: nous errons aujourd'hui dans une maison du monde d'où l'Ami est absent, celui que ses penchants inclinent avec une force égale vers l'univers techniquement aménagé *et* vers le monde conçu comme la maison d'un habitat plus originel. Manque l'Ami qui pourrait réinvestir le caractère mesurable et technique de la nature dans le secret ouvert d'un naturel de la nature à nouveau éprouvé.

Cet ami, certes, travestit le monde à la paysanne. Mais ce travestissement est du même ordre que l'art de construire qui pense en direction d'un habitat humain plus originel.

Pour cela, il faut des constructeurs qui sachent que l'homme ne peut pas vivre grâce à l'énergie nucléaire, mais tout au plus mourir, c'est-à-dire perdre son être, là même où l'énergie nucléaire n'est utilisée qu'à des fins pacifiques, si ces fins restent seules décisives pour donner des buts aux hommes en les convoquant. Tout au contraire, les véritables constructeurs considèrent que la simple vie qui va son train est encore loin d'un authentique habitat humain. Car, *lorsqu'il lui arrive* d'habiter, l'homme « habite », selon le mot de *Hölderlin*, « poétiquement... sur cette terre ».

C'est dans la figure de l'Ami que Johann Peter Hebel est poète. Il ne nous est évidemment plus possible, à nous modernes, de revenir un siècle et demi en arrière, au monde que connaissait Hebel, pas plus au caractère campagnard sans rien de frelaté de cette époque qu'à ses connaissances bornées sur la nature.

Mais nous pouvons noter à ce propos que l'essence poétique du séjour humain a besoin du poète qui, dans un sens supérieur et très large, est un ami, l'ami de la maison du monde, et même noter sous quelle forme il en a besoin.

Nous pouvons aller de l'avant et jeter un regard dans la direction que nous indique Hebel lorsqu'il pense le poète comme l'Ami qui porte au langage la maison du monde en vue de la rendre habitable à l'homme.

« Porter au langage » — nous utilisons couramment cette locution pour exprimer que quelque chose devient sujet de discussion et de débat. Cependant, lorsque nous pensons cette locution avec circonspection et en pesant ses termes, elle y gagne un sens plus profond. Porter au langage veut alors dire : élever pour la première fois jusqu'à la parole ce qui restait informulé, qui jamais ne fut dit, et faire apparaître par un dire qui le montre ce qui jusque-là demeurait en retrait. Si nous considérons le dire sous cet aspect, il se révèle que: la langue recèle en soi tout le trésor de l'essentiel.

Seuls un petit nombre de gens ont réussi jusqu'à nos jours à mesurer tout ce qui est recelé dans le *Schatzkästlein* de Johann Peter Hebel. La langue allemande littéraire, celle que parlent les considérations et les récits de Hebel, est la plus simple, la plus claire, et en même temps la plus envoûtante et la plus sensée qui fut jamais. La langue du *Schatzkästlein* demeure un grand modèle pour tous ceux qui entreprennent de parler et d'écrire avec autorité dans cette langue.

A quoi tient le secret de la langue de Hebel? Ni à une volonté artificieuse de style, ni à une intention d'écrire dans le langage le plus populaire possible. Le secret de cette langue consiste en ce que Hebel a su incorporer à la langue littéraire les qualités du dialecte alémanique. Ainsi le poète fait résonner dans la langue littéraire le pur écho des richesses dialectales.

Savons-nous entendre encore la langue du *Schatzkästlein*? Et, surtout, notre langue nous atteint-elle assez directement pour que nous y prêtions l'oreille? Ou bien notre propre langue nous fuit-elle? C'est un fait. Ce qu'autrefois notre langue a formulé, son inépuisable antiquité, sombre de plus en plus dans l'oubli. Que se passe-t-il?

Quand l'homme parle et quoi qu'il dise, il ne parle qu'après avoir prêté l'oreille à la langue. Même ne pas savoir entendre la langue est une forme d'écoute. L'homme parle à partir de la langue à laquelle son être est voué. Nous nommons cette langue: la langue maternelle.

Considérant le fait que la langue historiquement développée est langue maternelle, nous pouvons dire:

En vérité, c'est la langue qui parle et non l'homme. L'homme ne parle que dans la mesure où il cor-respond à la langue.

A l'époque actuelle, par suite de la hâte et de la banalité des paroles et des écrits de tous les jours, un autre rapport à la langue s'instaure d'une façon toujours plus décisive. Nous croyons en effet que la langue, comme tout ce dont nous nous servons journellement, n'est qu'un instrument, l'instrument de la compréhension et de l'information.

Cette conception de la langue est pour nous si courante que nous remarquons à peine sa puissance inquiétante. Cependant, ce caractère inquiétant se manifeste avec une évidence croissante. La conception de la langue comme instrument d'information est aujourd'hui poussée à l'extrême. On a bien une certaine connaissance de ce processus, mais on ne s'interroge pas sur son sens. On sait que maintenant, dans le contexte de la construction des cerveaux électroniques, on ne fabrique pas seulement des machines à calculer, mais aussi des machines à penser et à traduire. Tout calcul, au sens précis et au sens large, toute pensée et toute traduction s'accomplit cependant au sein de la langue. Grâce aux machines évoquées ci-dessus, la *machine à parler* est devenue réalité.

La machine à parler, en tant qu'appareillage technique du genre des machines à calculer et à traduire, est quelque chose d'autre que la machine parlante. Nous connaissons celle-ci sous la forme d'un appareil qui enregistre et restitue nos paroles, et qui ne s'immisce donc pas encore dans la parole de la langue.

Au contraire, la machine à parler réglemente et mesure, à partir de ses énergies et de ses fonctions mécaniques, la forme de notre utilisation possible de la langue. La machine à parler est — et surtout deviendra — l'une des façons dont la technique moderne dispose du mode et du monde de la langue en tant que telle.

En attendant, il semble toujours en apparence que l'homme maîtrise la machine à parler. Mais il se pourrait bien, en vérité, que la machine à parler prenne en charge la langue et maîtrise ainsi l'essence de l'homme.

Le rapport de l'homme à la langue est pris dans une mutation dont nous ne mesurons pas encore la portée. Le cours de cette mutation ne se laisse pas non plus arrêter de façon immédiate. Il s'accomplit en outre dans le plus profond silence.

Nous devons admettre, bien sûr, que la langue apparaît dans son usage quotidien comme un moyen de compréhension et qu'elle est utilisée en tant que tel pour les rapports habituels de la vie. Pourtant il y a encore d'autres rapports que ces rapports habituels. *Goethe* nomme ces autres rapports « plus profonds » et dit de la langue:

« Dans la vie commune nous nous accommodons tant bien que mal de la langue, car nous ne décrivons que des rapports superficiels. Dès qu'il s'agit de rapports plus profonds, aussitôt une autre langue apparaît, la langue poétique » (*Œuvres*, IIe partie, t. XI. Weimar, 1893, p. 167).

Ces rapports plus profonds de l'existence humaine, Johann Peter *Hebel* les nomme lorsqu'il lui arrive d'écrire:

« Qu'il nous plaise ou non de nous l'avouer, nous sommes des plantes qui ont besoin de racines pour sortir de terre afin de pouvoir fleurir dans l'éther et porter des fruits » (III, p. 314).

La terre: dans la phrase de Hebel, ce mot nomme tout ce qui, visible, audible ou palpable, nous porte et nous entoure, nous exalte et nous calme: le sensible.

L'éther: dans la phrase de Hebel, ce mot nomme tout ce que nous percevons sans l'entremise des organes sensoriels: le non-sensible, l'intelligence, l'esprit.

Mais la langue est la voie qui relie la profondeur du pur sensible à l'altitude de l'esprit le plus hardi.

Dans quelle mesure? La parole de la langue résonne et

sonne dans la voix, s'éclaire et brille dans l'écriture. Son et signe, bien que sensibles, sont du sensible où un sens ne cesse de résonner et d'apparaître. La parole en tant que sens sensible mesure l'espace qui s'étend de la terre jusqu'au ciel. La langue maintient ouvert le domaine où l'homme, sur terre et sous le ciel, habite la maison du monde.

Johann Peter Hebel, le poète, voyage, l'esprit clair, par les routes et les chemins que la langue peut se révéler être pour nous. Elle le peut lorsque nous recherchons l'amitié de l'Ami qui, en tant que poète, est lui-même un ami pour la maison du monde...

L'amitié de Johann Peter Hebel: l'ami de la maison.

Lettre sur l'humanisme

(LETTRE À JEAN BEAUFRET)

Traduit par Roger Munier.

Titre original :

UEBER DEN HUMANISMUS

Nous ne pensons pas de façon assez décisive encore l'essence de l'agir. On ne connaît l'agir que comme la production d'un effet dont la réalité est appréciée suivant l'utilité qu'il offre. Mais l'essence de l'agir est l'accomplir. Accomplir signifie : déployer une chose dans la plénitude de son essence, atteindre à cette plénitude, producere. Ne peut donc être accompli proprement que ce qui est déjà. Or, ce qui « est » avant tout est l'Etre[1]. La pensée accomplit la relation de l'Etre à l'essence de l'homme. Elle ne constitue ni ne produit elle-même cette relation. La pensée la présente seulement à l'Etre, comme ce qui lui est remis à elle-même par l'Etre. Cette offrande consiste en ceci, que dans la pensée l'Etre vient au langage[2]. Le langage est la maison de l'Etre. Dans son abri, habite l'homme. Les

1. Nous écrivons le mot avec une majuscule, suivant en cela Heidegger lui-même : « Denken ist l'engagement par l'*E*tre pour l'*E*tre » (p. 74). Et plus loin : « Penser c'est l'engagement de l'*E*tre. » « Noch wartet das Sein dass *E*s selbst... » (p. 88) « Doch das Sein — was ist das Sein ? Es ist *Es* selbst » (p. 101). « Das Sein selber ist das Verhältnis insofern *Es*... » (p. 103). « Précisément nous sommes sur un plan où il y a principalement l'*E*tre » (p. 106). « Woher aber kommt und was ist le plan ? L'*E*tre et le plan sind das Selbe. In S. u. Z. ist mit Absicht und Vorsicht gesagt : il y a l'*E*tre... » (p. 107). « Zum Geschick kommt das Sein, indem *E*s, das Sein, sich gibt » (p. 109).

2. *Zur Sprache kommt.* L'expression signifie dans la langue courante : venir en question. De même, plus loin, *zur Sprache bringen :* mettre en discussion.

penseurs et les poètes sont ceux qui veillent sur cet abri. Leur veille est l'accomplissement de la révélabilité de l'Etre, en tant que par leur dire ils portent au langage cette révélabilité et la conservent dans le langage. La pensée n'est pas d'abord promue au rang d'action du seul fait qu'un effet sort d'elle ou qu'elle est appliquée à... La pensée agit en tant qu'elle pense. Cet agir est probablement le plus simple en même temps que le plus haut, parce qu'il concerne la relation de l'Etre à l'homme. Or, toute efficience repose dans l'Etre et de là va à l'étant. La pensée, par contre, se laisse revendiquer par l'Etre[1] pour dire la vérité de l'Etre. La pensée accomplit cet abandon. Penser est *l'engagement par l'Etre pour l'Etre*[2] Je ne sais si le langage peut unir ce double « *par* » et « *pour* » dans une seule formule comme: *penser c'est l'engagement de l'Etre*[2]. Ici, la forme du génitif « *de l'...* » doit exprimer que le génitif est à la fois subjectif et objectif. Mais « sujet » et « objet » sont en l'occurrence des termes impropres de la métaphysique — cette métaphysique qui, sous les espèces de la « logique » et de la « grammaire » occidentales, s'est de bonne heure emparée de l'interprétation du langage. Ce qui se cèle[3] dans un tel événement, nous ne pouvons qu'à peine le pressentir aujourd'hui. La libération du langage des liens de la grammaire, en vue d'une articulation plus originelle de ses éléments, est réservée à la pensée et à la poésie. La pensée n'est pas seulement *l'engagement dans l'action*[4] pour et par l'étant au sens du réel de la situation présente. La pensée est *l'engagement*[4] par et pour la vérité de l'Etre, cet Etre dont l'histoire n'est jamais révolue, mais toujours en attente. L'histoire de l'Etre supporte et détermine toute *condition et situation humaine*[4]. Si nous voulons

1. *In den Anspruch nehmen* (voir note 1, p. 74).
2. En français dans le texte.
3. *Was sich... verbirgt.*
4. En français dans le texte.

seulement apprendre à expérimenter purement cette essence de la pensée dont nous parlons, ce qui revient à l'accomplir, il faut nous libérer de l'interprétation technique de la pensée dont les origines remontent jusqu'à Platon et Aristote. A cette époque, la pensée elle-même a valeur de τέχνη, elle est processus de la réflexion au service du faire et du produire. Mais, alors, la réflexion est déjà envisagée du point de vue de la πρᾶξις et de la ποίησις. C'est pourquoi la pensée, si on la prend en elle-même, n'est pas « pratique ». Cette manière de caractériser la pensée comme θεωρία et la détermination du connaître comme attitude « théorétique », se produit déjà à l'intérieur d'une interprétation « technique » de la pensée. Elle est une tentative de réaction pour garder encore à la pensée une autonomie en face de l'agir et du faire. Depuis, la « philosophie » est dans la nécessité constante de justifier son existence devant les « sciences ». Elle pense y arriver plus sûrement en s'élevant elle-même au rang d'une science. Mais cet effort est l'abandon de l'essence de la pensée. La philosophie est poursuivie par la crainte de perdre en considération et en validité, si elle n'est science. On voit là comme un manque qui est assimilé à une non-scientificité. L'Etre en tant que l'élément de la pensée est abandonné dans l'interprétation technique de la pensée. La « logique » est la sanction de cette interprétation, en vigueur dès l'époque des sophistes et de Platon. On juge la pensée selon une mesure qui lui est inappropriée. Cette façon de juger équivaut au procédé qui tenterait d'apprécier l'essence et les ressources du poisson sur la capacité qu'il a de vivre en terrain sec. Depuis longtemps, trop longtemps déjà, la pensée est échouée en terrain sec. Peut-on maintenant appeler « irrationalisme » l'effort qui consiste à remettre la pensée dans son élément?

Les questions de votre lettre s'éclairciraient plus aisément dans un entretien direct. Dans un écrit, la pensée perd facilement sa mobilité. Mais surtout elle ne peut que difficilement faire tenir la pluralité de dimensions propre à son domaine. La rigueur de la pensée ne consiste pas seulement, à la différence des sciences, dans l'exactitude fabriquée, c'est-à-dire technique-théorétique, des concepts. Elle repose en ceci que le dire reste purement dans l'élément de l'Etre et laisse régner ce qu'il y a de simple en ses dimensions variées. Mais, par ailleurs, la chose écrite offre la salutaire contrainte d'une saisie vigilante par le langage. Pour aujourd'hui, je voudrais seulement isoler une de vos questions. L'examen que j'en ferai jettera peut-être aussi quelque lumière sur les autres.

Vous demandez: *Comment redonner un sens au mot « Humanisme »?*[1] Cette question dénote l'intention de maintenir le mot lui-même. Je me demande si c'est nécessaire. Le malheur qu'entraînent les étiquettes de ce genre n'est-il pas encore assez manifeste? On se méfie certes depuis longtemps des « ...ismes ». Mais le marché de l'opinion publique en réclame sans cesse de nouveaux. Et l'on est toujours prêt à couvrir cette demande. Les termes tels que « logique », « éthique », « physique » n'apparaissent eux-mêmes qu'au moment où la pensée originelle est sur son déclin. Dans leur grande époque, les Grecs ont pensé sans de telles étiquettes. Ils n'appelaient pas même « philosophie » la pensée. Celle-ci est sur son déclin, quand elle s'écarte de son élément. L'élément est ce à partir de quoi la pensée peut être une pensée. L'élément est proprement ce-qui-a-pouvoir: le pouvoir. Il prend charge de la pensée et ainsi l'amène à son essence. En un mot, la pensée est la pensée de l'Etre. Le génitif a un double sens. La pensée est de l'Etre, en tant qu'advenue par l'Etre, elle appartient à l'Etre. La pensée est en même temps pensée de

1. En français dans le texte, de même que les autres questions de la lettre de Jean Beaufret.

l'Etre, en tant qu'appartenant à l'Etre, elle est à l'écoute de l'Etre[1]. La pensée est ce qu'elle est selon sa provenance essentielle, en tant qu'appartenant à l'Etre, elle est à l'écoute de l'Etre. La pensée est — cela signifie: l'Etre a, selon sa destination[2], chaque fois pris charge de son essence. Prendre charge d'une « chose » ou d'une « personne » dans leur essence, c'est les aimer: les désirer[3]. Ce désir[4] signifie, si on le pense plus originellement: don de l'essence. Un tel désir est l'essence propre du pouvoir[5] qui peut non seulement réaliser ceci ou cela, mais encore faire « se déployer[6] » quelque chose dans sa pro-venance, c'est-à-dire faire être[7]. Le pouvoir du désir est cela « grâce » à quoi quelque chose a proprement pouvoir d'être. Ce pouvoir est proprement le « possible[8] », cela dont l'essence repose dans le désir. De par ce désir, l'Etre peut la pensée. Il la rend possible. L'Etre en tant que désir-qui-s'accomplit-en-pouvoir est le « pos-sible[9] ». Il est, en tant qu'il est l'élément, la « force tranquille » du pouvoir aimant, c'est-à-dire du possible. Sous l'emprise de la « logique » et de la « métaphysique », nos mots « possible » et « possibilité » ne sont en fait pensés qu'en opposition à « réalité », c'est-à-dire à partir d'une interprétation déterminée —

1. Heidegger rapproche *gehören*: appartenir, de *hören:* écouter.

2. *Geschicklich*: le mot n'existe pas dans la langue courante. Heidegger le forme à partir de *Geschick*: destin. *Geschick* est souvent rapproché de *schicken*: envoyer. Par exemple: « *Das Sein als das Geschick das Wahrheit schickt...* » (p. 115). Le jeu de mots est également possible en français si l'on prend destin au sens de: ce qui destine. C'est pourquoi nous traduisons à chaque fois *schicken* par destiner et *Geschick* par destin.

3. *Mögen.* Dans ce passage, Heidegger joue sur la polyvalence de ce mot qui signifie à la fois: pouvoir, désirer, aimer.

4. *Mögen.*

5. *Vermögen.*

6. « *Wesen* ».

7. *Sein lassen* peut aussi vouloir dire: laisser être; il faut lui maintenir également ce sens.

8. *Das* « *Mögliche* ».

9. *Das Mög-liche.*

métaphysique — de l'Etre conçu comme actus et potentia, opposition qu'on identifie avec celle d'existentia et d'essentia. Quand je parle de la « force tranquille du possible », je n'entends pas le possibile d'une possibilitas seulement représentée, non plus que la potentia comme essentia d'un actus de l'existentia, mais l'Etre lui-même qui, désirant, a pouvoir sur la pensée et par là sur l'essence de l'homme, c'est-à-dire sur la relation de l'homme à l'Etre. Pouvoir une chose signifie ici: la garder dans son essence, la maintenir dans son élément.

Lorsque la pensée, s'écartant de son élément, est sur son déclin, elle compense cette perte en s'assurant une valeur comme τέχνη, comme instrument de formation, pour devenir bientôt exercice scolaire et finir comme entreprise culturelle. Peu à peu, la philosophie devient une technique de l'explication par les causes ultimes. On ne pense plus, on s'occupe de « philosophie ». Dans le jeu de la concurrence, de telles occupations s'offrent alors au domaine public sous forme d'...ismes et tendent à la surenchère. La suprématie de semblables étiquettes n'est pas le fait du hasard. Elle repose, et particulièrement dans les temps modernes, sur la dictature propre de la publicité. Ce qu'on appelle « existence privée » n'est toutefois pas encore l'essentiel, le libre être-homme. Elle n'est qu'un raidissement dans la négation de ce qui est public. Elle reste la marcotte qui en dépend et ne se nourrit que de son retrait devant lui. Elle atteste ainsi malgré elle son asservissement à la publicité. Or celle-ci est l'effort, conditionné métaphysiquement parce qu'il a ses racines dans la domination de la subjectivité, pour diriger l'ouverture de l'étant vers l'objectivation inconditionnée de tout et l'y installer. C'est pourquoi le langage tombe au service de la fonction médiatrice des moyens d'échange, grâce auxquels l'objectivation, en tant que ce qui rend uniformément accessible tout à tous, peut s'étendre au mépris de toute frontière. Le langage tombe ainsi sous la dictature de la publicité. Celle-ci décide d'avance de ce qui est compréhensible, et de ce qui, étant incompréhensible, doit être rejeté. Ce qui est dit dans *Sein und Zeit* (1927), § 27 et 35, sur le « on » n'a nullement pour objet d'apporter seulement au passage une contribution à la sociologie. Pas davantage le « on » ne désigne-t-il uniquement la réplique, sur le plan moral-existentiel, à l'être-soi de la personne. Ce qui est dit du « on » contient bien plutôt, sur l'appartenance originelle du mot à l'Etre, une indication pensée à partir de la question portant sur la vérité de l'Etre. Sous l'emprise de la subjectivité qui se présente comme publicité, ce rapport demeure celé. Mais quand la vérité de l'Etre, se rappelant à la pensée, est devenue pour elle digne d'être pensée[1], il faut aussi que la réflexion sur l'essence du langage conquière un autre rang. Elle ne peut plus être une simple philosophie du langage. C'est là l'unique raison pour laquelle *Sein und Zeit* (§ 34) contient une indication sur la dimension essentielle du langage et touche à cette question simple: en quel mode de l'Etre le langage existe-t-il réellement comme langage? La dévastation du langage qui s'étend partout et avec rapidité ne tient pas seulement à la responsabilité d'ordre esthétique et moral qu'on assume en chacun des usages qu'on fait de la parole. Elle provient d'une mise en danger de l'essence de l'homme. Le soin attentif qu'on peut montrer dans l'utilisation du langage ne prouve pas encore que nous ayons échappé à ce danger essentiel. Il pourrait même être aujourd'hui le signe que nous ne voyons pas du tout ce danger et ne pouvons le voir, parce que nous ne nous sommes jamais encore exposés à son éclat. La décadence du langage, dont on parle beaucoup depuis peu, et bien tardivement, n'est toutefois pas la raison, mais déjà une

1. *Denk-würdig.*

conséquence du processus selon lequel le langage, sous l'emprise de la métaphysique moderne de la subjectivité, sort presque irrésistiblement de son élément. Le langage nous refuse encore son essence, à savoir qu'il est la maison de la vérité de l'Etre. Le langage se livre bien plutôt à notre pur vouloir et à notre activité comme un instrument de domination sur l'étant. Celui-ci apparaît lui-même comme le réel dans le tissu des causes et des effets. Nous abordons l'étant conçu comme le réel par le biais du calcul et de l'action, mais aussi par celui d'une science et d'une philosophie qui procèdent par explications et motivations. Sans doute maintient-on que ces dernières laissent une part d'inexplicable. Et l'on croit, avec de tels énoncés, être en présence du mystère. Comme s'il se pouvait que la vérité de l'Etre se laisse jamais situer sur le plan des causes et des raisons explicatives ou, ce qui revient au même, sur celui de sa propre insaisissabilité.

Mais si l'homme doit un jour parvenir à la proximité de l'Etre, il lui faut d'abord apprendre à exister dans ce qui n'a pas de nom. Il doit savoir reconnaître aussi bien la tentation de la publicité que l'impuissance de l'existence privée. Avant de proférer une parole, l'homme doit d'abord se laisser à nouveau revendiquer[1] par l'Etre et prévenir par lui du danger de n'avoir, sous cette revendication, que peu ou rarement quelque chose à dire. C'est alors seulement

1. *Ansprechen.* Le premier sens de ce verbe est: aborder quelqu'un, lui adresser la parole (*an-sprechen*). Par assimilation, *Anspruch*, qui signifie: revendication, a également ce sens dans la même phrase et au paragraphe suivant, d'où la construction: « in diesem Anspruch *an* den Menschen. » Pour maintenir à la fois l'idée de parole adressée et de revendication, on pourrait traduire *ansprechen* par: ré-clamer. L'Etre aborde l'homme, il le ré-clame, c'est-à-dire, dans la parole qu'il lui adresse, le revendique. (Et cette parole qu'il lui adresse l'avertit par elle-même du danger de n'avoir, en réponse, que peu ou rarement quelque chose à dire.)

Lorsque, dans la traduction, revient ce mot de « revendication » ou le verbe « revendiquer », l'idée de parole adressée, plus explicite en ce passage, demeure toujours présente.

qu'est restituée à la parole la richesse inestimable de son essence et à l'homme l'abri pour habiter dans la vérité de l'Etre.

Mais n'y a-t-il pas, dans cette revendication de l'Etre sur l'homme, comme dans la tentative de préparer l'homme à cette revendication, un effort qui concerne l'homme? Quelle est l'orientation du « souci », sinon de réinstaurer l'homme dans son essence? Cela signifie-t-il autre chose que de rendre l'homme (homo) humain (humanus)? Ainsi l'humanitas demeure-t-elle au cœur d'une telle pensée, car l'humanisme consiste en ceci: réfléchir et veiller à ce que l'homme soit humain et non in-humain, « barbare », c'est-à-dire hors de son essence. Or, en quoi consiste l'humanité de l'homme? Elle repose dans son essence.

Mais comment et à partir de quoi se détermine l'essence de l'homme? Marx exige que l'« homme humain » soit connu et reconnu. Il trouve cet homme dans la « société ». L'homme « social » est pour lui l'homme « naturel ». Dans la « société », la « nature » de l'homme, c'est-à-dire l'ensemble de ses « besoins naturels » (nourriture, vêtement, reproduction, nécessités économiques), est régulièrement assurée. Le chrétien voit l'humanité de l'homme, l'humanitas de l'homo, dans sa délimitation par rapport à la deitas. Sur le plan de l'histoire du salut, l'homme est homme comme « enfant de Dieu », qui perçoit l'appel du Père dans le Christ et y répond. L'homme n'est pas de ce monde, en tant que le « monde », pensé sur le mode platonico-théorétique, n'est qu'un passage transitoire vers l'au-delà.

C'est au temps de la République romaine que pour la première fois l'humanitas est considérée et poursuivie expressément sous ce nom. L'homo humanus s'oppose à l'homo barbarus. L'homo humanus est alors le Romain qui élève et ennoblit la virtus romaine par l'« incorporation » de ce que les Grecs avaient entrepris sous le nom de παιδεία. Les Grecs sont ici ceux de l'hellénisme tardif dont la culture est enseignée dans les écoles philosophiques. Cette culture concerne l'eruditio et institutio in bonas artes. On traduit par « humanitas » la παιδεία ainsi comprise. C'est en une telle humanitas que consiste proprement la romanitas de l'homo romanus ; et c'est à Rome que nous rencontrons le premier humanisme. Aussi celui-ci reste-t-il dans son essence une manifestation spécifiquement romaine, résultant d'une rencontre de la romanité avec la culture de l'hellénisme tardif. Ce qu'on appelle la Renaissance des XIVe et XVe siècles en Italie est une renascentia romanitatis. Puisqu'il s'agit de la romanitas, il y est question de l'humanitas et par suite de la παιδεία grecque. Mais l'hellénisme est toujours considéré sous sa forme tardive et plus précisément romaine. L'homo romanus de la Renaissance s'oppose, lui aussi, à l'homo barbarus. Mais ce qu'on entend alors par non humain est la prétendue barbarie de la scolastique gothique du moyen âge. C'est pourquoi l'humanisme, dans ses manifestations historiques, comporte toujours un studium humanitatis qui renoue expressément avec l'antiquité, et se donne à chaque fois de la sorte comme une reviviscence de l'hellénisme. C'est ce que révèle chez nous l'humanisme du XVIIIe siècle, tel que l'ont illustré Winckelmann, Goethe et Schiller. Hölderlin, par contre, n'appartient pas à l'« humanisme » pour la bonne raison qu'il pense le destin de l'essence de l'homme plus originellement que cet « humanisme » ne peut le faire.

Mais si l'on comprend par humanisme en général l'effort visant à rendre l'homme libre pour son humanité et à lui faire découvrir sa dignité, l'humanisme se différencie suivant la conception qu'on a de la « liberté » et de la « nature » de l'homme. De la même manière se distinguent les moyens de le réaliser. L'humanisme de Marx ne nécessite aucun retour à l'Antique, pas plus que celui que Sartre conçoit sous le nom d'existentialisme. Au sens large indiqué précédemment, le christianisme est aussi un humanisme en tant que, dans sa doctrine, tout est ordonné au salut de l'âme (salus æterna), et que l'histoire de l'humanité s'inscrit dans le cadre de l'histoire du salut. Aussi différentes que soient ces variétés de l'humanisme par le but et le fondement, le mode et les moyens de réalisation, ou par la forme de la doctrine, elles tombent pourtant d'accord sur ce point que l'humanitas de l'homo humanus est déterminée à partir d'une interprétation déjà fixe de la nature, de l'histoire, du monde, du fondement du monde, c'est-à-dire de l'étant dans sa totalité.

Tout humanisme se fonde sur une métaphysique ou s'en fait lui-même le fondement. Toute détermination de l'essence de l'homme qui présuppose déjà, qu'elle le sache ou non, l'interprétation de l'étant sans poser la question portant sur la vérité de l'Etre, est métaphysique. C'est pourquoi, si l'on considère la manière dont est déterminée l'essence de l'homme, le propre de toute métaphysique se révèle en ce qu'elle est « humaniste ». De la même façon, tout humanisme reste métaphysique. Non seulement l'humanisme, dans sa détermination de l'humanité de l'homme, ne pose pas la question de la relation de l'Etre à l'essence de l'homme, mais il empêche même de la poser, en ne la connaissant ni ne la comprenant, pour cette raison qu'il a son origine dans la métaphysique. Inversement, la nécessité et la forme propre de cette question portant sur la vérité de l'Etre, question qui est oubliée dans la métaphysique et à cause d'elle, ne peut venir au jour que si, au sein même de l'emprise de la métaphysique, on pose la question : « Qu'est-ce que la métaphysique ? » Bien plus, il faut que dès le début toute question portant sur l'« Etre », et même celle qui porte sur la vérité de l'Etre, s'introduise comme une question métaphysique.

Le premier humanisme, j'entends celui de Rome, et les genres d'humanisme qui depuis se sont succédé jusqu'à l'heure présente, présupposent tous l'« essence » la plus universelle de l'homme comme évidente. L'homme est considéré comme animal rationale. Cette détermination n'est pas seulement la traduction latine des mots grecs ζῷον λόγον ἔχον, elle est une interprétation métaphysique. Une telle détermination essentielle de l'homme n'est pas fausse, mais elle est conditionnée par la métaphysique. Toutefois, c'est sa provenance essentielle, et non pas seulement ses limites, que *Sein und Zeit* a jugé digne de mettre en question[1]. Ce qui est digne d'être mis en question, loin d'être livré à l'action dissolvante d'un scepticisme vide, est avant tout confié à la pensée comme ce qu'elle a elle-même à-penser.

Il est vrai que la métaphysique représente l'étant dans son être et pense ainsi l'être de l'étant. Mais elle ne pense pas la différence de l'Etre et de l'étant. (Cf. *Vom Wesen des Grundes*, 1929, p. 8; *Kant und das Problem der Metaphysik*, 1929, p. 225, et *Sein und Zeit*, p. 230.) La métaphysique ne pose pas la question portant sur la vérité de l'Etre lui-même. C'est pourquoi elle ne se demande jamais non plus en quelle manière l'essence de l'homme appartient à la vérité de l'Etre. Cette question, non seulement la métaphysique ne l'a pas encore posée jusqu'à présent: elle est inaccessible à la métaphysique comme métaphysique. L'Etre attend toujours que l'homme se le remémore comme digne d'être pensé. Que l'on détermine, en regard de cette détermination essentielle de l'homme, la ratio de l'animal et la raison de l'être vivant comme « faculté des principes », comme « faculté des catégories », ou de toute

1. *Frag-würdig.*

autre manière, partout et toujours l'essence de la raison se fonde en ceci : pour toute compréhension de l'étant dans son être, l'Etre lui-même est déjà éclairci et advient en sa vérité. De la même manière, le terme d'« animal », ζῷον, implique déjà une interprétation de la « vie » qui repose nécessairement sur une interprétation de l'étant comme ζωή et φύσις, à l'intérieur desquels le vivant apparaît. Mais, en outre, et avant toute autre chose, reste à se demander si l'essence de l'homme, d'un point de vue originel et qui décide par avance de tout, repose dans la dimension de l'animalitas. D'une façon générale, sommes-nous sur la bonne voie pour découvrir l'essence de l'homme, lorsque nous définissons l'homme, et aussi longtemps que nous le définissons, comme un vivant parmi d'autres, en l'opposant aux plantes, à l'animal, à Dieu ? On peut bien procéder ainsi ; on peut, de cette manière, situer l'homme à l'intérieur de l'étant comme un étant parmi d'autres. Ce faisant, on pourra toujours émettre à son propos des énoncés corrects. Mais on doit bien comprendre que par là l'homme se trouve repoussé définitivement dans le domaine essentiel de l'animalitas, même si, loin de l'identifier à l'animal, on lui accorde une différence spécifique. Au principe, on pense toujours l'homo animalis, même si on pose l'anima comme animus sive mens, et celle-ci, plus tard, comme sujet, personne ou esprit. Une telle position est dans la manière de la métaphysique. Mais, par là, l'essence de l'homme est appréciée trop pauvrement ; elle n'est point pensée dans sa provenance, provenance essentielle qui, pour l'humanité historique, reste en permanence l'avenir essentiel. La métaphysique pense l'homme à partir de l'animalitas, elle ne pense pas en direction de son humanitas.

La métaphysique se ferme à la simple donnée essentielle, que l'homme ne se déploie dans son essence qu'en tant qu'il est revendiqué par l'Etre. C'est seulement à partir de cette revendication qu'il « a » trouvé là où son essence habite. C'est seulement à partir de cet habiter qu'il « a » le langage comme l'abri qui garde à son essence le caractère extatique. Se tenir dans l'éclaircie[1] de l'Etre, c'est ce que j'appelle l'ek-sistence de l'homme. Seul l'homme a en propre cette manière d'être. L'ek-sistence ainsi comprise est non seulement le fondement de la possibilité de la raison, ratio, elle est cela même en quoi l'essence de l'homme garde la provenance de sa détermination.

L'ek-sistence ne peut se dire que de l'essence de l'homme, c'est-à-dire de la manière humaine d'« être »; car l'homme seul est, pour autant que nous en ayons l'expérience, engagé dans le destin de l'ek-sistence. C'est aussi pourquoi l'ek-sistence ne peut jamais être pensée comme un mode spécifique parmi d'autres modes propres aux vivants, à supposer qu'il soit destiné à l'homme de penser l'essence de son être, et non pas seulement de dresser des rapports sur sa constitution et son activité, du point de vue des sciences naturelles ou de l'histoire. Ainsi ce que nous avons attribué à l'homme, partant d'une comparaison avec l'« animal », comme animalitas, se fonde elle-même dans l'essence de l'ek-sistence. Le corps de l'homme est quelque chose d'essentiellement autre qu'un organisme animal. L'erreur du biologisme n'est pas surmontée du fait qu'on adjoint l'âme à la réalité corporelle de l'homme, à cette âme l'esprit, et à l'esprit le caractère existentiel, et qu'on proclame plus fort que jamais la haute valeur de l'esprit... pour tout faire retomber finalement dans l'expérience vitale, en dénonçant avec assurance le fait que la pensée détruit, par ses concepts rigides, le courant de la vie et que la pensée de l'Etre défigure l'existence. Que la physiologie et la chimie physiologique

1. *Lichtung.* Le sens premier est: clairière, percée de lumière.

puissent étudier l'homme comme organisme du point de vue des sciences naturelles ne prouve nullement que dans ce « caractère organique », c'est-à-dire dans le corps expliqué scientifiquement, repose l'essence de l'homme. Autant vaudrait prétendre enfermer dans l'énergie atomique l'essence de la nature. Il se pourrait bien plutôt que la nature celât précisément son essence dans le côté qu'elle offre à la domination technique par l'homme. Pas plus que l'essence de l'homme ne consiste à être un organisme animal, cette insuffisante détermination essentielle de l'homme ne se laisse éliminer ni réduire, du fait qu'on a doté l'homme d'une âme immortelle, d'une faculté rationnelle, ou du caractère qui en fait une personne. A chaque fois, on est passé à côté de l'essence, et cela en raison du même projet métaphysique.

Ce que l'homme est, c'est-à-dire, dans la langue traditionnelle de la métaphysique, l'« essence » de l'homme, repose dans son ek-sistence. Mais l'ek-sistence ainsi pensée n'est pas identique au concept traditionnel d'existentia, qui désigne la réalité en opposition à l'essentia conçue comme possibilité. On trouve dans *Sein und Zeit*, p. 42, cette phrase imprimée en italique: « L'"essence" de l'être-là réside dans son existence[1]. » Mais il ne s'agit pas là d'une opposition entre existentia et essentia, car ces deux déterminations métaphysiques de l'Etre en général, et à bien plus forte raison leur rapport, ne sont pas encore en question. La phrase contient moins encore un énoncé général sur l'être-là, si cette appellation surgie au XVIIIe siècle pour le mot « objet » doit exprimer le concept métaphysique de la réalité du réel. Bien plutôt veut-elle dire que l'homme déploie son essence de telle sorte qu'il est le « là[2] », c'est-à-dire l'éclaircie de l'Etre. Cet « être » du

1. « Das "Wesen" des Daseins liegt in seiner Existenz. »

2. *Das Da.* Heidegger isole dans le mot *Dasein*, qui désigne couramment l'existence, et partant de son étymologie d'« être-là », l'adverbe « *da* », « *là* ».

là, et lui seul, comporte le trait fondamental de l'ek-sistence, c'est-à-dire de l'in-stance[1] extatique dans la vérité de l'Etre. L'essence extatique de l'homme repose dans l'ek-sistence, qui reste distincte de l'existentia pensée d'un point de vue métaphysique. Cette existentia, la philosophie du Moyen Age la conçoit comme actualitas. Kant la représente comme la réalité au sens de l'objectivité de l'expérience. Hegel la détermine comme l'idée de la subjectivité absolue qui se sait elle-même, Nietzsche la conçoit comme l'éternel retour de l'identique. Quant à savoir si cette existentia, dans ses interprétations comme réalité — interprétations qui ne diffèrent qu'à première vue —, suffit à penser ne fût-ce que l'être de la pierre, ou même la vie, comme être des plantes ou des animaux, nous laisserons la question en suspens. Il reste que les êtres vivants sont ce qu'ils sont sans pour autant, à partir de leur être comme tel, se tenir dans la vérité de l'Etre, ni garder dans cet état[2] ce qui fait que leur être déploie son essence. De tout étant qui est, l'être vivant est probablement pour nous le plus difficile à penser, car s'il est, d'une certaine manière, notre plus proche parent, il est en même temps séparé par un abîme de notre essence ek-sistante. En revanche, il pourrait sembler que l'essence du divin nous fût plus proche que cette réalité impénétrable des êtres vivants ; j'entends : plus proche selon une distance essentielle, qui est toutefois en tant que distance plus familière à notre essence ek-sistante que la parenté corporelle avec l'animal, de nature insondable, à peine imaginable. De telles réflexions projettent une étrange lumière sur la manière courante, et par là même toujours hâtive, de caractériser l'homme comme animal rationale. Si plantes et animaux sont privés du langage,

1. *Innestehen.*

2. *Stehen.* Selon l'étymologie, « état » vient de *stare* : se tenir debout. Nous donnons ici au mot ce sens originel.

c'est parce qu'ils sont emprisonnés chacun dans leur univers environnant, sans être jamais librement situés dans l'éclaircie de l'Etre. Or seule cette éclaircie est « monde ». Mais s'ils sont suspendus sans monde dans leur univers environnant, ce n'est pas parce que le langage leur est refusé. Dans ce mot d'« univers environnant » se concentre bien plutôt toute l'énigme du vivant. Le langage, en son essence, n'est pas le moyen pour un organisme de s'extérioriser, non plus que l'expression d'un être vivant. On ne saurait jamais non plus, pour cette raison, le penser d'une manière conforme à son essence, partant de sa valeur de signe, pas même peut-être de sa valeur de signification. Le langage est la venue à la fois éclaircissante et celante de l'Etre lui-même.

L'ek-sistence, pensée de façon extatique, ne coïncide, ni dans son contenu, ni dans sa forme, avec l'existentia. Dans son contenu, ek-sistence signifie ex-stase[1] en vue de la vérité de l'Etre. Existentia (*existence*[2]) veut dire par contre actualitas, réalité, par opposition à la pure possibilité conçue comme idée. Ek-sistence désigne la détermination de ce qu'est l'homme dans le destin de la vérité. Existentia reste le nom qu'on donne à la réalisation de ce qu'une chose est, lorsqu'elle apparaît dans son idée. La proposition: « l'homme ek-siste » n'est pas une réponse à la question de savoir si l'homme est réel ou non ; elle est une réponse à la question portant sur l'« essence » de l'homme. Cette question est aussi mal posée, que nous demandions ce qu'est l'homme, ou que nous demandions: qui est l'homme? Car avec ce qui? ou ce quoi? nous prenons déjà sur lui le point de vue de la personne ou de l'objet. Or, la catégorie de la personne, tout autant que celle de l'objet, laisse échapper et masque à la fois ce qui fait que l'ek-sistence historico-

1. *Hinaus-stehen.*
2. En français dans le texte.

ontologique déploie son essence. Aussi est-ce à dessin que la phrase de *Sein und Zeit* (p. 42) citée plus haut porte ce mot « essence » entre guillemets. On indique par là que l'essence ne se détermine plus désormais, ni à partir de l'esse essentiae, ni à partir de l'esse existentiae, mais à partir du caractère ek-statique de l'être-là[1]. En tant qu'ek-sistant, l'homme assume l'être-le-là[2], lorsque pour « le souci » il reçoit le là comme l'éclaircie de l'Etre. Mais cet être-le-là déploie lui-même son essence comme ce qui est « jeté ». Il déploie son essence dans la projection[3] de l'Etre, cet Etre dont le destin est de destiner.

Mais la pire méprise serait de vouloir expliquer cette proposition sur l'essence ek-sistante de l'homme comme si elle était la transposition sécularisée et appliquée à l'homme d'une pensée de la théologie chrétienne sur Dieu (Deus est suum esse) ; car l'ek-sistence n'est pas plus la réalisation d'une essence, qu'elle ne produit ni ne pose elle-même la catégorie de l'essence. Comprendre le « projet » dont il est question dans *Sein und Zeit*, comme l'acte de poser dans une représentation, c'est le considérer comme une réalisation de la subjectivité, et ne point le penser comme seule peut être pensée « l'intelligence de l'Etre » dans la sphère de l'« analytique existentiale » de l'« être-au-monde », c'est-à-dire comme la relation extatique à l'éclaircie de l'Etre. Un achèvement et un accomplissement suffisant de cette pensée autre qui abandonne la subjectivité sont assurément rendus difficiles du

1. *Des Daseins.*

2. *Das Da-sein.* Cette traduction est indispensable, si l'on veut rendre exactement la pensée de Heidegger. Elle nous a été demandée par le philosophe lui-même qui l'avait suggérée déjà à Jean Beaufret, dans la lettre reproduite p. 129. Traduire simplement *das Da-sein* par : l'être-là, c'est risquer d'interpréter cet existential dans le sens de la facticité sartrienne. L'homme n'est pas cet étant qui est « là », c'est-à-dire jeté dans la contingence d'une existence donnée. Il est le « là » de l'Etre, celui qui permet *à l'Etre* d'être là, de se dévoiler hic et nunc.

3. *Wurf.*

fait que lors de la parution de *Sein und Zeit*, la troisième section de la première partie: *Zeit und Sein* ne fut pas publiée (voir *Sein und Zeit*, p. 39). C'est en ce point que tout se renverse. Cette section ne fut pas publiée, parce que la pensée ne parvint pas à exprimer de manière suffisante ce renversement et n'en vint pas à bout avec l'aide de la langue de la métaphysique. La conférence intitulée: *Vom Wesen der Wahrheit*, qui fut pensée et prononcée en 1930, mais imprimée seulement en 1943, fait quelque peu entrevoir la pensée du renversement de *Sein und Zeit* en *Zeit und Sein*. Ce renversement n'est pas une modification du point de vue de *Sein und Zeit*, mais en lui seulement la pensée qui se cherchait atteint à la région dimensionnelle à partir de laquelle *Sein und Zeit* est expérimenté et expérimenté à partir de l'expérience fondamentale de l'oubli de l'Etre.

Sartre, par contre, formule ainsi le principe de l'existentialisme: l'existence précède l'essence. Il prend ici existentia, et essentia au sens de la métaphysique qui dit depuis Platon que l'essentia précède l'existentia. Sartre renverse cette proposition. Mais le renversement d'une proposition métaphysique reste une proposition métaphysique. En tant que telle, cette proposition persiste avec la métaphysique dans l'oubli de la vérité de l'Etre. Que la philosophie détermine en effet le rapport d'essentia et d'existencia au sens des controverses du Moyen Age, au sens de Leibniz, ou de toute autre manière, il reste d'abord et avant tout à se demander à partir de quel destin de l'Etre cette distinction dans l'Etre entre esse essentiae et esse existentiae se produit devant la pensée. Il reste à penser pourquoi la question portant sur ce destin de l'Etre n'a jamais été posée et pourquoi elle ne pouvait être pensée. Mais n'y aurait-il pas, dans le sort fait à cette distinction entre essentia et existentia, un signe de l'oubli de l'Etre? Nous avons le droit de présumer que ce destin ne repose pas sur une simple négligence de la pensée humaine, encore moins sur une capacité moindre de la pensée occidentale à ses débuts. La distinction, celée dans sa provenance essentielle, entre essentia (essentialité) et existentia (réalité) domine le destin de l'histoire occidentale et de toute l'histoire telle que l'Europe l'a déterminée.

Le principe premier de Sartre selon lequel l'existentia précède l'essentia justifie en fait l'appellation d'« existentialisme » que l'on donne à cette philosophie. Mais le principe premier de l'« existentialisme » n'a pas le moindre point commun avec la phrase de *Sein und Zeit*, sans parler du fait que, dans *Sein und Zeit*, une proposition sur le rapport essentia-existentia ne peut absolument pas encore être formulée, puisqu'il ne s'agit dans ce livre que de préparer un terrain pré-alable[1]. On n'y parvient, d'après ce qui a été dit, que de façon assez imparfaite. Ce qui reste encore à dire aujourd'hui, et pour la première fois, pourrait peut-être donner l'impulsion qui acheminerait l'essence de l'homme à ce que, pensant, elle soit attentive à la dimension sur elle omnirégnante de la vérité de l'Etre. Un tel événement ne pourrait d'ailleurs à chaque fois se produire que pour la dignité de l'Etre et au profit de cet être-le-là que l'homme assume dans l'ek-sistence, mais non à l'avantage de l'homme pour que brillent par son activité civilisation et culture.

Si toutefois nous voulons, nous les hommes d'aujourd'hui, atteindre à cette dimension de la vérité de l'Etre, pour être à même de la penser, nous sommes d'abord tenus de montrer clairement comment l'Etre aborde l'homme et comment il le revendique. Une telle expérience essentielle nous est donnée lorsque nous commençons à comprendre que l'homme est, en tant qu'il eksiste. Nous exprimant d'abord dans la langue traditionnelle, nous dirons :

1. « ... Ein Vor-laüfiges vorzubereiten. »

l'ek-sistence de l'homme est sa substance. C'est pourquoi la proposition suivante revient à plusieurs reprises dans *Sein und Zeit*: « La "substance" de l'homme est l'existence » (p. 117, 212, 314). Seulement le mot « substance », pensé sur le plan de l'histoire de l'Etre, est déjà la traduction déformante du mot οὐσία, qui indique la présence de ce qui est présent, et la plupart du temps désigne aussi, par une énigmatique ambiguïté, Cela même qui est présent. Si nous pensons le terme métaphysique de « substance » en ce sens qui déjà s'annonce dans *Sein und Zeit*, conformément à la « destruction phénoménologique » accomplie dans ce livre (cf. p. 25), la proposition: « la "substance" de l'homme est l'existence » ne dit rien d'autre que ceci: la manière selon laquelle l'homme dans sa propre essence est présent à l'Etre est l'in-stance extatique dans la vérité de l'Etre. Les interprétations humanistes de l'homme comme animal rationale, comme « personne », comme être-spirituel-doué-d'une-âme-et-d'un-corps, ne sont pas tenues pour fausses par cette détermination essentielle de l'homme, ni rejetées par elle. L'unique propos est bien plutôt que les plus hautes déterminations humanistes de l'essence de l'homme n'expérimentent pas encore la dignité propre de l'homme. En ce sens, la pensée qui s'exprime dans *Sein und Zeit* est contre l'humanisme. Mais cette opposition ne signifie pas qu'une telle pensée s'oriente à l'opposé de l'humain, plaide pour l'inhumain, défende la barbarie et rabaisse la dignité de l'homme. Si l'on pense contre l'humanisme, c'est parce que l'humanisme ne situe pas assez haut l'humanitas de l'homme. La grandeur essentielle de l'homme ne repose assurément pas en ce qu'il est la substance de l'étant comme « sujet » de celui-ci, pour dissoudre dans la trop célèbre « objectivité », en tant que dépositaire de la puissance de l'Etre, l'être-étant de l'étant.

L'homme est bien plutôt « jeté » par l'Etre lui-même dans la vérité de l'Etre, afin qu'ek-sistant de la sorte il veille sur la vérité de l'Etre, pour qu'en la lumière de l'Etre, l'étant apparaisse comme l'étant qu'il est. Quant à savoir si l'étant apparaît et comment il apparaît, si le dieu et les dieux, l'histoire et la nature entrent dans l'éclaircie de l'Etre et comment ils y entrent, s'ils sont présents ou absents et en quelle manière, l'homme n'en décide pas. La venue de l'étant repose dans le destin de l'Etre. Mais, pour l'homme, la question demeure de savoir s'il trouve la convenance propre[1] de son essence, correspondant à ce destin[2] ; car, suivant ce destin, il a, en tant que celui qui ek-siste, à veiller sur la vérité de l'Etre. L'homme est le berger de l'Etre. C'est cela exclusivement que *Sein und Zeit* a projet de penser, lorsque l'existence extatique est expérimentée comme « souci » (§ 44 a, p. 226 sq.).

Mais l'Etre — qu'est-ce que l'Etre ? L'Etre est Ce qu'Il est. Voilà ce que la pensée future doit apprendre à expérimenter et à dire. L'« Etre » — Ce n'est ni Dieu, ni un fondement du monde. L'Etre est plus éloigné que tout étant et cependant plus près de l'homme que chaque étant, que ce soit un rocher, un animal, une œuvre d'art, une machine, que ce soit un ange ou Dieu. L'Etre est le plus proche. Cette proximité toutefois reste pour l'homme ce qu'il y a de plus reculé. L'homme s'en tient toujours, et d'abord, et seulement, à l'étant. Sans doute, lorsque la pensée représente l'étant comme étant, se réfère-t-elle à l'Etre. Mais en vérité elle ne pense constamment que l'étant comme tel, et non point et jamais l'Etre comme tel. La « question de l'Etre » reste toujours la question qui porte sur l'étant. La question de l'Etre[3] n'est nullement encore ce

1. *Das Schickliche.*
2. *Geschick.*
3. *Die Seinsfrage.*

que prétend indiquer cette dénomination fallacieuse: la question qui porte sur l'Etre[1]. Là même où la philosophie se fait « critique » comme chez Descartes et Kant, elle suit constamment la ligne de la représentation métaphysique. Elle pense, à partir de l'étant, en direction de cet étant même, passant par la médiation d'un regard sur l'Etre. Car c'est dans la lumière de l'Etre que se situent déjà toute sortie de l'étant et tout retour à lui.

Mais la métaphysique ne connaît l'éclaircie de l'Etre que comme le regard vers nous de ce qui est présent dans l'« apparaître » (ἰδέα) ou, d'un point de vue critique, comme ce que la subjectivité atteint au terme de sa visée dans la représentation catégoriale. C'est dire que la vérité de l'Etre, en tant que l'éclaircie elle-même, reste celée à la métaphysique. Ce cèlement[2] toutefois n'est pas une insuffisance de la métaphysique, c'est au contraire le trésor de sa propre richesse qui lui est à elle-même soustrait et cependant présenté. Or, cette éclaircie elle-même est l'Etre. C'est elle qui d'abord accorde, tout au long du destin de l'Etre dans la métaphysique, cet espace de vue du sein duquel ce qui est présent atteint l'homme qui lui est présent, de sorte que seulement dans le percevoir (νοεῖν) l'homme lui-même peut toucher à l'Etre (θιγεῖν, Aristote, *Mét.*, Θ, 10). Seul cet espace de vue attire à lui la visée. Il se livre à elle, lorsque la perception est devenue la représentation-production, dans la perceptio de la res cogitans comme subjectum de la certitudo.

Comment l'Etre se rapporte-t-il[3] donc à l'ek-sistence, s'il nous est toutefois permis de nous poser une telle question? L'Etre lui-même est le rapport[4], en tant qu'Il porte à[5] soi l'ek-sistence dans son essence existentiale,

1. *Die Frage nach dem Sein.*
2. *Verborgenheit.*
3. *Verhält sich.*
4. *Das Verhältnis.*
5. *An sich hält.*

c'est-à-dire extatique, et la ramène à soi comme ce qui, au sein de l'étant, est le lieu où réside la vérité de l'Etre. C'est parce que l'homme, comme ek-sistant, parvient à se tenir dans ce rapport en lequel l'Etre se destine lui-même, en le soutenant extatiquement, c'est-à-dire en l'assumant dans le souci, qu'il méconnaît d'abord le plus proche et se tient à ce qui vient après. Il croit même que c'est là le plus proche. Mais plus proche que le plus proche et en même temps plus lointain pour la pensée habituelle que son plus lointain est la proximité elle-même: la vérité de l'Etre.

Sein und Zeit appelle « déchéance » l'oubli de la vérité de l'Etre au profit d'une invasion de l'étant non pensé dans son essence. Le mot ne s'applique pas à un péché de l'homme compris au sens de la philosophie morale et par là même sécularisé, il désigne un rapport essentiel de l'homme à l'Etre à l'intérieur de la relation de l'Etre à l'essence de l'homme. De la même manière, les termes d'« authenticité » et d'« inauthenticité » qui préludent à cette réflexion n'impliquent aucune différence morale-existentielle ou « anthropologique ». Ils désignent cette relation « extatique » de l'essence de l'homme à la vérité de l'Etre qui reste encore à penser avant toute autre chose, parce qu'elle est jusqu'ici demeurée celée à la philosophie. Mais cette relation n'est pas ce qu'elle est sur le fondement de l'ek-sistence. C'est au contraire l'essence de l'ek-sistence qui est existentiale-extatique à partir de l'essence de la vérité de l'Etre.

Cela seul que voudrait atteindre la pensée qui cherche à s'exprimer pour la première fois dans *Sein und Zeit* est quelque chose de simple. En tant que cela même, l'Etre reste mystérieux, la proximité nue d'une puissance non contraignante. Cette proximité déploie son essence comme le langage lui-même. Celui-ci toutefois n'est point seulement langage au sens où nous le représentons, c'est-à-dire au mieux comme unité de trois éléments : structure phonétique (graphisme), mélodie et rythme, signification (sens). Nous voyons, dans la structure phonétique et le graphisme, le corps du mot ; dans la mélodie et le rythme, l'âme ; dans la valeur signifiante, l'esprit du langage. Nous pensons d'ordinaire le langage dans une correspondance à l'essence de l'homme, en tant que cette essence est représentée comme animal rationale, c'est-à-dire comme unité d'un corps, d'une âme et d'un esprit. Mais de même que dans l'humanitas de l'homo animalis l'ek-sistence, et par elle la relation de la vérité de l'Etre à l'homme, reste voilée, de même l'interprétation métaphysique du langage sur le mode animal masque son essence historico-ontologique. Selon cette essence, le langage est la maison de l'Etre, advenue par lui et sur lui ajointée. C'est pourquoi il importe de penser l'essence du langage dans une correspondance à l'Etre et en tant que cette correspondance, c'est-à-dire en tant qu'abri de l'essence de l'homme.

Mais l'homme n'est pas seulement un vivant qui, en plus d'autres capacités, posséderait le langage. Le langage est bien plutôt la maison de l'Etre en laquelle l'homme habite et de la sorte ek-siste, en appartenant à la vérité de l'Etre sur laquelle il veille.

Il ressort donc de cette détermination de l'humanité de l'homme comme ek-sistence que ce qui est essentiel, ce n'est pas l'homme, mais l'Etre comme dimension de l'extatique de l'ek-sistence. La dimension toutefois n'est pas ce qu'on connaît comme milieu spatial. Bien plutôt tout milieu spatial et tout espace-temps déploient-ils leur essence dans le dimensional qui est comme tel l'Etre lui-même.

La pensée est attentive à ces relations simples. Elle cherche, au sein de la langue longtemps traditionnelle de la métaphysique et de sa grammaire, la parole qui les exprime. Reste à savoir si cette pensée peut encore se caractériser comme humanisme, à supposer que de telles étiquettes puissent avoir un contenu. Assurément pas, dans la mesure où l'humanisme pense d'un point de vue métaphysique. Assurément pas, si cet humanisme est un existentialisme et fait sienne cette proposition de Sartre: *Précisément nous sommes sur un plan où il y a seulement des hommes*[1]. Si l'on pense à partir de *Sein und Zeit*, il faudrait plutôt dire: *Précisément nous sommes sur un plan où il y a principalement l'Etre*[1]. Mais d'où vient *le plan*[1] et qu'est-ce que *le plan*[1] *? L'Etre et le plan* se confondent. C'est avec intention et en connaissance de cause qu'il est dit dans *Sein und Zeit* (p. 212): *Il y a l'Etre*[1]: « *es gibt* » *das Sein.* Cet « il y a »[1] ne traduit pas exactement « *es gibt* ». Car le « *es* » (ce) qui ici « *gibt* » (donne) est l'Etre lui-même. Le « *gibt* » (donne) désigne toutefois l'essence de l'Etre, essence qui donne, qui accorde sa vérité. Le don de soi dans l'ouvert au moyen de cet ouvert est l'Etre même.

En même temps, la formule « *es gibt* » (il y a) est employée pour éviter provisoirement celle-ci: « *das Sein ist* » (l'Etre est); car ordinairement cet « est » se dit de quelque chose qui est. Ce quelque chose, nous l'appelons l'étant. L'Etre « est », mais justement il n'est pas « l'étant ». Dire de l'Etre qu'il « est » sans autre commentaire, c'est le représenter trop aisément comme un « étant » sur le mode de l'étant connu qui, comme cause, produit et, comme effet, est produit. Et pourtant Parménide dit déjà au premier âge de la pensée: ἔστιν γὰρ εἶναι: « il est en effet être[2] ». Dans cette parole se cache le mystère originel pour toute pensée. Peut-être le « est » ne peut-il se dire en rigueur que de l'Etre, de sorte que tout étant

1. En français dans le texte.
2. Voir à ce sujet: *Le Poème de Parménide*, présenté par Jean Beaufret, P.U.F. 1955, p. 81.

n'« est » pas, ne peut jamais proprement « être ». Mais parce que la pensée doit d'abord parvenir à dire l'Etre dans sa vérité, au lieu de l'expliquer comme un étant à partir de l'étant, il faut que, devant l'attention vigilante de la pensée, la question demeure ouverte : l'Etre est-il et comment ?

L'ἔστιν γὰρ εἶναι de Parménide n'est pas encore pensé aujourd'hui. On peut mesurer par là ce qu'il en est du progrès en philosophie. Lorsqu'elle est attentive à son essence, la philosophie ne progresse pas. Elle marque le pas sur place pour penser constamment le même. Progresser, c'est-à-dire s'éloigner de cette place[1], est une erreur qui suit la pensée comme l'ombre qu'elle projette. C'est parce que l'Etre n'est pas encore pensé qu'il est dit aussi de lui dans *Sein und Zeit* : « *es gibt* » (il y a). Mais sur cet *il y a*, on ne peut spéculer tout de go ni sans point d'appui. Cet « *es gibt* » règne comme le destin de l'Etre dont l'histoire[2] vient au langage dans la parole des penseurs essentiels. C'est pourquoi la pensée qui pense en direction de la vérité de l'Etre est, en tant que pensée, historique[3]. Il n'y a pas une pensée « systématique » à laquelle s'adjoindrait, à titre d'illustration, une historiographie[4] des opinions passées. Mais il n'y a pas non plus seulement, comme Hegel le croit, une systématique qui pourrait poser la loi de sa pensée comme loi de l'histoire et par là résorber l'histoire dans le système. Il y a, pensé plus originellement, l'histoire de l'Etre, à laquelle appartient la pensée, comme mémo-

1. *Fortschritt* : progrès, de *fortschreiten*, dont Heidegger décompose le sens : *schreiten fort*, s'éloigner d'un point donné.

2. *Geschichte*.

3. *Geschichtlich*.

4. *Historie*. Heidegger relie *Geschichte* à *geschehen* : se produire, avoir lieu. L'*Historie*, par contre, n'est que la recension chronologique des faits dans leur enchaînement, ici, des doctrines.

rial-pensé-dans-l'Etre[1] de cette histoire et advenu par elle. Le mémorial-pensé-dans-l'Etre se différencie essentiellement d'une pure remémoration de l'histoire prise au sens de passé écoulé. L'histoire n'a pas lieu d'abord comme avoir-lieu, et l'avoir-lieu n'est pas l'écoulement temporel. L'avoir-lieu de l'histoire déploie son essence comme le destin de la vérité de l'Etre à partir de celui-ci (cf. la conférence sur l'hymne de Hölderlin: *Wie wenn am Feiertage...* (« Erlaüterungen zu Hölderlins Dichtung », 1951, p. 47). L'Etre vient à son destin, en tant que Lui-même, l'Etre, se donne. Ce qui signifie, pensé conformément à ce destin: Il se donne et se refuse à la fois. Toutefois la détermination hégélienne de l'histoire comme développement de l'« Esprit » n'est pas fausse. Elle n'est pas non plus en partie juste et en partie fausse. Elle est vraie comme est vraie la métaphysique qui pour la première fois, chez Hegel, porte au langage dans le système son essence pensée absolument. La métaphysique absolue, avec les renversements que lui ont fait subir Marx et Nietzsche, appartient à l'histoire de la vérité de l'Etre. Ce qui procède d'elle ne saurait être abordé et encore moins éliminé par des réfutations. On ne peut que l'accueillir en tant que sa vérité, ramenée plus originellement à l'Etre lui-même, est celée en lui et soustraite à la sphère d'une opinion purement humaine. Dans le champ de la pensée essentielle toute réfutation est un non-sens. La lutte entre les penseurs est la « lutte amoureuse » qui est celle de la chose même. Elle les aide mutuellement à atteindre l'appartenance simple au même, en quoi ils trouvent la conformité à leur destin dans le destin de l'Etre.

1. Le mot *Andenken* évoque normalement l'idée de souvenir (mémorial, remémoration). En fait, Heidegger l'a choisi par opposition à *Denken* pour désigner une pensée totalement dégagée des modes de représentation du savoir objectivant, qui laisse l'Etre être, c'est-à-dire pense l'Etre dans l'élément de l'Etre: « Denken *am* Sein selbst. » Cf. R. Munier, *Visite à Heidegger*, Cahiers du Sud, t. XXXV, n° 312, p. 295.

Supposé qu'à l'avenir l'homme parvienne à penser la vérité de l'Etre, il pensera alors à partir de l'ek-sistence. Comme ek-sistant l'homme se tient dans le destin de l'Etre. L'ek-sistence de l'homme est, en tant qu'ek-sistence, historique, mais elle ne l'est point d'abord, ni même seulement, parce qu'avec l'homme et les affaires humaines toutes sortes de choses surviennent dans le cours du temps. C'est parce qu'il s'agit de penser l'ek-sistence de l'être-là, qu'il est si essentiel pour la pensée, dans *Sein und Zeit*, d'avoir expérimenté l'historicité de l'être-là.

Mais n'est-il pas dit dans *Sein und Zeit* (p. 212) où la formule « *es gibt* » vient au langage: « Il n'y a d'Etre qu'autant qu'est l'être-là »? Sans aucune doute. Cela signifie: l'Etre ne se transmet à l'homme qu'autant qu'advient l'éclaircie de l'Etre. Mais que le « là », l'éclaircie comme vérité de l'Etre lui-même advienne, c'est le décret de l'Etre lui-même. L'Etre est le destin de l'éclaircie. Cette phrase toutefois ne signifie pas que l'être-là de l'homme, au sens traditionnel d'existentia et au sens moderne de réalité de l'ego cogito, soit cet étant par le moyen duquel l'Etre est créé. Elle ne dit pas que l'Etre est un produit de l'homme. Dans l'Introduction de *Sein und Zeit* (p. 38) se trouve ceci simplement et clairement exprimé et même en italique: « l'Etre est le transcendant pur et simple ». De même que l'ouverture de la proximité spatiale dépasse toute chose proche ou lointaine, quand on la considère du point de vue de cette chose, de même l'Etre est essentiellement au-delà de tout étant, parce qu'il est l'éclaircie elle-même. En cela, l'Etre est pensé à partir de l'étant, selon une manière de voir de prime abord inévitable dans la métaphysique encore régnante. C'est seulement dans une telle perspective que l'Etre se découvre en un dépassement et en tant que ce dépassement.

Cette détermination introductive: « l'Etre est le transcendant pur et simple », rassemble en une proposition simple la manière selon laquelle l'essence de l'Etre jusqu'à présent s'éclaircissait pour l'homme. Cette détermination à rebours de l'essence de l'Etre à partir de l'éclaircie de l'étant comme tel demeure inévitable pour toute pensée qui cherche à se poser la question portant sur la vérité de l'Etre. La pensée atteste ainsi la destination propre de son essence. Loin d'elle la prétention de vouloir tout reprendre par le début et de déclarer fausse toute philosophie antérieure. Mais quant à savoir si la détermination de l'Etre comme pur transcendant désigne déjà l'essence simple de la vérité de l'Etre, c'est là l'unique question qu'ait à se poser avant tout une pensée qui cherche à penser la vérité de l'Etre. C'est aussi pourquoi il est dit, p. 230, que c'est seulement à partir du « sens », c'est-à-dire de la vérité de l'Etre, qu'on peut comprendre comment l'Etre est. L'Etre s'éclaircit pour l'homme dans le projet extatique. Mais ce projet ne crée pas l'Etre.

Du reste, ce projet est, dans son essence, un projet jeté[1]. Ce qui jette dans le projeter n'est pas l'homme, mais l'Etre lui-même qui destine l'homme à l'ek-sistence de l'être-le-là comme à son essence. Ce destin advient comme l'éclaircie de l'Etre ; il est lui-même cette éclaircie. Il accorde la proximité à l'Etre. Dans cette proximité, dans l'éclaircie du « là », habite l'homme en tant qu'ek-sistant, sans qu'il soit encore à même aujourd'hui d'expérimenter proprement cet habiter et de l'assumer. Cette proximité « de » l'Etre qui est en elle-même le « là » de l'être-là, le discours sur l'élégie *Heimkunft* de Hölderlin (1943) qui est pensé à partir de *Sein und Zeit* l'appelle « la patrie », d'un mot emprunté au chant même du poète et en partant de l'expérience de l'oubli de l'Etre. Le mot est ici pensé en un sens essentiel, non point patriotique, ni nationaliste, mais

1. Le projet est *Ent-wurf.* Il est issu (*ent*) du *Wurf* de l'Etre.

sur le plan de l'histoire de l'Etre. L'essence de la patrie est nommée également dans l'intention de penser l'absence de patrie de l'homme moderne à partir de l'essence de l'histoire de l'Etre. Nietzsche est le dernier à avoir expérimenté cette absence de patrie. Il ne pouvait lui trouver d'autre issue, à l'intérieur de la métaphysique, que dans le renversement de la métaphysique. Mais c'était là se fermer définitivement toute issue. En fait, Hölderlin, lorsqu'il chante le « retour à la patrie », a souci de faire accéder ses « compatriotes » à leur essence. Il ne cherche nullement cette essence dans un égoïsme national. Il la voit bien plutôt à partir de l'appartenance au destin de l'Occident. Toutefois, l'Occident n'est pensé, ni de façon régionale, comme Couchant opposé au Levant, ni même seulement comme Europe, mais sur le plan de l'histoire du monde, à partir de la proximité à l'origine. Nous avons à peine commencé de penser les relations mystérieuses avec l'Est qui sont devenues parole dans la poésie de Hölderlin (cf. *Der Ister*, *Die Wanderung*, 3e strophe et suivantes). La « réalité allemande » n'est pas dite au monde pour qu'en l'essence allemande le monde trouve sa guérison ; elle est dite aux Allemands pour qu'en vertu du destin qui les lie aux autres peuples ils deviennent avec eux participants à l'histoire du monde (cf. *Zu Hölderlins Gedicht « Andenken »*, Tübingen Gedenkschrift, 1943, p. 322). La patrie de cet habiter historique est la proximité à l'Etre.

C'est dans cette proximité ou jamais que doit se décider si le dieu et les dieux se refusent et comment ils se refusent et si la nuit demeure, si le jour du sacré se lève et comment il se lève, si dans cette aube du sacré une apparition du dieu et des dieux peut à nouveau commencer et comment. Or le sacré, seul espace essentiel de la divinité qui à son tour accorde seule la dimension pour les dieux et le dieu, ne vient à l'éclat du paraître que lorsque au préalable, et dans une longue préparation, l'Etre s'est éclairci et a été expérimenté dans sa vérité. C'est ainsi seulement, à partir de l'Etre, que commence le dépassement de l'absence de patrie en laquelle s'égarent non seulement les hommes, mais l'essence même de l'homme.

L'absence de patrie qui reste ainsi à penser repose dans l'abandon de l'Etre, propre à l'étant. Elle est le signe de l'oubli de l'Etre. Par suite de cet oubli, la vérité de l'Etre demeure impensée. L'oubli de l'Etre se dénonce indirectement en ceci que l'homme ne considère jamais que l'étant et n'opère que sur lui. Mais parce que l'homme ne peut alors s'empêcher de se faire de l'Etre une représentation, l'Etre n'est défini que comme le « concept le plus général » de l'étant et par le fait comme ce qui l'englobe, ou comme une création de l'Etant infini, ou comme le produit d'un sujet fini. En même temps, et cela depuis toujours, « l'Etre » est pris pour « l'étant », et inversement « l'étant » est pris pour « l'Etre », tous deux étant comme mélangés dans une confusion étrange et sur laquelle on n'a pas encore réfléchi.

L'Etre en tant que le destin qui destine la vérité reste celé. Mais le destin du monde s'annonce dans la poésie sans être manifesté déjà comme histoire de l'Etre. C'est pourquoi la pensée de Hölderlin, aux dimensions de l'histoire du monde, qui s'exprime dans le poème *Andenken*, est essentiellement plus originelle et par le fait même plus future que le pur cosmopolitisme de Goethe. Pour la même raison, la relation de Hölderlin à l'hellénisme est essentiellement autre chose qu'un humanisme. Aussi les jeunes Allemands qui avaient connaissance de Hölderlin ont-ils pensé et vécu en face de la mort Autre chose que ce que l'opinion publique a prétendu être le point de vue allemand.

L'absence de patrie devient un destin mondial. C'est pourquoi il est nécessaire de penser ce destin sur le plan de l'histoire de l'Etre. Ainsi ce que Marx, partant de Hegel, a reconnu en un sens important et essentiel comme étant l'aliénation de l'homme plonge ses racines dans l'absence de patrie de l'homme moderne. Cette absence de patrie se dénonce, et cela à partir du destin de l'Etre, sous les espèces de la métaphysique qui la renforce en même temps qu'elle la dissimule comme absence de patrie. C'est parce que Marx, faisant l'expérience de l'aliénation, atteint à une dimension essentielle de l'histoire, que la conception marxiste de l'histoire[1] est supérieure à toute autre historiographie[2]. Par contre, du fait que ni Husserl, ni encore à ma connaissance Sartre, ne reconnaissent que l'historique a son essentialité dans l'Etre, la phénoménologie, pas plus que l'existentialisme, ne peuvent parvenir à cette dimension, au sein de laquelle seule devient possible un dialogue fructueux avec le marxisme.

Mais, pour cela, il faut évidemment se libérer des représentations naïves du matérialisme et des réfutations à bon marché qui pensent l'atteindre. L'essence du matérialisme ne consiste pas dans l'affirmation que tout n'est que matière, mais bien plutôt dans une détermination métaphysique selon laquelle tout étant apparaît comme matériel du travail. Hegel a pensé à l'avance dans la *Phénoménologie de l'Esprit* l'essence métaphysique et moderne du travail comme le processus s'organisant lui-même de la production inconditionnée, c'est-à-dire comme l'objectivation du réel par l'homme, expérimenté lui-même comme subjectivité. L'essence du matérialisme se cèle dans l'essence de cette technique sur laquelle, à vrai dire, on a beaucoup écrit mais peu pensé. La technique est dans son essence un destin historico-ontologique de la vérité de l'Etre en tant qu'elle repose dans l'oubli. Ce n'est pas seulement selon l'étymo-

1. *Geschichte.*
2. *Historie.*

logie qu'elle remonte à la τέχνη des Grecs, mais sa source historique essentielle est à chercher dans la τέχνη comme mode de l'ἀληθεύειν, c'est-à-dire comme mode de la manifestation de l'étant. En tant qu'elle est une forme de la vérité, la technique a son fondement dans l'histoire de la métaphysique. Cette dernière est elle-même une phrase marquante de l'histoire de l'Etre, la seule qu'on puisse jusqu'ici embrasser du regard. On peut prendre position de différentes manières vis-à-vis des enseignements du communisme et de ce qui les fonde ; sur le plan de l'histoire de l'Etre, il est certain qu'en lui s'exprime une expérience élémentaire du devenir historique du monde. Ne voir dans le « communisme » qu'un « parti » ou une « conception du monde », c'est penser aussi court que ceux qui sous l'étiquette d'« américanisme » ne veulent désigner, et qui plus est en le dépréciant, qu'un style de vie particulier. Le danger auquel l'Europe actuelle se trouve toujours plus manifestement acculée, consiste probablement avant tout en ce que sa pensée, qui était autrefois sa grandeur, recule sur le chemin essentiel du destin mondial qui s'annonce, destin qui demeure pourtant européen dans les traits fondamentaux de sa provenance essentielle. Aucune métaphysique, qu'elle soit idéaliste, matérialiste ou chrétienne, ne peut, selon son essence, ni en vertu des seuls efforts qu'elle tente pour se déployer, re-joindre encore le destin ; j'entends : atteindre et rassembler dans la pensée ce qui de l'Etre est actuellement accompli.

En regard de l'essentielle absence de patrie qui affecte l'homme, et pour la pensée historico-ontologique, le destin futur de l'homme se révèle en ceci qu'il a à découvrir la vérité de l'Etre et à se mettre sur le chemin de cette découverte. Tout nationalisme est, sur le plan métaphysique, un anthropologisme et comme tel un subjectivisme. Le nationalisme n'est pas surmonté par le pur internationalisme, mais seulement élargi et érigé en système. Il accède aussi peu par là même à l'humanitas et s'achève aussi peu en elle que l'individualisme n'y parvient dans le collectivisme sans histoire. Le collectivisme est la subjectivité de l'homme sur le plan de la totalité. Il accomplit la propre affirmation inconditionnée de cette subjectivité. Cette affirmation ne se laisse pas briser. Elle ne se laisse pas même expérimenter d'une manière suffisante par une pensée qui n'en médiatise qu'un côté. Partout l'homme, exilé de la vérité de l'Etre, tourne en rond autour de lui-même comme animal rationale.

Mais l'essence de l'homme consiste en ce que l'homme est plus que l'homme seul, pour autant qu'il est représenté comme vivant doué de raison. « Plus » ne saurait être ici compris en un sens additif, comme si la définition traditionnelle de l'homme devait rester la détermination fondamentale, pour connaître ensuite un élargissement par la seule adjonction du caractère existentiel. Le « plus » signifie : plus originel et par le fait plus essentiel dans l'essence. Mais ici se révèle l'énigme : l'homme est dans la situation d'être-jeté[1]. Ce qui veut dire : en tant que la réplique[2] ek-sistante de l'Etre, l'homme dépasse d'autant plus l'animal rationale qu'il est précisément moins en rapport avec l'homme qui se saisit lui-même à partir de la subjectivité. L'homme n'est pas le maître de l'étant. L'homme est le berger de l'Etre. Dans ce « moins », l'homme ne perd rien, il gagne au contraire, en parvenant à la vérité de l'Etre. Il gagne l'essentielle pauvreté du berger dont la dignité repose en ceci : être appelé par l'Etre lui-même à la sauvegarde de sa vérité. Cet appel vient comme la projection[3] où s'origine l'être-jeté[4] de l'être-le-là. Dans son essence historico-

1. *Geworfenheit.*
2. *Gegenwurf.*
3. *Wurf.*
4. *Geworfenheit.*

ontologique, l'homme est cet étant dont l'être comme ek-sistence consiste en ceci qu'il habite dans la proximité de l'Etre. L'homme est le voisin de l'Etre.

Mais, êtes-vous prêt sans doute à me répliquer depuis longtemps, une telle pensée ne pense-t-elle pas précisément l'humanitas de l'homo humanus? Ne pense-t-elle pas cette humanitas en un sens plus décisif qu'aucune métaphysique ne l'a fait jusqu'alors et n'est capable de le faire? N'est-ce pas là un « humanisme » au sens le plus fort du terme? Assurément. C'est l'humanisme qui pense l'humanité de l'homme à partir de la proximité à l'Etre. Mais c'est en même temps l'humanisme dans lequel est en jeu non point l'homme, mais l'essence historique de l'homme en sa provenance du sein de la vérité de l'Etre. Mais alors, l'ek-sistence de l'homme n'entre-t-elle pas en jeu du même coup? Sans aucun doute.

Il est dit dans *Sein und Zeit* (p. 38) que toute question de la philosophie « renvoie à l'existence ». Mais l'existence dont on parle n'est pas la réalité de l'ego cogito. Elle n'est pas non plus seulement la réalité des sujets produisant en commun les uns pour les autres et par là même venant à soi. Différente en cela fondamentalement de toute existentia et « existence »[1], « l'ek-sistence » est l'habitation ek-statique dans la proximité de l'Etre. Elle est la vigilance, c'est-à-dire le souci de l'Etre. C'est parce qu'en cette pensée il s'agit de penser quelque chose de simple, que la pensée par représentation reçue traditionnellement comme philosophie y trouve tant de difficulté. Seulement le difficile n'est pas de s'attacher à un sens particulièrement profond ni de former des concepts compliqués. Il se cache bien plutôt dans la démarche de recul qui fait accéder la pensée à une question qui soit expérience et rend vaine l'opinion habituelle de la philosophie.

1. En français dans le texte.

On répète partout que la tentative de *Sein und Zeit* a abouti à une impasse. Laissons cette opinion à elle-même. La pensée qui fait quelque pas dans cet ouvrage aujourd'hui encore demeure en suspens. Mais peut-être entre-temps s'est-elle quelque peu rapprochée de son objet[1]. Aussi longtemps toutefois que la philosophie ne s'occupe constamment que de s'ôter à elle-même toute possibilité d'accès à l'objet[1] de la pensée qui n'est autre que la vérité de l'Etre, elle échappe assurément au danger de se rompre jamais à la dureté de son objet[1]. C'est pourquoi le fait de « philosopher » sur l'échec est séparé par un abîme d'une pensée qui elle-même échoue. Si un homme avait l'heur d'accéder à une telle pensée, il n'y aurait là nul malheur. A cet homme serait fait l'unique don qui puisse venir de l'Etre à la pensée.

Mais il faut ajouter ceci : l'objet[2] de la pensée n'est pas atteint du fait qu'on met en train un bavardage sur « la vérité de l'Etre » et sur l'« histoire de l'Etre ». Ce qui compte, c'est uniquement que la vérité de l'Etre vienne au langage et que la pensée atteigne à ce langage. Peut-être alors le langage exige-t-il beaucoup moins l'expression précipitée qu'un juste silence. Mais qui d'entre nous, hommes d'aujourd'hui, pourrait s'imaginer que ses tentatives pour penser sont chez elles sur le sentier du silence ? Si elle va assez loin, peut-être notre pensée pourrait-elle signaler la vérité de l'Etre et la signaler comme ce qui est à-penser. Elle serait ainsi soustraite à la pure opinion et conjecture et remise à cet artisanat de l'écriture, devenu rare. Les choses qui sont de poids, quand bien même elles ne sont pas fixées pour l'éternité, viennent encore à leur heure, même si c'est l'heure la plus tardive.

1. *Seine Sache*. Faute de mieux, nous traduisons ce mot par : objet, qu'il faut prendre ici dans son acception courante et hors de tout contexte philosophique.

2. Voir note page précédente.

Quant à savoir si le domaine de la vérité de l'Etre est une impasse ou s'il est la dimension libre où la liberté ménage son essence, chacun en pourra juger quand il aura lui-même tenté de s'engager sur le chemin indiqué ou, ce qui est mieux encore, en aura frayé un meilleur, c'est-à-dire en conformité avec la question. A l'avant-dernière page de *Sein und Zeit* (p. 437), on peut lire les phrases suivantes: « Le débat relatif à l'interprétation de l'Etre (je ne dis pas de l'étant, non plus que de l'être de l'homme) ne peut pas être clos *parce qu'il n'est pas même encore engagé*. Et on ne peut tout de même pas l'imposer de force, mais, pour engager un débat, encore faut-il s'y préparer. C'est vers ce but seul qu'est en route la présente recherche. » Ces phrases restent valables aujourd'hui encore, après vingt ans. Restons donc, dans les jours qui viennent, sur cette route, comme des voyageurs en marche vers le voisinage de l'Etre. La question que vous posez aide à préciser ce qu'est cette route.

Vous demandez: *Comment redonner un sens au mot « Humanisme?* » Cette question ne présuppose pas seulement que vous voulez maintenir le mot « Humanisme »; elle contient encore l'aveu qu'il a perdu son sens.

Il l'a perdu parce qu'on a compris que l'essence de l'humanisme est métaphysique et cela veut dire à présent que non seulement la métaphysique ne pose pas la question portant sur la vérité de l'Etre, mais encore empêche qu'elle soit posée, dans la mesure où la métaphysique persiste dans l'oubli de l'Etre. Mais, justement, la pensée qui conduit à pénétrer ainsi l'essence de l'humanisme qui fait question nous a, en même temps, amenés à penser plus originellement l'essence de l'homme. Au regard de cette plus essentielle humanitas de l'homo humanus s'offre la possibilité de rendre au mot humanisme un sens historique[1] plus

1. *Geschichtlich.*

ancien que le plus ancien dont on puisse faire état chronologiquement[1]. Quand je parle de lui rendre un sens, il ne faut pas entendre par là que le mot « humanisme » soit en lui-même dépourvu de sens et un pur flatus vocis. L'« humanum », dans le mot, signale l'humanitas, l'essence de l'homme. L'« ...isme » signale que l'essence de l'homme devrait être prise comme essentielle. C'est ce sens que le mot « humanisme » a en tant que mot. Lui rendre un sens ne peut signifier que ceci : déterminer à nouveau le sens du mot. Cela exige d'abord qu'on expérimente plus originellement l'essence de l'homme, pour montrer ensuite dans quelle mesure cette essence, en sa manière, est selon sa destination. L'essence de l'homme repose dans l'ek-sistence. C'est l'ek-sistence qui importe essentiellement, c'est-à-dire à partir de l'Etre lui-même, en tant que l'Etre fait advenir l'homme comme celui qui ek-siste pour la vigilance en vue de la vérité de l'Etre, dans cette vérité même. « Humanisme » signifie, dès lors, si toutefois nous décidons de maintenir le mot : l'essence de l'homme est essentielle pour la vérité de l'Etre, et l'est au point que désormais ce n'est précisément plus l'homme pris uniquement comme tel qui importe. Nous pensons ainsi un « humanisme » d'une étrange sorte. Le mot se révèle être un terme qui est un « lucus a non lucendo ».

Cet « humanisme » qui s'érige contre tout humanisme antérieur, sans pour autant se faire le moins du monde le porte-parole de l'inhumain, faut-il l'appeler encore « humanisme » ? Et cela pour le seul avantage peut-être, en adoptant l'usage de cette étiquette, de nous engager à notre tour dans les courants dominants qui s'asphyxient dans le subjectivisme métaphysique et ont sombré dans l'oubli de l'Etre. Ou bien la pensée ne doit-elle pas tenter, par une résistance ouverte à l'« humanisme », de risquer une

1. *Historisch.*

impulsion qui pourrait amener à reconnaître enfin l'humanitas de l'homo humanus et ce qui la fonde? Ainsi pourrait s'éveiller, si la conjoncture présente de l'histoire du monde n'y pousse déjà d'elle-même, une réflexion qui penserait non seulement l'homme, mais la « nature » de l'homme, non seulement la nature, mais plus originellement encore la dimension dans laquelle l'essence de l'homme, déterminée à partir de l'Etre lui-même, se sent chez elle. Mais peut-être vaut-il mieux supporter quelque temps encore et laisser s'épuiser d'elles-mêmes lentement les inévitables erreurs d'interprétation auxquelles est exposé le cheminement de la pensée dans l'élément d'Etre et d'Etre et Temps. Ces erreurs d'interprétation sont le naturel reflet de ce qu'on a lu ou seulement pensé après coup, sur ce qu'avant la lecture on croyait déjà savoir. Elles révèlent toutes la même structure et le même fondement.

Parce que cette pensée est contre l'« humanisme », on craint une défense de l'in-humain et une glorification de la brutalité barbare. Car quoi de plus « logique » que ceci, à savoir qu'il ne reste à quiconque désavoue l'humanisme d'autre issue que d'avouer la barbarie?

Parce que cette pensée est contre la « logique », on croit qu'abdiquant la rigueur de la pensée elle exige qu'à sa place règne l'arbitraire des instincts et des sentiments et que soit ainsi proclamé comme le vrai l'« irrationalisme ». Car quoi de plus « logique » que ceci, à savoir que quiconque se prononce contre ce qui est logique défend ce qui est alogique?

Parce que cette pensée est contre les « valeurs », on considère avec effroi une philosophie qui ose apparemment livrer au mépris les biens les plus hauts de l'humanité. Car quoi de plus « logique » que ceci, à savoir qu'une pensée qui nie les valeurs doit nécessairement déclarer toute chose comme sans valeur?

Parce qu'il est dit que l'être de l'homme consiste dans l'« être-au-monde », on trouve que l'homme est réduit à une pure essence de l'en-deçà, ce qui fait sombrer la philosophie dans le positivisme. Car quoi de plus « logique » que ceci, à savoir que quiconque affirme la mondanité de l'être-homme n'accorde de prix qu'à l'en-deçà, nie l'au-delà et refuse toute « Transcendance »?

Parce qu'il est fait renvoi au mot de Nietzsche sur la « mort de Dieu », on tient pour athéisme une telle attitude. Car quoi de plus « logique » que ceci, à savoir que quiconque a expérimenté la « mort de Dieu » est un sans-Dieu?

Parce qu'en tout ce que vient d'être dit, la pensée partout est contre ce que l'humanité tient pour grand et sacré, cette philosophie enseigne un « nihilisme » irresponsable et destructeur. Car quoi de plus « logique » que ceci, à savoir que quiconque nie partout de la sorte l'étant véritable, se place du côté du non-étant et annonce comme sens de la réalité le pur néant?

Que se produit-il en fait? On entend parler d'« humanisme », de « logique », de « valeurs », de « monde », de « Dieu ». Puis d'une opposition à ces entités. On reconnaît en elles le positif et on les prend comme du positif. Ce qui est dit contre elles, du moins tel qu'on le rapporte par ouï-dire et sans grand examen, on le prend aussitôt comme leur négation, voyant dans cette négation le « négatif » au sens de ce qui est destructeur. Il est pourtant expressément parlé quelque part dans *Sein und Zeit* de la « destruction phénoménologique ». Partant de cette logique qu'on ne cesse d'invoquer et de la ratio, on croit que ce qui n'est pas positif est négatif, aboutit à un rejet de la raison et mérite ainsi d'être stigmatisé comme une dépravation. On est si imbu de « logique » que l'on range aussitôt dans les contraires à rejeter tout ce qui s'oppose à la somnolence résignée de l'opinion. Tout ce qui ne demeure pas fixé au positif connu et chéri, on le jette dans la fosse à l'avance préparée de la négation pure, celle qui récuse tout, pour finir dans le néant et accomplir ainsi le nihilisme. Sur ce chemin logique, on fait tout sombrer dans un nihilisme que l'on s'est constitué à l'aide de la logique.

Mais l'opposition qu'une pensée dresse à l'encontre de l'opinion habituelle mène-t-elle nécessairement à la négation pure et au négatif? Cela n'arrive en réalité (mais alors de façon inéluctable et définitive, c'est-à-dire sans aucune échappée libre sur autre chose) que si l'on pose au préalable que cette opinion est « le positif » et qu'à partir de ce positif on décide absolument et négativement à la fois du champ des oppositions qu'elle pourra rencontrer. Une telle manière de faire dissimule le refus d'exposer à une réflexion ce qu'on a estimé au préalable « positif », ainsi que la position et l'opposition par lesquelles il se croit sauvé. Par une référence constante à ce qui est logique, on donne l'apparence de s'être engagé sur la voie de la pensée, alors qu'on l'a en fait abjurée.

Que l'opposition à l'« humanisme » n'implique aucunement la défense de l'inhumain, mais ouvre au contraire d'autres échappées, c'est ce qu'on pourrait établir en peu de mots.

La « logique » comprend la pensée comme la représentation de l'étant dans son être, être que la représentation se donne dans la généralité du concept. Mais qu'en est-il de la réflexion sur l'Etre lui-même, c'est-à-dire de la pensée qui pense la vérité de l'Etre? Cette pensée est la première à atteindre l'essence originelle du λόγος qui déjà, chez Platon et chez Aristote, le fondateur de la « logique », se trouve ensevelie et a consommé sa perte. Penser contre « la logique » ne signifie pas rompre une lance en faveur de l'illogique, mais seulement: revenir dans sa réflexion[1] au

1. *Nachdenken.*

logos et à son essence telle qu'elle apparaît au premier âge de la pensée, c'est-à-dire se mettre enfin en peine de préparer une telle ré-flexion[1]. A quoi bon tous les systèmes, si prolixes encore, de la logique, s'ils commencent par se soustraire à la tâche de poser d'abord et avant tout la question portant sur l'essence du logos, et cela sans même savoir ce qu'ils font. Si on voulait retourner les objections, ce qui est assurément stérile, on pourrait dire avec plus de raison encore : l'irrationalisme, en tant que refus de la ratio, règne en maître inconnu et incontesté dans la défense de la « logique », puisque celle-ci croit pouvoir esquiver une méditation sur le λόγος et sur l'essence de la ratio qui a en lui son fondement.

La pensée qui s'oppose aux « valeurs » ne prétend pas que tout ce qu'on déclare « valeurs » — la « culture », l'« art », la « science », la « dignité humaine. », le « monde » et « Dieu » — soit sans valeur. Bien plutôt s'agit-il de reconnaître enfin que c'est justement le fait de caractériser quelque chose comme « valeur » qui dépouille de sa dignité ce qui est ainsi valorisé. Je veux dire que l'appréciation de quelque chose comme valeur ne donne cours à ce qui est valorisé que comme objet de l'évaluation de l'homme. Mais ce que quelque chose est dans son être ne s'épuise pas dans son objectité, encore moins si l'objectivité a le caractère de la valeur. Toute évaluation, là même où elle évalue positivement, est une subjectivation. Elle ne laisse pas l'étant : être, mais le fait uniquement, comme objet de son faire-valoir. L'étrange application à prouver l'objectivité des valeurs ne sait pas ce qu'elle fait. Proclamer « Dieu » « la plus haute Valeur », c'est dégrader l'essence de Dieu. La pensée sur le mode des valeurs est, ici comme ailleurs, le plus grand blasphème qui se puisse penser contre l'Etre. Penser contre les valeurs ne signifie

1. *Nach-denken.*

donc pas proclamer à grand fracas l'absence de valeur et la nullité de l'étant, mais bien ceci : contre la subjectivation qui fait de l'étant un pur objet, porter devant la pensée l'éclaircie de la vérité de l'Etre.

Le renvoi à l'« être-au-monde » comme au trait fondamental de l'humanitas de l'homo humanus ne prétend pas que l'homme soit uniquement une essence « mondaine » comprise au sens chrétien, c'est-à-dire détournée de Dieu et complètement détachée de la « Transcendance ». On entend sous ce mot ce qu'il serait plus clair d'appeler : le Transcendant. Le Transcendant est l'étant suprasensible. Il est donné comme l'étant le plus haut, au sens de la Cause première de tout étant. Dieu est pensé comme cette Cause première. Mais dans l'expression « être-au-monde », « monde » ne désigne nullement l'étant terrestre en opposition au céleste, pas plus que le « mondain » en opposition au « spirituel ». Dans cette détermination, « monde » ne désigne absolument pas un étant ni aucun domaine de l'étant, mais l'ouverture de l'Etre. L'homme est, et il est homme, pour autant qu'il est l'ek-sistant. Il se tient en extase[1] vers[2] l'ouverture de l'Etre, ouverture qui est l'Etre lui-même, lequel, en tant que ce qui jette[3], s'est acquis l'essence de l'homme en la jetant[4] dans « le souci ». Jeté de la sorte, l'homme se tient « dans »[5] l'ouverture de l'Etre. Le « monde » est l'éclaircie de l'Etre dans laquelle l'homme émerge[6] du sein de son essence jetée. L'« être-au-monde » nomme l'essence de l'ek-sistence au regard de la dimension éclaircie, à partir de laquelle se déploie le « ek- » de l'ek-sistence. Pensé à partir de l'ek-sistence,

1. *Er steht... hinaus.*
2. *In die.*
3. *Der Wurf.*
4. *Sich das Wesen des Menschen... erworfen hat.*
5. *« In » der.*
6. *In die der Mensch... heraussteht.*

d'une certaine manière le « monde » est précisément l'au-delà à l'intérieur de l'ek-sistence et pour elle. Jamais l'homme n'est d'abord homme en deçà du monde comme « sujet », qu'on entende ce mot comme « je » ou comme « nous ». Jamais non plus il n'est d'abord et seulement un sujet qui serait en même temps en relation constante avec des objets, de sorte que son essence résiderait dans la relation sujet-objet. L'homme est bien plutôt d'abord dans son essence, ek-sistant dans[1] l'ouverture de l'Etre, cet ouvert seul éclaircissant l'« entre-deux » à l'intérieur duquel une « relation » de sujet à objet peut « être ».

La proposition : l'essence de l'homme repose sur l'être-au-monde, ne décide pas non plus si, au sens métaphysico-théologique, l'homme est un être du seul en-deçà ou s'il appartient à l'au-delà.

C'est pourquoi, avec la détermination existentiale de l'essence de l'homme, rien n'est encore décidé de l'« existence de Dieu » ou de son « non-être », pas plus que de la possibilité ou de l'impossibilité des dieux. Il est donc non seulement précipité, mais erroné dans sa démarche même, de prétendre que l'interprétation de l'essence de l'homme à partir de la relation de cette essence à la vérité de l'Etre est un athéisme. Cette classification arbitraire dénote de surcroît un manque d'attention dans la lecture. On ne se soucie pas du fait que, depuis 1929, est porté ce qui suit dans l'écrit *Vom Wesen des Grundes* (p. 28, notre 1) : « L'interprétation ontologique de l'être-là comme être-au-monde ne décide ni positivement ni négativement d'un possible être pour Dieu. Mais sans doute l'éclairement de la Transcendance permet-il pour la première fois un *concept suffisant de l'être-là*, en fonction duquel on peut désormais se demander ce qu'il en est sur le plan ontologique du rapport de l'être-là à Dieu. » Si maintenant l'on pense à courte vue, comme

1. *In die.*

d'habitude, cette remarque même, on déclarera: cette philosophie ne se décide ni pour ni contre l'existence de Dieu. Elle reste cantonnée dans l'indifférence. La question religieuse n'a pas l'intérêt pour elle. Or un tel indifférentisme est la proie du nihilisme.

Mais le passage cité plus haut enseigne-t-il l'indifférentisme? Pourquoi dès lors certains mots déterminés et ceux-là seuls sont-ils imprimés en italique dans la note? Uniquement pour indiquer que la pensée qui pense à partir de la question portant sur la vérité de l'Etre questionne plus originellement que ne peut le faire la métaphysique. Ce n'est qu'à partir de la vérité de l'Etre que se laisse penser l'essence du sacré. Ce n'est qu'à partir de l'essence du sacré qu'est à penser l'essence de la divinité. Ce n'est que dans la lumière de l'essence de la divinité que peut être pensé et dit ce que doit nommer le mot « Dieu ». Ne nous faut-il pas d'abord comprendre avec soin et pouvoir entendre tous ces mots, si nous voulons être en mesure en tant qu'hommes, c'est-à-dire en tant qu'êtres ek-sistants, d'expérimenter une relation du dieu à l'homme? Comment l'homme de l'histoire présente du monde peut-il seulement se demander avec sérieux et rigueur si le dieu s'approche ou s'il se retire, quand cet homme omet d'engager d'abord sa pensée dans la dimension en laquelle seule cette question peut être posée? Cette dimension est celle du sacré, qui déjà même comme dimension reste fermée, tant que l'ouvert de l'Etre n'est pas éclairci et n'est pas proche de l'homme dans son éclaircie. Peut-être le trait dominant de cet âge du monde consiste-t-il dans la fermeture de la dimension de l'indemne[1]. Peut-être est-ce là l'unique dam[2].

Par cette indication toutefois, la pensée qui signale[3] la

1. *Das Heile.*
2. *Das Unheil.*
3. *Vorweist.*

vérité de l'Etre comme ce-qui-est-à-penser ne voudrait aucunement s'être décidée en faveur du théisme. Elle ne peut pas plus être théiste qu'athée. Et cela, non en raison d'une attitude d'indifférence, mais parce qu'elle tient compte des limites qui sont fixées à la pensée en tant que pensée, et le sont par cela même qui se donne à elle comme ce-qui-est-à-penser: la vérité de l'Etre. Dans la mesure où la pensée s'en tient à sa mission, elle donne à l'homme, en ce moment où nous sommes du destin mondial, une assignation à[1] la dimension originelle de son séjour historique. En disant de la sorte la vérité de l'Etre, la pensée s'est remise à ce qui est plus essentiel que toutes les valeurs et que tout étant. La pensée ne dépasse pas la métaphysique en la surmontant, c'est-à-dire en montant plus haut encore pour l'accomplir[2] on ne sait où, mais en redescendant jusqu'à la proximité du plus proche. Là surtout où l'homme s'est égaré dans son ascension vers la subjectivité, la descente est plus difficile et plus dangereuse que la montée. La descente conduit à la pauvreté de l'ek-sistence de l'homo humanus. Dans l'ek-sistence, la sphère de l'homo animalis de la métaphysique est abandonnée. La suprématie de cette sphère est le fondement lointain et indirect de l'aveuglement et de l'arbitraire de ce qu'on caractérise comme biologisme, mais aussi de ce qu'on connaît sous l'étiquette de pragmatisme. Penser la vérité de l'Etre, c'est en même temps penser l'humanitas de l'homo humanus. Ce qui compte, c'est l'humanitas au service de la vérité de l'Etre, mais sans l'humanisme au sens métaphysique.

Mais si l'humanitas se révèle à ce point essentielle pour la pensée de l'Etre, l'« ontologie » ne doit-elle pas être complétée par l'« éthique »? L'effort que vous exprimez dans cette phrase n'est-il pas dès lors tout à fait essentiel:

1. *Eine Weisung in die...*
2. *Aufhebt.*

« *Ce que je cherche à faire, depuis longtemps déjà, c'est préciser le rapport d'une ontologie avec une éthique possible* »?

Peu après la parution de *Sein und Zeit*, un jeune ami me demanda: « Quand écrirez-vous une éthique? » Là où l'essence de l'homme est pensée de façon aussi essentielle, c'est-à-dire à partir uniquement de la question portant sur la vérité de l'Etre, mais où pourtant l'homme n'est pas érigé comme centre de l'étant, il faut que s'éveille l'exigence d'une intimation qui le lie, et de règles disant comment l'homme, expérimenté à partir de l'ek-sistence à l'Etre, doit vivre conformément à son destin[1]. Le vœu d'une éthique appelle d'autant plus impérieusement sa réalisation que le désarroi évident de l'homme, non moins que son désarroi caché, s'accroissent au-delà de toute mesure. A cet établissement du lien éthique nous devons donner tous nos soins, en un temps où il n'est possible à l'homme de la technique, voué à l'être-collectif, d'atteindre encore à une stabilité assurée qu'en regroupant et ordonnant l'ensemble de ses plans et de son agir conformément à cette technique.

Comment ignorer cette détresse? Ne devons-nous pas épargner et consolider les liens existants, même s'ils n'assurent que si pauvrement encore et dans l'immédiat seulement la cohésion de l'essence humaine? Certainement. Mais cette pénurie dispense-t-elle pour autant la pensée de se remémorer ce qui principalement reste à-penser et qui est, en tant qu'Etre et avant même tout étant, la garantie et la vérité? La pensée peut-elle s'abstenir encore de penser l'Etre, quand celui-ci, après être resté celé dans un long oubli, s'annonce au moment présent du monde par l'ébranlement de tout étant?

Avant d'essayer de déterminer plus exactement la relation entre « l'ontologie » et « l'éthique », il faut nous

1. *Geschicklich.*

demander ce que sont elles-mêmes « l'ontologie » et « l'éthique ». Il devient nécessaire de penser si ce que peuvent désigner ces deux termes reste d'accord et en contact avec ce qui est remis à la pensée qui a, comme pensée, à penser avant tout la vérité de l'Etre.

Mais que « l'ontologie » aussi bien que « l'éthique », et avec elles toute pensée issue de disciplines, se révèlent caduques, et que par là notre pensée se fasse plus disciplinée, qu'en serait-il alors de la question de la relation entre ces deux disciplines de la philosophie ?

L'« éthique » apparaît pour la première fois avec la « logique » et la « physique » dans l'école de Platon. Ces disciplines prennent naissance à l'époque où la pensée se fait « philosophie », la philosophie ἐπιστήμη (science) et la science elle-même, affaire d'école et d'exercice scolaire. Le processus ouvert par la philosophie ainsi comprise donne naissance à la science, il est la ruine de la pensée. Avant cette époque, les penseurs ne connaissaient ni « logique », ni « éthique », ni « physique ». Leur pensée n'en était pour autant ni illogique, ni immorale. Mais ils pensaient la φύσις selon une profondeur et avec une amplitude dont aucune « physique » postérieure n'a jamais plus été capable. Si l'on peut se permettre ce rapprochement, les tragédies de Sophocle abritent plus originellement l'ἦθος dans leur dire que les leçons d'Aristote sur l'« Ethique ». Une sentence d'Héraclite, qui tient en trois mots, exprime quelque chose de si simple que par elle l'essence de l'éthos s'éclaire immédiatement.

Cette sentence est la suivante (fragment 119) : ἦθος ἀνθρώπῳ δαίμων. Ce qu'on traduit d'ordinaire : « Le caractère propre d'un homme est son démon. » Cette traduction révèle une façon de penser moderne, non point grecque. ἦθος signifie séjour, lieu d'habitation. Ce mot désigne la région ouverte où l'homme habite. L'ouvert de son séjour fait apparaître ce qui s'avance vers l'essence de l'homme et dans cet avènement séjourne en sa proximité. Le séjour de l'homme contient et garde la venue de ce à quoi l'homme appartient dans son essence. C'est, suivant le mot d'Héraclite δαίμων, le dieu. La sentence dit : l'homme habite, pour autant qu'il est homme, dans la proximité du dieu. L'histoire que voici, rapportée par Aristote (*Parties des Animaux*, A 5, 645 *a* 17), va dans le même sens :

Ἡράκλειτος λέγεται πρὸς τους ξένους εἰπεῖν τοὺς βουλομένους ἐντυχεῖν αὐτῷ οἳ ἐπειδὴ προσιόντες εἶδον αὐτὸν θερόμενον πρὸς τῷ ἰπνῷ ἔστησαν, ἐκέλευε γὰρ αὐτοὺς εἰσιέναι θαρροῦντας εἶναι γὰρ καὶ ἐνταῦθα θεούς.

« D'Héraclite, on rapporte un mot qu'il aurait dit à des étrangers désireux de parvenir jusqu'à lui. S'approchant, ils le virent qui se chauffait à un four de boulanger. Ils s'arrêtèrent, interdits, et cela d'autant plus que, les voyant hésiter, Héraclite leur rend courage et les invite à entrer par ces mots : "Ici aussi les dieux sont présents." »

L'anecdote parle d'elle-même. Arrêtons-nous-y pourtant quelque peu.

Dans son mouvement de curiosité importune, la masse des visiteurs étrangers est déçue et décontenancée au premier regard jeté sur le séjour du penseur. Elle croit devoir trouver celui-ci dans des circonstances qui, s'opposant au cours habituel de la vie des hommes, portent la marque de l'exception, du rare et, par suite, de l'excitant. De cette visite, elle espère tirer, au moins pour un temps, la matière d'un divertissant bavardage. Les étrangers qui veulent rendre visite au penseur s'attendent à le surprendre au moment précis peut-être où, plongé dans une méditation profonde, il pense. Les visiteurs veulent vivre ce moment, non pour avoir été si peu que ce soit touchés par la pensée, mais uniquement afin de pouvoir dire qu'ils ont vu et entendu quelqu'un dont on ne dit rien d'autre sinon qu'il est un penseur.

Au lieu de cela, les curieux trouvent Héraclite auprès d'un four. Voilà un endroit bien quotidien et sans apparence. C'est là en effet qu'on cuit le pain. Mais Héraclite n'est pas même auprès du four pour cuire du pain. Il n'y séjourne que pour se chauffer. ainsi trahit-il en cet endroit très ordinaire toute l'indigence de sa vie. Le spectacle d'un penseur qui a froid offre peu d'intérêt, et les curieux déçus y perdent aussitôt l'envie de pousser plus avant. Que feraient-ils en un tel endroit ? Cet événement banal et sans relief de quelqu'un qui a froid et se tient auprès du four, chacun peut en être à tout moment témoin chez soi, dans sa propre maison. Pourquoi dès lors aller chercher un penseur ? Les visiteurs se disposent à repartir. Héraclite lit sur leurs visages la curiosité déçue. Il sait que priver la masse d'une sensation attendue suffit pour faire rebrousser chemin à ceux qui sont à peine arrivés. Aussi leur rend-il courage et les invite-t-il expressément à entrer malgré tout par ces mots : εἶναι γὰρ καὶ ἐνταῦθα θεοὺς, « ici aussi les dieux sont présents ».

Cette parole situe le séjour (ἦθος) du penseur et son faire dans une autre lumière. Quant à savoir si les visiteurs l'ont comprise sur-le-champ, ou même s'ils l'ont seulement comprise, voyant dès lors différemment toutes choses à cette autre lumière, l'anecdote ne le dit pas. Mais que cette histoire ait été racontée et nous soit encore transmise à nous, hommes d'aujourd'hui, tient au fait que ce qu'elle rapporte relève de l'ambiance propre de ce penseur et la caractérise. καὶ ἐνταῦθα, « ici aussi », près du four, en cet endroit sans prétention, où chaque chose et chaque situation, chaque action et chaque pensée sont familières et courantes, c'est-à-dire accoutumées, « en cet endroit même », en ce monde de l'accoutumé, εἶναι θεοὺς, c'est bien là « que les dieux sont présents ».

Ηθος ἀνθρώπῳ δαίμων, dit Héraclite lui-même : « le séjour (accoutumé)[1] est pour l'homme le domaine ouvert[2] à la présence[3] du dieu, (de l'in-solite)[4] ».

Si donc, conformément au sens fondamental du mot ἦθος, le terme d'éthique doit indiquer que cette discipline pense le séjour de l'homme, on peut dire que cette pensée qui pense la vérité de l'Etre comme l'élément originel de l'homme en tant qu'ek-sistant est déjà en elle-même l'éthique originelle. Cette pensée toutefois n'est pas seulement éthique du fait qu'elle est ontologie. Car l'ontologie ne pense jamais que l'étant (ὄν) dans son être. Or, aussi longtemps que la vérité de l'Etre n'est pas pensée, toute ontologie reste sans son fondement. C'est pourquoi la pensée qui tentait avec *Sein und Zeit* de penser en direction de la vérité de l'Etre[5] s'est désignée comme ontologie fondamentale. Celle-ci remonte au fondement essentiel d'où provient la pensée de la vérité de l'Etre. Par l'introduction d'une autre question, cette pensée échappe déjà à l'« ontologie » de la métaphysique (y compris celle de Kant). Mais « l'ontologie », qu'elle soit transcendantale ou précritique, ne tombe pas sous le coup de la critique parce qu'elle pense l'être de l'étant et par là même réduit l'être au concept, mais parce qu'elle ne pense pas la vérité de l'Etre et méconnaît ainsi qu'il est une pensée plus rigoureuse que la pensée conceptuelle. La pensée qui tente de penser en direction de la vérité de l'Etre ne porte au langage, dans la difficulté de sa première approche, qu'une part infime de cette tout autre dimension. Le langage

1. *Geheure.*
2. *Das Offene.*
3. *Die Anwesung.*
4. *Des Un-geheuren.*
5. *In die Wahrheit des Seins vorzudenken.*

lui-même s'altère, tant qu'il ne parvient pas à maintenir l'aide essentielle de la vue phénoménologique, tout en refusant une prétention excessive à la « science » et à la « recherche ». Toutefois, pour rendre discernable et en même temps compréhensible cette tentative de la pensée à l'intérieur de la philosophie subsistante, il fallait d'abord parler à partir de l'horizon de cette philosophie et se servir des termes qui lui sont familiers.

Entre-temps, l'expérience m'a appris que ces termes mêmes devaient immédiatement et inévitablement induire en erreur. Car ces termes et la langue conceptuelle qui leur est adaptée n'étaient pas repensés par les lecteurs à partir de la réalité qui est d'abord à penser, mais cette réalité même était représentée à partir de ces termes maintenus dans leur signification habituelle. La pensée qui pose la question de la vérité de l'Etre, et par là même détermine le séjour essentiel de l'homme à partir de l'Etre et vers lui, n'est ni éthique ni ontologie. C'est pourquoi la question de la relation entre ces deux disciplines est, dans ce domaine, désormais sans fondement. Toutefois, votre question, pensée plus originellement, conserve un sens et un poids essentiels.

Il faut en effet nous demander : cette pensée qui, pensant la vérité de l'Etre, détermine l'essence de l'humanitas comme ek-sistence à partir de l'appartenance de l'ek-sistence à l'Etre, reste-t-elle seulement une représentation théorique de l'Etre et de l'homme, ou peut-on tirer en même temps d'une telle connaissance des indications valables pour la vie pratique et utilisables par elle ?

La réponse est celle-ci : cette pensée n'est ni théorique ni pratique. Elle se produit avant cette distinction. Pour autant qu'elle est, cette pensée est la pensée de l'Etre dans l'Etre[1] et rien d'autre. Appartenant à l'Etre, parce que jetée par

1. *Das Andenken an das Sein* (cf. note 1, p. 94).

l'Etre en vue de la garde véridique de sa vérité[1] et revendiquée par l'Etre pour cette garde, elle pense l'Etre. Une telle pensée n'a pas de résultat. Elle ne produit aucun effet. Elle satisfait à son essence du moment qu'elle est. Mais elle est, en tant qu'elle dit ce qu'elle a à dire. A chaque moment historique, il n'y a qu'un seul énoncé de ce que la pensée a à dire qui soit selon la nature même de ce qu'elle a à dire. Cette obligeance qui lie cet énoncé à ce qu'il a à dire est essentiellement plus éminente que la validité des sciences, parce qu'elle est plus libre. Car elle laisse l'Etre — être.

La pensée travaille à construire[2] la maison de l'Etre, maison par quoi l'Etre, en tant que ce qui joint, enjoint à chaque fois à l'essence de l'homme, conformément au destin, d'habiter dans la vérité de l'Etre. Cet habiter est l'essence de l'« être-au-monde » (cf. *Sein und Zeit*, p. 54). L'indication donnée en ce passage sur l'« être-dans » comme « habiter » n'est pas un vide jeu étymologique. De même, dans la conférence de 1936, le renvoi à la parole de Hölderlin :

> *Voll Verdienst, doch dichterisch wohnet*
> *der Mensch auf dieser Erde*[3]

n'est point l'ornement d'une pensée qui, abandonnant la science, cherche son salut dans la poésie. Parler de la maison de l'Etre, ce n'est nullement reporter sur l'Etre l'image de la « maison ». Bien plutôt, c'est à partir de l'essence de l'Etre pensée selon ce qu'elle est que nous

1. *In die Wahrnis seiner Wahrheit.* Heidegger rapproche *Wahrnis* à la fois du verbe *wahren* (= *bewahren*) : garder, protéger, mettre à l'abri, et de l'adjectif *wahr* : vrai.

2. *Baut am.*

3. « Riche en mérite, et poétiquement pourtant habite l'homme sur cette terre. »

pourrons un jour penser ce qu'est une « maison » et ce qu'est « habiter ».

Jamais toutefois la pensée ne crée la maison de l'Etre. La pensée conduit l'ek-sistence historique, c'est-à-dire l'humanitas de l'homo humanus, au domaine où se lève l'aube de l'indemne.

En même temps que l'indemne, dans l'éclaircie de l'Etre apparaît le malfaisant. L'essence du malfaisant ne consiste pas dans la pure malice de l'agir humain, elle repose dans la malignité de la fureur. L'un et l'autre, l'indemne et la fureur ne peuvent toutefois déployer leur essence dans l'Etre qu'en tant que l'Etre lui-même est le lieu du combat. En lui se cèle la provenance essentielle du néantiser. Ce qui néantise s'éclaircit comme ce qui a en lui le : ne... pas. On peut l'aborder dans le « non ». Le « ne-pas » ne provient aucunement du dire-non de la négation. Tout « non » qui ne se confond pas avec une manifestation du pouvoir qu'a la subjectivité de se poser elle-même, mais reste un laisser-être de l'ek-sistence, répond à la revendication[1] du néantiser qui s'est éclairci. Tout non n'est que l'aveu du ne-pas, et tout aveu repose dans la reconnaissance. Celle-ci laisse venir à soi ce dont il s'agit. On croit qu'on ne peut nulle part trouver le néantiser dans l'étant lui-même. Cela est vrai tant qu'on cherche le néantiser comme quelque chose d'étant, comme une modalité de l'ordre de l'étant qui affecte l'étant. Mais, cherchant de la sorte, on ne cherche pas le néantiser. L'Etre lui-même n'est pas une modalité de cet ordre qu'on puisse constater dans l'étant. Et pourtant l'Etre est plus étant que tout étant. Parce que le néantiser déploie son essence dans l'Etre lui-même, on ne peut jamais l'apercevoir comme quelque chose d'étant qui affecte l'étant. Assurément, le renvoi à cette impossibilité ne prouve en rien que le ne-pas ait sa provenance dans le dire-non. Une

1. *Anspruch* (voir note 1, p. 74).

telle preuve ne paraît porter que si l'on pose l'étant comme la réalité objective de la subjectivité. On déduit alors de l'alternative que tout ne-pas, n'apparaissant jamais comme quelque chose d'objectif, doit être sans conteste le produit d'un acte du sujet. Quant à savoir maintenant si le dire-non pose le ne-pas comme un pur objet de pensée, ou si le néantiser revendique d'abord le « non » comme ce qui est à dire dans le laisser-être de l'étant, une réflexion subjective sur la pensée déjà posée comme subjectivité ne peut assurément en décider. Une telle réflexion n'atteint nullement encore à la dimension où cette question peut être posée comme il convient. Reste à se demander, à supposer que la pensée appartienne à l'ek-sistence, si tout « oui » et tout « non » ne sont pas déjà ek-sistants en vue de la vérité de l'Etre. S'il en est ainsi, le « oui » et le « non » sont déjà en eux-mêmes à l'écoute et au service de l'Etre[1]. En tant qu'ils sont dans cette dépendance[2], ils ne peuvent jamais poser d'abord ce à quoi ils appartiennent[3].

Le néantiser déploie son essence dans l'Etre lui-même et nullement dans l'être-là de l'homme, pour autant qu'on pense cet être-là comme subjectivité de l'ego cogito. L'être-là ne néantise nullement, en tant que l'homme, pris comme sujet, accomplit la néantisation au sens du rejet, mais l'être-le-là néantise, en tant que pris comme l'essence au sein de laquelle l'homme ek-siste, il appartient lui-même à l'essence de l'Etre. L'Etre néantise — en tant qu'Etre. C'est pourquoi, dans l'idéalisme absolu, chez Hegel et Schelling le ne-pas apparaît comme la négativité de la négation dans l'essence de l'Etre. Mais l'Etre est alors pensé au sens de la réalité absolue comme volonté inconditionnée qui se veut elle-même, et qui se veut comme volonté

1. *Hörig.*
2. *Als diese Hörigen.*
3. *Gehören.*

de savoir et d'amour. Dans cette volonté, l'Etre comme volonté de puissance se cèle encore. Il ne peut toutefois s'agir ici d'examiner pourquoi la négativité de la subjectivité absolue est « dialectique », et pourquoi le néantiser qui vient au jour par la dialectique est en même temps voilé dans l'essence.

Le néantisant dans l'Etre est l'essence de ce que j'appelle le Rien[1]. C'est pourquoi la pensée, parce qu'elle pense l'Etre, pense le Rien.

Seul l'Etre accorde à l'indemne son lever dans la grâce[2] et à la fureur son élan vers la ruine.

C'est seulement pour autant que l'homme ek-sistant dans[3] la vérité de l'Etre appartient à l'Etre, que de l'Etre lui-même peut venir l'assignation de ces consignes qui doivent devenir pour l'homme normes et lois. Assigner se dit en grec νέμειν. Le νόμοζ n'est pas seulement la loi, mais plus originellement l'assignation cachée dans le décret de l'Etre. Cette assignation seule permet d'enjoindre[4] l'homme à l'Etre. Et seule une telle injonction[5] permet de porter et de lier. Autrement toute loi n'est que le produit de la raison humaine. Plus essentiel que l'établissement de règles est la découverte par l'homme du séjour en vue de la vérité de l'Etre. Ce séjour[6] seul accorde l'expérience de ce qui tient[7]. La vérité de l'Etre fait don du maintien[8] pour toute contenance[9]. Le mot « *Halt* » signifie « garde » en notre langue. L'Etre est la garde qui, pour sa vérité, a dans sa garde l'homme en son essence ek-sistante,

1. *Das Nichts.*
2. *Huld.*
3. *In die.*
4. *Verfügen.*
5. *Fügung.*
6. *Aufenthalt.*
7. *Haltbar.*
8. *Halt.*
9. *Verhalten.*

de sorte qu'elle abrite l'ek-sistence dans le langage. C'est pourquoi le langage est à la fois la maison de l'Etre et l'abri de l'essence de l'homme. C'est seulement parce que le langage est l'abri de l'essence de l'homme que les hommes et les humanités historiques peuvent être sans abri dans leur propre langue, devenue pour eux l'habitacle de leurs machinations.

Mais dans quelle relation se situe la pensée de l'Etre vis-à-vis du comportement théorique et pratique? Cette pensée surpasse toute contemplation parce qu'elle se soucie de la lumière en laquelle seule une vision comme theoria peut séjourner et se mouvoir. La pensée est attentive à l'éclaircie de l'Etre, lorsqu'elle insère son dire de l'Etre dans le langage qui est celui de l'abri de l'ek-sistence. C'est ainsi que la pensée est un faire. Mais un faire qui surpasse d'emblée toute praxis. La pensée est supérieure à toute action et production, non par la grandeur de ce qu'elle réalise ou par les effets qu'elle produit, mais par l'insignifiance de son accomplir qui est sans résultat.

Car la pensée ne porte au langage, dans son dire, que la parole inexprimée de l'Etre.

La tournure ici employée: *zur Sprache bringen*, « porter au langage », est désormais à prendre en son sens littéral. S'éclaircissant, l'Etre vient au langage. Il est sans cesse en route vers lui. De son côté, la pensée ek-sistante porte au langage, dans son dire, cet avenant. Ainsi le langage est lui-même exhaussé dans l'éclaircie de l'Etre. C'est alors seulement que le langage *est* de cette manière mystérieuse et qui néanmoins constamment nous gouverne. Lorsque le langage, ainsi porté à la plénitude de son essence, est historique, l'Etre est gardé dans et pour la-pensée-qui-le-pense[1]. Lorsqu'elle pense, l'ek-sistence habite la maison de l'Etre. Et il en est de tout cela comme si, par le dire pensant, absolument rien ne s'était produit.

1. *In das Andenken verwahrt.*

Mais, à l'instant même, un exemple s'offre à nous de ce faire inapparent de la pensée. Lorsqu'en effet nous pensons proprement cette tournure, au langage destinée: « porter au langage », cette tournure et rien de plus, lorsque, dans toute l'attention du dire, nous maintenons ce que nous venons de penser comme ce qui désormais sera toujours à-penser, nous avons porté au langage quelque chose où se déploie l'essence de l'Etre lui-même.

Le surprenant dans cette pensée de l'Etre, c'est ce qu'elle a de simple. C'est cela justement qui nous éloigne d'elle. Car nous ne recherchons la pensée qui s'est présentée, au cours de l'histoire, sous le nom de « philosophie » que sous la forme de l'inhabituel, accessible aux seuls initiés. Nous nous représentons la pensée sur le mode de la connaissance et de la recherche scientifiques. Nous mesurons le faire aux réalisations impressionnantes et couronnées de succès de la praxis. Mais le faire de la pensée n'est ni théorique ni pratique; il ne consiste pas davantage dans l'union de ces deux modes de comportement.

Par la simplicité de son essence, la pensée de l'Etre se fait pour nous inconnaissable. Si toutefois nous nous familiarisons avec ce que cette simplicité a d'insolite, une autre difficulté nous guette. Le soupçon nous gagne que cette pensée de l'Etre ne sombre dans l'arbitraire; car elle ne peut se tenir à l'étant. Sur quoi donc la pensée se règle-t-elle? Quelle est la loi de son faire?

C'est ici qu'il nous faut entendre la troisième question de votre lettre: *Comment sauver l'élément d'aventure que comporte toute recherche sans faire de la philosophie une simple aventurière?* Ne nommons qu'en passant, pour le moment, la poésie. Elle se situe devant la même question et de la même manière que la pensée. Mais le mot à peine remarqué d'Aristote, dans sa *Poétique*, demeure toujours valable, selon lequel la création poétique est plus vraie que l'exploration méthodique de l'étant.

Toutefois la pensée n'est pas seulement, comme recherche et question dirigée sur le non-pensé, *une aventure*[1]. La pensée est, dans son essence, comme pensée de l'Etre, revendiquée par l'Etre. La pensée se rapporte à l'Etre comme à *l'avenant*[1]. La pensée est, comme pensée, liée à la venue de l'Etre, à l'Etre en tant qu'il est la venue. Déjà l'Etre s'est destiné à la pensée. L'Etre *est*, en tant que le destin de la pensée. Mais le destin est en soi historique. Déjà, dans le dire des penseurs, son histoire est venue au langage.

Porter à chaque fois au langage cette venue de l'Etre, venue qui demeure et dans ce demeurer attend l'homme, est l'unique affaire de la pensée. C'est pourquoi les penseurs essentiels disent constamment le même. Ce qui ne veut pas dire : l'identique. Assurément ils ne le disent que pour celui qui s'engage à penser sur leurs traces. Lorsque la pensée, pensant l'Etre historiquement[2], est attentive au destin de l'Etre, elle s'est déjà liée à la convenance qui est conforme à ce destin. Se réfugier dans l'identique n'est pas dangereux. Mais se risquer dans la dissension pour dire le même, voilà le danger. L'ambiguïté menace et la pure discorde.

La convenance du dire de l'Etre comme destin de la vérité est la loi première de la pensée, et non les règles de la logique qui ne peuvent devenir règles qu'à partir de la loi de l'Etre. Mais être attentif à la convenance du dire pensant n'inclut pas seulement qu'à chaque fois nous réfléchissions à *ce qui* est à dire de l'Etre et au *comment* cela est à dire. Tout aussi essentiel reste à penser *si* on peut dire ce qui est à-penser et jusqu'à quel point, à quel moment de l'histoire de l'Etre et dans quel dialogue avec cette histoire, à partir enfin de quelle revendication. Ces trois points que mention-

1. En français dans le texte.
2. *Geschichtlich andenkend.*

nait une lettre précédente[1] sont, dans leur parenté, déterminés à partir de la loi de convenance de la pensée historico-ontologique : la rigueur de la réflexion, l'attention vigilante du dire, l'économie des mots.

Le moment est venu de cesser de surestimer la philosophie et, par le fait même, de trop lui demander. Tel est bien ce qu'il nous faut dans la pénurie actuelle du monde : moins de philosophie et plus d'attention à la pensée ; moins de littérature et plus de soin donné à la lettre comme telle.

La pensée à venir ne sera plus philosophie, parce qu'elle pensera plus originellement que la métaphysique, mot qui désigne la même chose. La pensée à venir ne pourra pas non plus, comme Hegel le réclamait, abandonner le nom d'« amour de la sagesse » et devenir sagesse elle-même sous la forme du savoir absolu. La pensée redescendra dans la pauvreté de son essence provisoire. Elle rassemblera le langage en vue du dire simple. Ainsi le langage sera le langage de l'Etre, comme les nuages sont les nuages du ciel. La pensée, de son dire, tracera dans le langage des sillons sans apparence, des sillons de moins d'apparence encore que ceux que le paysan creuse d'un pas lent à travers la campagne.

1. Nous donnons, à la page 129, une traduction de cette lettre, dont le texte nous a été obligeamment communiqué par Jean Beaufret.

LETTRE À JEAN BEAUFRET

Fribourg, le 23 novembre 1945.

Cher Monsieur Beaufret,

Votre lettre amicale que m'a transmise, il y a quelques jours, M. Palmer, m'a fait grand plaisir.

Je ne connais votre nom que depuis quelques semaines, par les excellents articles sur l'« existentialisme » que vous avez publiés dans *Confluences*. Je ne possède malheureusement jusqu'ici que les n°s 2 et 5 de la revue. Mais dès le premier article (dans le n° 2) m'est apparu le concept élevé que vous avez de l'essence de la philosophie. Il est ici encore des domaines cachés qui ne s'éclaireront que dans l'avenir. Mais ceci ne se fera que si la rigueur de la pensée, l'attention vigilante du dire et l'économie des mots sont appréciées tout autrement qu'elles ne l'ont été jusqu'alors. Vous voyez vous-même que l'abîme est béant qui sépare ici ma pensée de la philosophie de Jaspers, sans parler de la question tout autre qui anime ma pensée et que, de curieuse façon, on a jusqu'ici méconnue absolument. J'estime grandement Jaspers comme personnalité et comme écrivain, son influence sur la jeunesse universitaire est considérable. Mais le rapprochement devenu presque classique « Jaspers et Heidegger » est *le* malentendu *par excellence*[1] qui circule dans notre philosophie. Ce malentendu est poussé à son comble dans la représentation qui fait de ma philosophie un « nihilisme », ma philosophie qui ne questionne pas uniquement, comme toute philosophie antérieure, sur *l'être de l'étant*[1], mais sur *la vérité de l'être*[1]. L'essence du nihilisme tient au contraire en ceci qu'il est incapable de penser le nihil. Je pressens, pour autant que j'aie pu m'en rendre compte depuis quelques semaines seulement, dans la pensée des jeunes philosophes de France, un *élan*[1] extraordinaire qui montre bien qu'en ce domaine une révolution se prépare.

Ce que vous dites de la traduction de « Da-sein » par « *réalité humaine* »[1] est fort juste. Excellente également la remarque : « *Mais si l'allemand a ses ressources, le français a ses limites* » ; ici se cache une indication essentielle sur les possibilités de s'instruire l'un par l'autre, au sein d'une pensée productive, dans un mutuel échange.

« Da-sein » est un mot clé de ma pensée, aussi donne-t-il lieu à de graves erreurs d'interprétation. « Da-sein » ne signifie pas tellement pour moi « *me voilà !* »[1], mais, si je puis ainsi m'exprimer en un français sans doute impossible : *être-le-là*[1], et *le-là*[1] est précisément Ἀλήθεια décèlement — ouverture.

Mais ceci n'est qu'une indication rapide. La pensée féconde requiert, en plus de l'écriture et de la lecture, la συνουσία de la conversation et de ce travail qui est enseignement reçu tout autant que donné...

1. En français dans le texte.

Sérénité

Traduit par André Préau.

Titre original:

GELASSENHEIT

Sérénité

La première parole qu'il m'est donné de prononcer en public dans ma ville natale ne peut être qu'une parole de remerciement.

Que mon pays natal soit remercié pour tout ce qu'il m'a donné et qui m'a soutenu sur une longue route. En quoi consistent ces dons, j'ai essayé de l'exposer en quelques pages qui, sous le titre *Le Chemin de campagne*, ont paru d'abord en 1949 dans le Recueil commémoratif publié à l'occasion du centième anniversaire de la mort de Conradin Kreutzer[1]. Que soit aussi remercié M. le bourgmestre Schühle pour ses paroles chaleureuses de bienvenue. Mais j'ajouterai encore un mot particulier de gratitude pour l'agréable mission que vous m'avez confiée, de prendre la parole au cours de la fête d'aujourd'hui.

Vous tous que cette fête a réunis,
Chers habitants de mon pays natal,

Nous voici rassemblés pour célébrer la mémoire de notre compatriote, le compositeur Conradin Kreutzer. Si nous

1. Le *Conradin Kreutzer* dont il va être question, compositeur souabe né à Messkirch (1780-1849), ne doit pas être confondu avec *Rodolphe Kreutzer*, violoniste et compositeur français né à Versailles (1766-1831), auquel Beethoven a dédié une sonate célèbre.

voulons fêter un de ces hommes qui ont été appelés à créer une œuvre, il nous faut d'abord honorer l'œuvre comme il convient. Nous nous en acquittons, dans le cas d'un musicien, en faisant entendre ses compositions.

En ce jour résonnent donc, choisis dans l'œuvre de Conradin Kreutzer, des mélodies et des chœurs, des morceaux d'opéra et de musique de chambre. Le maître lui-même est là, au milieu de ces harmonies : car la présence du maître *dans son œuvre* est la seule présence authentique. Plus un maître est grand, et plus complètement sa personne disparaît derrière son œuvre.

Les musiciens et les chanteurs qui concourent à cette fête garantissent qu'en ce moment l'œuvre de Conradin Kreutzer est présente parmi nous.

Mais cela suffit-il à une fête du souvenir ? Toute commémoration (*Gedenkfeier*) exige que nous *pensions* (*denken*). Mais que penser, que dire, lors d'une fête consacrée au souvenir d'un musicien ? Ce qui caractérise la musique, n'est-ce pas qu'elle nous « parle » déjà, rien qu'en se faisant entendre à nous, et qu'ainsi elle n'a aucun besoin du langage ordinaire, qui est celui des mots ? On le dit en effet. Et pourtant la question demeure : célébrer une fête par de la musique vocale et instrumentale, est-ce bien là célébrer une fête où l'on pense ? A peine, semble-t-il. C'est pourquoi les organisateurs de cette journée ont inscrit à leur programme un « discours commémoratif ». Son objet est de nous aider à penser spécialement au compositeur fêté et à son œuvre. Cette commémoration devient vivante dès que nous rappelons la vie de Conradin Kreutzer, dès que nous énumérons et décrivons ses œuvres. De pareils propos nous apprennent mainte chose heureuse ou triste, instructive ou exemplaire. Nourriture légère, au fond, pour notre esprit. Nous écoutons ces propos, mais en même temps rien ne nous oblige à penser, c'est-à-dire à méditer un sujet qui concerne chacun de nous, directement et à tout moment, dans son être. C'est pourquoi même un discours commémoratif ne nous garantit pas encore qu'une fête du souvenir soit pour nous une occasion de penser.

Ne nous faisons pas d'illusions. A nous tous il arrive assez souvent d'être pauvres en pensées : je dis « à nous tous », y compris ceux qui pour ainsi dire pensent par devoir professionnel ; nous tous tombons trop facilement dans une indigence de pensées. L'indigence de pensées est un hôte inquiétant qui s'insinue partout dans le monde d'aujourd'hui. Car aujourd'hui tout s'apprend de la façon la plus rapide et la plus économique et, le moment d'après, est oublié tout aussi rapidement. Ainsi une célébration est-elle bientôt supplantée par une autre célébration. les fêtes commémoratives deviennent de plus en plus pauvres en pensées. Fête commémorative et absence de pensées se rencontrent et s'accordent parfaitement.

Mais, à vrai dire, alors même que nous sommes dénués de pensées, nous ne renonçons pas au pouvoir que nous avons de penser. Nous en usons même nécessairement, quoique d'une manière étrange, en ce sens que dans l'absence de pensées nous laissons en friche notre aptitude à penser. Mais seul peut rester en friche un sol qui est en soi fertile, par exemple un champ. Une autoroute, sur laquelle rien ne pousse, ne sera jamais une jachère. De même que, si nous pouvons devenir sourds, c'est uniquement parce que nous entendons, ou que, si nous pouvons vieillir, c'est uniquement parce que nous avons été jeunes : de même, si nous pouvons devenir pauvres en pensées ou même dénués de pensées, c'est seulement parce qu'au fond de son être l'homme possède le pouvoir de penser, « l'esprit et l'entendement », et parce que sa destinée est de penser. Ce que nous possédons, sciemment ou non, c'est cela seul que nous pouvons perdre ou dont nous pouvons nous défaire.

Le manque croissant de pensées repose ainsi sur un processus qui attaque la substance la plus intime de l'homme contemporain: celui-ci est *en fuite devant la pensée*. Cette fuite devant la pensée explique notre manque de pensées. Mais elle présuppose à son tour que l'homme ne veuille ni la voir ni la reconnaître. L'homme d'aujourd'hui la niera même carrément. Il affirmera le contraire. Il fera valoir — en quoi il aura parfaitement raison — qu'on n'a jamais produit des plans aussi vastes, des études aussi variées, des recherches aussi passionnées qu'à notre époque. Aucun doute à ce sujet. Pareille dépense de sagacité et de réflexion est d'un grand profit. Une pensée de cette sorte nous demeure indispensable. Mais... il reste aussi que c'est une pensée d'un caractère particulier.

Sa particularité consiste en ceci: lorsque nous dressons un plan, participons à une recherche, organisons une entreprise, nous comptons toujours avec des circonstances données. Nous les faisons entrer en ligne de compte dans un calcul qui vise des buts déterminés. Nous escomptons d'avance des résultats définis. Ce calcul caractérise toute pensée planifiante et toute recherche. Une pareille pensée ou recherche demeure un calcul, là même où elle n'opère pas sur des nombres et n'utilise ni simples machines à calculer ni calculatrices électroniques. La pensée qui compte calcule. Elle soumet au calcul des possibilités toujours nouvelles, de plus en plus riches en perspectives et en même temps plus économiques. La pensée qui calcule ne nous laisse aucun répit et nous pousse d'une chance à la suivante. La pensée qui calcule ne s'arrête jamais, ne rentre pas en elle-même. Elle n'est pas une pensée méditante, une pensée à la poursuite du sens qui domine dans tout ce qui est.

Il y a ainsi deux sortes de pensée, dont chacune est à la

fois légitime et nécessaire : la pensée qui calcule et la pensée qui médite.

Or c'est cette seconde pensée que nous avons en vue lorsque nous disons que l'homme est en fuite devant la pensée. Malheureusement, objectera-t-on, la pure méditation ne s'aperçoit pas qu'elle flotte au-dessus de la réalité, qu'elle n'a plus de contact avec le sol. Elle ne sert à rien dans l'expédition des affaires courantes. Elle n'aide en rien aux réalisations d'ordre pratique.

Et l'on ajoute, pour terminer, que la pure et simple méditation, que la pensée lente et patiente est trop « haute » pour l'entendement ordinaire. De cette excuse il n'y a qu'une chose à retenir, c'est qu'une pensée méditante est, aussi peu que la pensée calculante, un phénomène spontané. La pensée qui médite exige parfois un grand effort et requiert toujours un long entraînement. Elle réclame des soins encore plus délicats que tout autre authentique métier. Elle doit aussi, comme le paysan, savoir attendre que le grain germe et que l'épi mûrisse.

D'un autre côté chacun de nous, à sa manière et dans ses limites, peut suivre des voies de méditation. Pourquoi ? Parce que l'homme est l'être *pensant, c'est-à-dire méditant*. Il n'est donc aucunement nécessaire que la méditation nous élève dans des « régions supérieures ». Il suffit que nous nous arrêtions sur ce qui nous est proche et que nous recherchions ce qui nous est le plus proche : ce qui concerne chacun de nous, ici et maintenant. Ici : sur ce coin de terre natale. Maintenant : à l'heure qui sonne à l'horloge du monde.

Supposons que nous soyons disposés à faire de la fête présente un sujet de méditation : dans ce cas, que nous suggère-t-elle ? Nous observons alors que c'est à partir du sol natal qu'une œuvre d'art s'est formée et achevée. Si nous arrêtons notre attention sur ce simple fait, comment ne pas nous rappeler aussitôt qu'aux XVIIIe et XIXe siècles la terre souabe a produit de grands poètes et de grands penseurs ? Regardons plus loin : il nous faut alors reconnaître que l'Allemagne moyenne a été aussi, dans ce sens, une terre fertile et qu'on peut en dire autant de la Prusse orientale, de la Silésie et de la Bohême.

Ceci nous donne à penser, et nous nous demandons si la réussite d'une œuvre de qualité ne requiert pas l'enracinement dans un sol natal. Johann Peter Hebel a écrit : « Qu'il nous plaise ou non d'en convenir, nous sommes des plantes qui, s'appuyant sur leurs racines, doivent sortir de terre, pour pouvoir fleurir dans l'éther et y porter des fruits » (*Œuvres*, éd. Altwegg, III, 314).

Le poète veut dire : là où une œuvre humaine, vraiment vigoureuse et saine, doit se former et se parfaire, c'est à partir des profondeurs du sol natal que l'homme doit pouvoir s'élever dans l'éther. « Ether » veut dire ici : l'air libre qui est celui des hauteurs du ciel, le domaine ouvert de l'esprit.

Voilà qui nous donne encore davantage à penser et nous demandons : Qu'en est-il aujourd'hui de cette remarque de Johann Peter Hebel ? Pouvons-nous encore parler d'une habitation paisible de l'homme entre la terre et le ciel ? L'esprit de méditation règne-t-il encore sur le pays ? Existe-t-il encore une terre natale où nos racines prennent leur force et où l'homme se tienne à demeure, c'est-à-dire où il ait sa demeure ?

Nombreux sont les Allemands qui ont été chassés de chez eux, qui ont dû abandonner leurs villages ou leurs villes, qui ont perdu leur terre natale. Plus nombreux encore sont ceux dont les foyers ont été épargnés et qui toutefois les quittent, ils sont pris dans le tourbillon des grandes villes et n'ont d'autre choix que de s'établir dans le désert des régions industrielles. Ils sont devenus étrangers à leur pays d'origine. Et ceux qui y sont demeurés? Il n'est pas rare qu'ils soient encore plus déracinés que les réfugiés. Tous les jours de l'année et à mainte heure du jour, ils sont assis, fascinés, devant leurs appareils de radio ou de télévision. Toutes les semaines, le cinéma les enlève à leur milieu et les plonge dans une ambiance de représentations inhabituelles, mais souvent très ordinaires, simulant un monde qui n'en est pas un. Où qu'ils aillent, un périodique illustré se trouve sous leur main. Tout ce qui, livré heure par heure à l'homme par les moyens d'information dont il dispose aujourd'hui, le surprend, l'excite et fait courir son imagination — tout cela est déjà beaucoup plus proche de lui que le champ qui entoure sa maison et qui est son bien, plus proche que le ciel au-dessus de la terre, que la ronde des heures du jour et de la nuit, plus proche que les us et coutumes du village, que la tradition du monde qui est le sien.

Ceci nous donne encore plus à penser et nous demandons : Que se passe-t-il ici, aussi bien chez les réfugiés que chez les autres ? Réponse : L'*enracinement* de l'homme est aujourd'hui menacé dans son être le plus intime. Plus encore : Ce déracinement n'est pas seulement causé par des circonstances extérieures ou la fatalité d'un destin, il n'est pas seulement l'effet de la négligence des hommes, de leur mode superficiel de vie. Le déracinement procède de l'esprit de l'époque en laquelle notre naissance nous a fixés.

Voilà qui donne encore bien davantage à penser, et nous demandons : S'il en est ainsi, l'homme à l'avenir pourra-t-il encore se développer, son œuvre pourra-t-elle encore mûrir, à partir d'une terre natale déjà constituée, pourra-t-il ainsi s'élever dans l'éther, c'est-à-dire dans toute l'étendue du ciel et de l'esprit ? Ou bien toutes choses vont-elles être prises dans les pinces de la planification et du calcul, de l'organisation et de l'automation ?

Si nous essayons de méditer ce que la présente fête nous suggère, nous observons alors que notre époque est menacée de déracinement. Et nous nous demandons : que se passe-t-il, à proprement parler, dans notre monde et qu'est-ce donc qui le caractérise ?

L'époque en laquelle nous entrons porte maintenant le nom d'« âge atomique ». Son trait caractéristique le plus évident est la bombe atomique. Mais ce trait est encore superficiel : car on a tout de suite reconnu que l'énergie atomique pouvait aussi être utilisée pour des fins pacifiques. C'est pourquoi, sur tout le globe, les physiciens de l'atome et leurs techniciens s'efforcent aujourd'hui de mettre sur pied, dans de vastes organisations, l'utilisation pacifique de l'énergie atomique. Les grands trusts industriels des pays à technique puissante, l'Angleterre à leur tête, ont déjà calculé que l'énergie atomique pourrait devenir une affaire gigantesque. Dans cette affaire de l'énergie atomique on croit découvrir le nouveau bonheur. Les savants atomistes eux-mêmes ne se tiennent pas sur la réserve et proclament ce bonheur. C'est ainsi qu'en juillet de cette année[1] dix-huit titulaires du prix Nobel réunis dans l'île de Mainau[2], ont déclaré textuellement dans un appel : « La science — ici la science la plus récente de la nature — est une route conduisant vers une vie plus heureuse de l'homme. »

Que penser de cette déclaration ? Procède-t-elle d'un effort de méditation ? Recherche-t-elle le sens de l'âge atomique ? Non. Si nous acceptons comme satisfaisante cette affirmation des savants, nous demeurons aussi loin que possible d'une méditation de l'époque présente. Pourquoi ? Parce que nous oublions de penser. Parce que nous oublions de demander : A quoi faut-il rattacher le fait que la

1. 1955.
2. Lac de Constance.

technique scientifique ait pu découvrir et libérer de nouvelles énergies naturelles ?

Il faut le rattacher à ceci que, depuis plusieurs siècles, un renversement de toutes les représentations fondamentales est en cours. L'homme est ainsi transporté dans une autre réalité. Cette révolution radicale de notre vue du monde s'accomplit dans la philosophie moderne. Il en résulte une position entièrement nouvelle de l'homme dans le monde et par rapport au monde. Le monde apparaît maintenant comme un objet sur lequel la pensée calculante dirige ses attaques, et à ces attaques plus rien ne doit pouvoir résister. La nature devient un unique réservoir géant, une source d'énergie pour la technique et l'industrie modernes. Ce rapport foncièrement technique de l'homme au tout du monde est apparu pour la première fois au XVIIe siècle, à savoir en Europe et seulement en Europe. Longtemps il est demeuré inconnu des autres parties de la terre. Il était entièrement étranger aux époques antérieures et aux destinées des peuples d'alors.

La puissance cachée au sein de la technique contemporaine détermine le rapport de l'homme à ce qui est. Elle règne sur la terre entière. L'homme commence déjà à s'éloigner de la terre pour pénétrer dans l'espace cosmique. Mais c'est seulement depuis tout juste une vingtaine d'années que la recherche atomique a mis en évidence des sources d'énergie si énormes que, dans un avenir relativement proche, elles couvriront les besoins mondiaux en énergie de toute sorte. Bientôt ce ne seront plus seulement, comme c'est le cas pour le charbon, le pétrole ou le bois des forêts, certains pays ou certaines parties du monde qui pourront se procurer à la source la nouvelle énergie. Dans un avenir assez proche, des centrales atomiques pourront être construites dans toutes les régions de la terre.

La question fondamentale de la science et de la technique

contemporaines n'est donc plus de savoir d'où nous pourrions encore tirer les quantités requises de combustible et de carburant. La question décisive est aujourd'hui celle-ci : De quelle manière pourrions-nous maîtriser et diriger ces énergies atomiques, dont l'ordre de grandeur dépasse toute imagination, et de cette façon garantir à l'humanité qu'elles ne vont pas tout d'un coup — même en dehors de tout acte de guerre — nous glisser entre les doigts, trouver une issue et tout détruire ?

Si l'on réussit à maîtriser l'énergie atomique, et on y réussira, un nouveau développement du monde technique commencera alors. Les techniques du film et de la télévision, celles des transports, en particulier par air, celles de l'information, de l'alimentation, de l'art médical, toutes ces techniques telles que nous les connaissons aujourd'hui ne représentent sans doute que de premiers tâtonnements. Personne ne peut prévoir les bouleversements à venir. Mais les progrès de la technique vont être toujours plus rapides, sans qu'on puisse les arrêter nulle part. Dans tous les domaines de l'existence, l'homme va se trouver de plus en plus étroitement cerné par les forces des appareils techniques et des automates. Il y a longtemps que les puissances qui, en tout lieu et à toute heure, sous quelque forme d'outillage ou d'installation technique que ce soit, accaparent et pressent l'homme, le limitent ou l'entraînent, il y a longtemps, dis-je, que ces puissances ont débordé la volonté et le contrôle de l'homme, parce qu'elles ne procèdent pas de lui.

Mais c'est encore un trait nouveau du monde technique que l'extrême rapidité avec laquelle ses réussites sont connues et publiquement admirées. Ainsi, ce que je suis en train de vous dire au sujet du monde technique, chacun peut le relire aujourd'hui dans un illustré habilement dirigé ou l'entendre à la radio. Mais... c'est une chose que de lire ou d'entendre dire ceci ou cela, c'est-à-dire d'en prendre seulement connaissance ; et c'en est une tout autre que d'en acquérir la connaissance, c'est-à-dire de l'appréhender par la pensée[1].

Durant l'été de cette année 1955, un colloque international a réuni à nouveau à Lindau les titulaires du prix Nobel. A cette occasion le chimiste américain Stanley observa: « L'heure est proche où la vie se trouvera placée entre les mains des chimistes, qui feront, déferont ou modifieront à leur gré la substance vivante. » On prend connaissance d'une pareille déclaration, on admire même l'audace des recherches scientifiques et on s'en tient là. On ne considère pas que ce que les moyens de la technique nous préparent, c'est une agression contre la vie et contre l'être même de l'homme et qu'au regard de cette agression l'explosion d'une bombe à hydrogène ne signifie pas grand-chose. Car c'est précisément si les bombes de ce type n'explosent *pas* et si l'homme continue à vivre sur la terre que l'âge atomique amènera une inquiétante transformation du monde.

Ce qui, toutefois, est ici proprement inquiétant n'est pas que le monde se technicise complètement. Il est beaucoup plus inquiétant que l'homme ne soit pas préparé à cette transformation, que nous n'arrivions pas encore à nous expliquer valablement, par les moyens de la pensée méditante, avec ce qui, proprement, à notre époque, émerge à nos yeux.

Aucun individu, aucun groupe humain, aucune commission, fût-elle composée des plus éminents hommes d'Etat, savants ou techniciens, aucune conférence des chefs de l'industrie et de l'économie ne peut freiner ou diriger le déroulement historique de l'âge atomique. Aucune organisation purement humaine n'est en état de prendre en main le gouvernement de notre époque.

1. ... *Es bloss kennen; ... erkennen und d.h. bedenken.*

Ainsi l'homme de l'âge atomique serait livré sans conseil et sans défense au flot montant de la technique. Il le serait effectivement si, là où le jeu est décisif, il renonçait à jouer la pensée méditante contre la pensée simplement calculante. Mais la pensée méditante, une fois éveillée, doit être à l'œuvre sans trêve et s'animer à la moindre occasion : elle doit donc le faire aussi à présent, ici même et justement à l'occasion de notre fête commémorative. Car celle-ci nous amène à considérer ce que l'âge atomique menace particulièrement : l'enracinement des œuvres humaines dans une terre natale.

Aussi demandons-nous maintenant : Si l'ancien enracinement vient à disparaître, n'est-il pas possible qu'en retour un nouveau terrain, un nouveau sol soit offert à l'homme, un sol où l'homme et ses œuvres puiseraient une sève nouvelle pour leur développement, au cœur même de l'âge atomique ?

Quel serait le sol, la terre, d'un nouvel enracinement ? Ce que nous cherchons en questionnant ainsi est peut-être tout près de nous : si près qu'il nous est trop facile de ne pas le voir. Car, pour nous autres hommes, le chemin vers ce qui nous est proche est toujours le plus long et par conséquent le plus ardu. Le chemin est une voie de méditation. La pensée méditante exige de nous que nous ne nous fixions pas sur un seul aspect des choses, que nous ne soyons pas prisonniers d'une représentation, que nous ne nous lancions pas sur une voie unique dans une seule direction. La pensée méditante exige de nous que nous acceptions de nous arrêter sur des choses qui à première vue paraissent inconciliables.

Essayons de le faire. Les organisations, appareils et machines du monde technique nous sont devenus indispensables, dans une mesure qui est plus grande pour les uns et moindre pour les autres. Il serait insensé de donner l'assaut, tête baissée, au monde technique ; et ce serait faire preuve de vue courte que de vouloir condamner ce monde comme étant l'œuvre du diable. Nous dépendons des objets que la technique nous fournit et qui, pour ainsi dire, nous mettent en demeure de les perfectionner sans cesse. Toutefois, notre attachement aux choses techniques est maintenant si fort que nous sommes, à notre insu, devenus leurs esclaves.

Mais nous pouvons nous y prendre autrement. Nous pouvons utiliser les choses techniques, nous en servir normalement, mais en même temps nous en libérer, de sorte qu'à tout moment nous conservions nos distances à leur égard. Nous pouvons faire usage des objets techniques comme il faut qu'on en use. Mais nous pouvons en même temps les laisser à eux-mêmes comme ne nous atteignant pas dans ce que nous avons de plus intime et de plus propre. Nous pouvons dire « oui » à l'emploi inévitable des objets techniques et nous pouvons en même temps lui dire « non », en ce sens que nous les empêchions de nous accaparer et ainsi de fausser, brouiller et finalement vider notre être.

Mais si nous disons ainsi à la fois « oui » et « non » aux objets techniques, notre rapport au monde technique ne devient-il pas ambigu et incertain ? Tout au contraire : notre rapport au monde technique devient merveilleusement simple et paisible. Nous admettons les objets techniques dans notre monde quotidien et en même temps nous les laissons dehors, c'est-à-dire que nous les laissons reposer sur eux-mêmes comme des choses qui n'ont rien d'absolu, mais qui dépendent de plus haut qu'elles. Un vieux mot s'offre à nous pour désigner cette attitude du oui et du non dits ensemble au monde technique : c'est le mot *Gelassenheit*, « sérénité », « égalité d'âme ». Parlons donc de *l'âme égale en présence des choses.*

Dans cette attitude nous ne regardons plus les choses du seul point de vue de la technique. Nous voyons plus clair et il nous apparaît que la construction et l'utilisation des machines exigent sans doute de nous un autre rapport aux choses, mais que ce rapport n'est pas lui-même dépourvu de sens. C'est ainsi, par exemple, que l'agriculture devient une industrie motorisée du type industrie d'alimentation. Il est certain qu'ici, comme dans les autres domaines, un changement profond s'opère dans le rapport de l'homme à la nature et au monde. Quel est toutefois le sens de ce changement, c'est là ce qui reste obscur.

Ainsi, dans tous les processus techniques règne un sens qui réclame pour lui l'activité et le repos de l'homme, un sens que l'homme n'a pas d'abord inventé ou construit. Nous ne savons pas à quoi tend cette domination de la technique atomique, qui s'alourdit jusqu'à devenir inquiétante. *Le sens du monde technique se voile.* Or, si nous considérons constamment et spécialement ce fait que, partout dans le monde technique, nous nous heurtons à un sens caché, nous nous trouvons par là même dans le domaine de ce qui se dérobe, mais qui se dérobe en même temps qu'il vient à nous. Se laisser ainsi entrevoir pour en même temps se dérober, n'est-ce pas là le trait fondamental de ce que nous appelons le secret ? Donnons un nom à l'attitude qui est la nôtre lorsque nous nous tenons ouverts au sens caché du monde technique. Nommons-la : *l'esprit ouvert au secret*[1].

L'égalité d'âme devant les choses et l'esprit ouvert au secret sont inséparables. Elles nous rendent possible de séjourner parmi les choses d'une manière toute nouvelle. Elles nous promettent une autre terre, un autre sol, sur lequel, tout en restant dans le monde technique, mais à l'abri de sa menace, nous puissions nous tenir et subsister.

L'égalité d'âme devant les choses et l'esprit ouvert au

1. « Die Offenheit für das Geheimnis ».

secret nous dévoilent la perspective d'un futur enracinement. Il pourrait même arriver que ce dernier fût un jour assez fort pour rappeler à nous, sous une forme nouvelle, l'ancien enracinement qui pour l'heure disparaît si vite.

En attendant, toutefois — et nous ne savons pas pour combien de temps —, l'humanité sur cette terre se trouve dans une situation dangereuse. Pourquoi ? Est-ce pour la seule raison qu'une troisième guerre mondiale peut éclater brusquement et qu'elle entraînerait la destruction complète de l'humanité et la ruine de la terre ? Non pas. Un danger beaucoup plus grand menace les débuts de l'âge atomique — et précisément au cas où le risque d'une troisième guerre mondiale pourrait être écarté. Etrange assertion !... Etrange sans doute, mais seulement aussi longtemps que notre méditation ne s'y arrête pas.

Dans quelle mesure a-t-elle un sens ? Dans la mesure où la révolution technique qui monte vers nous depuis le début de l'âge atomique pourrait fasciner l'homme, l'éblouir et lui tourner la tête, l'envoûter, de telle sorte qu'un jour la pensée calculante fût *la seule* à être admise et à s'exercer.

Quel grand danger nous menacerait alors ? Alors la plus étonnante et féconde virtuosité du calcul qui invente et planifie s'accompagnerait... d'indifférence envers la pensée méditante, c'est-à-dire d'une totale absence de pensée. Et alors ? Alors l'homme aurait nié et rejeté ce qu'il possède de plus propre, à savoir qu'il est un être pensant. Il s'agit donc de sauver cette essence de l'homme. Il s'agit de maintenir en éveil la pensée.

Seulement... l'égalité d'âme devant les choses et l'esprit ouvert au secret ne nous tombent jamais tout faits du ciel. Ils ne sont pas des choses qui échoient, des choses fortuites. Tous deux, pour apparaître et se développer, ont besoin d'une pensée qui, jaillissant du cœur de l'homme, s'efforce constamment.

Peut-être la célébration d'aujourd'hui nous incite-t-elle à cette effort. Si nous cédons à cette incitation, alors c'est bien à Conradin Kreutzer que nous pensons lorsque nous considérons le point de départ de son œuvre, les forces qu'il a puisées dans sa terre natale d'Heuberg. Et c'est bien *nous* qui pensons ainsi, quand nous nous connaissons nous-mêmes, ici et maintenant, comme des hommes qui doivent trouver et préparer un chemin conduisant au cœur de l'âge atomique et à travers lui.

Quand s'éveille en nous l'égalité d'âme devant les choses et que l'esprit s'ouvre au secret, nous pouvons alors espérer parvenir à un chemin menant vers une nouvelle terre, un nouveau sol. En ce sol la création d'œuvres durables pourrait s'enraciner à nouveau.

Ainsi, d'une façon différente et dans un âge autre, la parole de Johann Peter Hebel redeviendrait vraie :

« Qu'il nous plaise ou non d'en convenir, nous sommes des plantes qui, s'appuyant sur leurs racines, doivent sortir de terre, pour pouvoir fleurir dans l'éther, et y porter des fruits. »

Pour servir de commentaire à *Sérénité*

Fragment d'un entretien sur la pensée[1]
Lieu : un chemin de campagne

LE SAVANT. Vous affirmiez en dernier lieu que la question de l'essence de l'homme n'était pas une question tournée vers l'homme.

LE PROFESSEUR. Je disais seulement qu'on est amené nécessairement à se demander s'il n'en est pas ainsi de la question de l'essence.

S. Tout de même je n'arrive pas à comprendre comment on pourra jamais découvrir l'essence de l'homme si l'on se détourne de l'homme.

P. Je ne le comprends pas non plus ; c'est pourquoi je m'efforce de voir plus clairement comment cela est possible, sinon nécessaire...

S. Prétendrons-nous apercevoir l'essence de l'homme sans regarder l'homme lui-même ?...

P. Oui. Si l'essence de l'homme est caractérisée par la pensée, c'est alors justement que l'essentiel de cette essence, donc l'essence de la pensée, ne peut être perçue que si nous nous détournons de la pensée.

1. Cf. *Indications*, p. 183. (M. H.)

L'ÉRUDIT. Pourtant la pensée, si on l'entend au sens traditionnel, comme une représentation, est un vouloir ; Kant, lui aussi, conçoit la pensée de cette façon, lorsqu'il la caractérise comme spontanéité. Penser, c'est vouloir ; et vouloir, c'est penser.

S. Affirmer alors que l'essence de la pensée est autre chose que la pensée, c'est dire que la pensée est autre chose que le vouloir.

P. C'est aussi pourquoi, si vous me demandez ce que je veux à proprement parler, dans cette méditation qui recherche l'essence de la pensée, je répondrai : je veux le non-vouloir.

S. Entre-temps cette expression nous est apparue comme ambiguë.

E. « Non-vouloir », en un premier sens, désigne encore un vouloir : un vouloir dominé par un *non*, alors même que ce non concernerait le vouloir lui-même et marquerait qu'on y renonce. « Ne pas vouloir » signifierait alors : renoncer volontairement au vouloir. L'expression « non-vouloir », en second lieu, désigne aussi ce qui demeure entièrement étranger à toute espèce de volonté.

S. Ce qui, donc, ne peut jamais être accompli ou atteint par un acte de volonté.

P. Mais peut-être nous en rapprocherons-nous par un vouloir de l'espèce du non-vouloir, ce dernier entendu en son premier sens.

E. Le premier et le second non-vouloir vous apparaissent ainsi comme reliés l'un à l'autre par un rapport déterminé.

P. Ce rapport ne m'apparaît pas seulement. Lui-même me parle, s'il m'est permis d'en faire état : il me parle, pour ne pas dire qu'il m'appelle, depuis que j'essaie de méditer sur ce qui donne vie et mouvement à notre entretien.

S. Me trompé-je, si je définis comme suit le rapport d'un non-vouloir à l'autre ? Vous voulez un non-vouloir au sens d'un renoncement au vouloir, afin qu'à travers un tel non-vouloir, nous puissions nous avancer vers cette essence de la pensée que nous cherchons et qui n'est pas un vouloir. Ou du moins afin que nous puissions nous préparer à cette approche.

P. Non seulement votre conjecture est exacte, mais, par les dieux ! — oserais-je dire s'ils ne nous avaient pas quittés — vous avez découvert quelque chose d'essentiel.

E. S'il convenait à l'un de nous de décerner des éloges et si ces derniers n'étaient pas exclus par la nature de nos entretiens, je serais tenté de dire, en ce moment, que vous nous avez surpassés et que vous vous êtes surpassé vous-même par cette interprétation de l'expression ambiguë : « non-vouloir ».

S. Que j'aie pu la proposer n'est pas mon fait, mais celui de la nuit qui vient de tomber et qui nous contraint doucement à nous recueillir.

E. Elle nous laisse le temps de considérer, parce qu'elle ralentit nos pas.

P. Ce pourquoi nous sommes encore loin des habitations des hommes.

S. D'un cœur toujours plus détaché, je fais confiance à la direction invisible qui, dans cet entretien, nous prend par la main ou, plus justement, nous prend au mot.

E. Nous avons besoin de cette direction, car notre entretien devient toujours plus difficile.

P. Certes, si par difficile vous entendez l'inhabituel : ce fait inhabituel que nous nous déshabituons de la volonté.

E. Vous dites « de la volonté », et non seulement « du vouloir »...

S. et exprimez ainsi, en toute sérénité, une étonnante prétention.

P. Si seulement je possédais la vraie sérénité, je serais vite dispensé de la désaccoutumance en question.

E. Dans la mesure au moins où nous réussissons à nous déshabituer du vouloir, nous aidons à l'éveil de la sérénité.

P. Ou plutôt: il nous est plus facile de rester en éveil, préparés à la sérénité.

E. Pourquoi pas: nous aidons à l'éveil de la sérénité?

P. Parce qu'il ne nous appartient pas d'éveiller en nous la sérénité.

S. La sérénité est donc produite d'ailleurs.

P. Non pas produite, mais concédée.

E. A vrai dire, je ne sais pas encore ce que veut dire le mot sérénité; je soupçonne vaguement que la sérénité s'éveille quand notre être reçoit licence de s'orienter vers ce qui n'est pas un vouloir.

S. Vous parlez sans cesse de concession, de licence, c'est-à-dire d'un laisser-faire, ce qui donne l'impression d'une sorte de passivité. Je pense bien pourtant qu'il n'est pas ici question d'une mollesse laissant les choses aller à la dérive.

E. Peut-être la sérénité recouvre-t-elle un acte plus haut que ne le font les grandes actions du monde et toutes les productions de la fourmilière humaine...

P. acte supérieur qui pourtant n'est pas une activité.

S. D'où suit que la sérénité réside — si l'on peut ici parler de résidence — au-delà de la distinction de l'activité et de la passivité...

E. parce que la sérénité *ne* rentre *pas* dans le domaine de la volonté.

S. Le passage du vouloir à la sérénité me paraît être ici le point difficile.

P. Tout particulièrement lorsque l'essence de la sérénité nous est encore inconnue.

E. Inconnue surtout parce que la sérénité peut être aussi considérée intérieurement au domaine de la volonté, comme on l'observe chez d'anciens maîtres de la pensée, par exemple chez Maître Eckhart.

P. Chez qui pourtant il y a beaucoup de bonnes choses à prendre et à apprendre.

E. Sans aucun doute. Toutefois la sérénité dont nous parlons est manifestement autre chose que le rejet de l'égoïsme coupable ou que l'abandon de la volonté propre à la volonté divine.

P. Autre chose, en effet.

S. A bien des égards je vois clairement ce que le mot de sérénité ne doit pas désigner pour nous ; mais en même temps je sais de moins en moins de quoi nous parlons. Nous voulions définir l'essence de la pensée. Qu'est-ce que la sérénité a à voir avec la pensée?

P. Rien, si par la pensée nous entendons une représentation, comme on l'a fait jusqu'ici. Mais peut-être l'essence de la pensée, que nous en sommes à chercher, a-t-elle sa place au fond de la sérénité.

S. Avec la meilleure volonté du monde, je n'arrive pas à me représenter cette essence de la pensée.

P. Ce qui vous en empêche, c'est justement cette meilleure volonté du monde et le mode propre de votre pensée, qui est celui de la représentation.

S. Que dois-je donc faire, au nom du ciel!

E. Je me le demande aussi.

P. Nous ne devons rien faire, seulement attendre.

E. Piètre consolation!

P. Nous ne devons pas non plus attendre une consolation, bonne ou mauvaise ; et n'est-ce pas en attendre une que de nous abîmer dans la désolation?

S. Que devons-nous donc attendre? Et où devons-nous attendre? Bientôt je ne saurai plus où je suis ni qui je suis.

P. Nous tous, nous ne le savons plus, dès lors que nous cessons de nous abuser.

E. Pourtant n'avons-nous pas encore notre chemin?

P. Sans doute ; mais si nous oublions trop vite ce chemin, nous nous détournons de la pensée.

S. Que reste-t-il, à quoi nous puissions encore penser, s'il est nécessaire que nous passions outre à tout contenu pour atteindre et ouvrir ce cœur de la pensée que personne encore n'a découvert?

P. Nous devons penser au seul point de départ possible pour un tel passage.

E. Ainsi vous n'entendez pas abandonner l'interprétation jusqu'ici admise de l'essence de la pensée?

P. Avez-vous oublié ce que j'ai dit, dans notre premier entretien, de tout ce qui est révolutionnaire?

S. Je vois que, dans une conversation comme la nôtre, un simple oubli met en mauvaise posture.

E. Ce que nous appelons « sérénité », mais que nous connaissons à peine et surtout que nous ne savons au juste où placer, il nous faut maintenant, si je comprends bien, le voir en connexion avec cette essence de la pensée dont nous discutons.

P. C'est exactement ce que je pense.

S. Nous avons, en dernier lieu, appréhendé la pensée sous la forme d'une représentation transcendantale, liée à un horizon.

E. Cette représentation nous livre, par exemple, l'arboréi-té de l'arbre, la quali-té de la cruche ou de la coupe, le pierreux de la pierre, la végétali-té des végétaux ou l'animali-té de l'animal comme autant de perspectives que suit notre regard, quand telle chose se tient devant nous sous l'aspect d'un arbre, telle autre sous l'aspect de la cruche, celle-ci sous l'aspect de la coupe, celle-là sous l'aspect de la pierre, beaucoup de choses sous celui du végétal, beaucoup sous celui de l'animal.

S. L'horizon que vous décrivez à nouveau est la ligne qui encercle notre champ visuel.

P. L'horizon surpasse l'aspect des objets.

E. De même que la transcendance dépasse leur perception.

P. Nous définissons ainsi les mots d'horizon et de transcendance par le surpassement et le dépassement...

E. lesquels s'entendent par rapport aux objets et à la représentation des objets.

P. L'horizon et la transcendance sont ainsi appréhendés à partir des objets et de notre activité représentative ; et ils ne se définissent que par rapport à ceux-là et à celle-ci.

E. Pourquoi le soulignez-vous ?

P. Pour faire entrevoir que, de cette manière, ce qui fait que l'horizon est ce qu'il est n'est encore aucunement saisi.

S. A quoi pensez-vous en parlant ainsi ?

P. Nous disons que nous voyons dans l'horizon. Celui-ci est ainsi une ouverture et, s'il est ouvert, ce n'est pas parce que nous voyons en lui.

E. De même, ce n'est pas nous non plus qui plaçons dans cette ouverture l'aspect des objets, cet aspect qui s'offre à nous dans les perspectives de l'horizon...

S. mais c'est l'aspect qui vient à nous à partir de cette ouverture.

P. L'horizon, dans ce qui lui est propre, n'est donc que le côté tourné vers nous d'une Ouverture qui nous environne et qui est pleine de ces échappées sur l'aspect de ce qui apparaît comme objet à notre pensée représentative.

S. Il en résulte que l'horizon est encore autre chose qu'un simple horizon. Mais, suivant ce que nous avons observé, cet autre est l'autre de lui-même, et ainsi le même qu'il est. Vous dites que l'horizon est l'ouverture qui nous environne. Qu'est donc cette ouverture en elle-même, si nous laissons de côté le fait qu'elle peut aussi apparaître comme l'horizon de notre pensée représentative ?

P. Je la vois comme une *contrée*, par la magie de laquelle tout ce qui est de son appartenance revient au lieu de son repos.

E. Je ne sais si je comprends un mot de ce que vous dites en ce moment.

P. Je ne le comprends pas non plus moi-même, si par « comprendre » vous entendez : pouvoir se représenter les choses qui s'offrent à nous, de telle sorte qu'elles soient pour ainsi dire mises à l'abri, donc en sûreté, au sein du déjà-connu ; car, moi aussi, je ne trouve rien de déjà connu, où je puisse loger ce que j'ai essayé de dire de l'Ouverture entendue comme contrée.

S. C'est impossible ici, ne serait-ce que pour la raison suivante : ce que vous nommez contrée est vraisemblablement cela même par quoi tout abri est originellement accordé.

P. C'est bien en gros ce que je pense, mais seulement une partie de ce que je pense.

E. Vous avez parlé d'« une » contrée, où toute chose revient à soi. A parler rigoureusement, une contrée qui est telle pour toute chose n'est pas une contrée parmi les autres, mais bien la Contrée de toutes les contrées.

P. Vous avez raison : il s'agit de *la* Contrée.

S. Et la magie de cette contrée est sans doute la puissance propre à son déploiement[1], son pouvoir d'op-position[2], s'il m'est permis de la désigner ainsi.

E. A prendre le mot au pied de la lettre, la Contrée serait ce qui vient à notre rencontre ; ne disions-nous pas aussi de l'horizon que c'est de l'échappée qu'il encercle que l'aspect des objets vient vers nous ? Si maintenant nous concevons l'horizon à partir de la Contrée, nous appréhendons la Contrée elle-même comme ce qui vient au-devant de nous.

1. *Das Walten ihres Wesens.*

2. *Das Gegnende*, littéralement « le contrant ». La Contrée (*Gegend*) est pouvoir de « contrer », elle op-pose, fait se rencontrer, met les choses les unes en face des autres. La racine *gegen* ou *gen*, « contre », « vers », se retrouve dans *entgegen* « au-devant de », « à la rencontre de », dans *gegenüber*, « vis-à-vis de » et dans *Gegenwart*, « présence », « temps présent ». Tous ces sens jouent ici. L'« op-position » dont il s'agit est très proche de la présence et très loin de l'opposition, au sens de lutte et de conflit, laquelle pourtant n'est pas exclue.

P. Il est clair que ce serait là caractériser la Contrée, comme précédemment l'horizon, à partir de leur relation à nous-mêmes, alors qu'au contraire nous cherchons ce qu'est en soi l'ouverture qui nous environne. Si nous disons que c'est la Contrée et cela sans abandonner notre ligne de recherche, alors le mot « contrée » doit avoir un autre sens.

S. En outre « aller à la rencontre » ne constitue aucunement un des traits de la Contrée, encore moins son trait fondamental. Que signifie alors *Gegend* (contrée)?

E. Sa forme ancienne est *Gegnet* et désignait la libre Etendue[1]. Pouvons-nous en tirer quelque chose touchant l'essence de ce que nous inclinons à nommer *die Gegend* (la Contrée)?

P. La Contrée, comme si rien ne se produisait, rassemble toutes choses, les mettant en rapport l'une avec l'autre et toutes avec toutes; elle les amène à reposer en elles-mêmes et à demeurer dans ce repos. « Mettre en présence » (*Gegnen*), c'est rassembler et réabriter ce qui doit reposer dans l'étendue et dans la durée.

E. D'où il ressort que la Contrée elle-même est à la fois l'étendue et la durée. Elle fait durer ce qu'elle conduit dans l'étendue du repos. Elle étend ce qu'elle conduit dans la durée propre à ce qui est revenu librement à soi. Nous pouvons donc, vu l'usage insistant que nous faisons de ce terme, dire aussi bien *Gegnet,* au lieu de la forme courante *Gegend.*

P. La « libre Etendue » (*Gegnet*) est l'étendue qui fait durer et qui, rassemblant toutes choses, s'ouvre elle-même, de sorte qu'en elle l'Ouverture est contenue — tenue aussi de laisser toute chose éclore dans son repos.

S. Ce qu'il me semble apercevoir, c'est que la libre Etendue se dérobe, plus encore qu'elle ne vient à nous...

E. de sorte que les choses qui apparaissent en elle perdent leur caractère d'objets.

1. *Die freie Weite.*

P. Non seulement elles ne se tiennent plus là prêtes à nous accueillir, mais elles ne se tiennent plus du tout.

S. Gisent-elles donc, ou qu'en est-il d'elles ?

P. Elles gisent : si nous entendons par là le repos auquel nous pensons lorsque nous disons qu'elles « reposent sur... »

S. Mais où les choses reposent-elles et en quoi consiste ce repos ?

P. Elles reposent dans le retour à la durée de l'étendue de leur appartenance à elles-mêmes.

E. Un repos est-il possible dans un retour, qui est un mouvement ?

P. Certes, si le repos est le foyer et la force de tout mouvement.

S. Je dois avouer que je n'arrive pas bien à me représenter tout ce que vous venez de nous dire sur la Contrée, l'étendue et la durée, sur le retour et le repos.

E. Il est probable qu'on ne peut pas du tout se le représenter, pour autant que, dans la représentation, tout est déjà devenu un objet — un objet qui nous fait face au sein d'un horizon.

S. Alors, ce dont nous parlons, nous ne pouvons pas non plus proprement le décrire ?

P. En effet. Toute description devrait nous le présenter comme objet.

E. Pourtant, il peut être nommé et, comme tel, pensé.

P. Oui, lorsque la pensée n'est plus une représentation.

S. Que doit-elle être alors ?

P. Peut-être sommes-nous sur le point de recevoir accès à l'essence de la pensée...

E. alors que nous sommes en attente de cette même essence.

P. En attente, soit. Mais, en aucun cas, nous ne dirons

que nous l'attendons[1] : car attendre, c'est déjà s'attacher à un acte de représentation et à ce qu'il représente.

E. Alors que l'attente s'en détourne. Ou bien disons plutôt : l'attente ne s'engage absolument pas dans une représentation (qui est une présentation). A proprement parler, elle n'a pas d'objet.

S. Quand nous sommes en attente, pourtant, nous sommes toujours en attente de quelque chose.

E. Certainement ; mais, dès lors que nous nous représentons ce vers quoi notre attente est tournée et que nous l'amenons à se tenir devant nous, nous ne sommes plus en attente.

P. Dans l'attente, nous laissons ouvert ce vers quoi elle tend.

E. Pourquoi ?

P. Parce que l'attente s'engage elle-même dans ce qui est ouvert...

E. dans toute l'étendue du lointain...

P. près duquel elle trouve la durée où elle demeure.

S. Mais demeurer, c'est retourner.

E. L'Ouverture elle-même serait ce dont nous ne pourrions absolument rien faire, si ce n'est de tourner vers elle notre attente.

S. Or l'Ouverture est elle-même la libre Etendue (*Gegnet*)...

P. en laquelle, étant en attente, nous sommes admis lorsque nous pensons.

S. Penser, ce serait alors arriver à proximité du lointain.

E. Voilà, de l'essence de la pensée, une définition bien hardie qui nous tombe ainsi du ciel.

S. J'ai seulement résumé ce que nous venons de dire, sans m'en former aucune représentation.

P. Et pourtant vous avez pensé quelque chose.

1. *Warten, wohlan ; aber niemals erwarten.*

S. Ou plutôt, à dire le vrai, j'étais en attente de quelque chose sans savoir de quoi.

E. Mais d'où vient que subitement vous ayez pu vous trouver en attente?

S. Pendant notre entretien — mais c'est seulement en cette minute que je le vois assez clairement — j'étais depuis longtemps en attente de la venue à nous de l'essence de la pensée. Mais à présent l'attente elle-même m'est devenue plus sensible et en même temps le fait que vraisemblablement chez nous trois, chemin faisant, l'attente augmentait.

P. Pouvez-vous nous dire comment il faut entendre cela?

S. Je l'essaierai volontiers, si je ne dois pas courir le danger que vous m'enfermiez aussitôt dans telle ou telle de mes paroles.

P. Tel n'est pas l'usage pourtant dans nos entretiens.

E. Nous cherchons plutôt à nous mouvoir librement au milieu des paroles.

P. Parce que la parole n'est pas, n'est jamais, la représentation d'une chose, mais qu'elle indique quelque chose, c'est-à-dire que, le montrant, elle le maintient dans toute l'étendue de ce qu'il a de dicible.

S. Il faut donc que je vous dise comment je suis parvenu à l'attente et dans quelle direction j'ai réussi à voir plus clairement l'être de la pensée. Comme l'attente, qui ne nous représente rien, est tournée vers l'Ouverture, j'essayai de me détacher de toute représentation. Comme c'est la libre Etendue (*Gegnet*) qui ouvre l'Ouverture, j'essayai, libéré de toute représentation, de ne me confier absolument qu'à la seule libre Etendue et de persister dans ce comportement.

P. Vous avez donc essayé, si ma supposition est juste, de vous engager dans la direction de la sérénité.

S. En toute franchise, je n'y avais pas spécialement songé, bien que précédemment nous eussions parlé de la sérénité. Si j'ai pris, de la façon indiquée, le chemin de l'attente, j'en trouvai l'occasion dans le déroulement de notre entretien plutôt que dans la représentation des différents objets que nous avons examinés.

E. Il paraît difficile de mieux parvenir à la sérénité qu'en saisissant une occasion d'en prendre le chemin[1].

P. Surtout lorsque l'occasion a aussi peu d'apparence que le déroulement paisible d'un entretien qui nous « achemine ».

E. Comprenons toutefois que notre entretien nous conduit sur un chemin qui paraît n'être rien d'autre que la sérénité elle-même...

P. laquelle ressemble beaucoup à un repos.

E. De ce point de vue, je vois aussitôt, d'une façon plus claire, comment le mouvement vient du repos et y demeure impliqué.

P. La sérénité ne serait plus alors le chemin seulement, mais aussi la progression sur le chemin.

E. Où va cet étrange chemin et où repose cette progression?

P. Où, sinon dans la libre Etendue, par rapport à laquelle la sérénité est ce qu'elle est?

S. Il faut maintenant que je revienne un peu en arrière, afin de vous poser enfin une question: comment est-il possible que ce soit dans le chemin de la sérénité que j'aie essayé de m'engager?

E. Cette question nous plonge dans un cruel embarras.

P. Le même embarras où nous nous trouvons continuellement depuis que nous sommes sur notre chemin.

S. Comment cela?

P. Je veux dire que cela qu'à tout moment nous désignons par un mot ne porte jamais ce mot, à titre de nom, accroché sur lui comme un écriteau.

1. *Gemässer als durch eine Veranlassung zum Sicheinlassen können wir kaum in die Gelassenheit gelangen.*

S. Ce que nous nommons est d'abord sans nom ; il en est donc ainsi de ce que nous appelons la sérénité. Sur quoi nous fondons-nous alors pour apprécier si et dans quelle mesure le nom est approprié ?

E. Ou bien toute appellation demeure-t-elle un acte arbitraire au regard du sans-nom ?

P. Mais est-il donc bien sûr qu'il faille absolument parler de « sans-nom » ? Il nous arrive souvent de ne savoir que dire de beaucoup de choses, mais simplement parce que leur nom nous échappe.

E. Leur nom... en vertu de quelle dénomination ?

P. Peut-être ces noms ne proviennent-ils pas d'une dénomination. Ils doivent leur être à une nomination où se produisent et paraissent à la fois le nommable, le nom et le nommé.

S. Ce propos sur la nomination me semble obscur.

E. Sans doute est-il en rapport avec l'être de la parole.

S. En revanche, je comprendrais plutôt votre remarque sur la dénomination et aussi cette autre, qu'il n'y a pas de sans-nom.

E. Parce que nous pouvons la vérifier sur le cas du mot « sérénité ».

P. Ou que nous l'avons déjà vérifiée.

S. Comment cela ?

P. Ce que vous avez nommé du nom de « sérénité » — qu'est-ce ?

S. Excusez-moi, mais c'est vous-même, et non pas moi, qui avez employé ce terme.

P. Pas plus que vous, je n'en suis l'auteur.

E. Qui donc l'est alors ? N'est-ce aucun de nous ?

P. Vraisemblablement ; car, dans la contrée où nous nous trouvons maintenant, si tout doit être en bon ordre, il faut que cette appellation ne soit le fait de personne.

S. Contrée mystérieuse, où il n'y a rien dont quelqu'un ait à répondre.

P. Parce qu'elle est la contrée de la parole, qui est seule à répondre d'elle-même.

E. Il ne nous reste plus qu'à entendre la réponse appropriée à la parole.

P. L'entendre suffit — et suffit alors même que notre dire n'est qu'une répétition de la réponse entendue...

S. et qu'il importe peu que quelqu'un soit le premier à la répéter et qu'il soit celui-ci ou celui-là, d'autant moins que souvent il ne sait pas d'où il tient ce qu'il répète.

E. Nous n'allons donc pas disputer pour savoir lequel de nous a introduit dans notre entretien le terme de sérénité ; considérons seulement ce qu'il désigne et tâchons de voir ce que c'est.

S. C'est l'attente, si je puis me fier à l'expérience dont j'ai parlé.

P. Ce n'est donc rien qui soit sans nom, mais bien quelque chose qui a déjà été nommé. Qu'est-ce que cette attente ?

S. Pour autant qu'elle se rapporte à l'Ouverture et que l'Ouverture est la libre Etendue, nous pouvons dire que l'attente est un rapport à la libre Etendue.

P. Peut-être même *le* rapport à la libre Etendue, dans la mesure où l'attente se laisse engager dans le chemin de la libre Etendue et qu'ainsi engagée, elle laisse la libre Etendue dominer seule, comme libre Etendue.

E. Un rapport à quelque chose serait ainsi le vrai rapport, si ce qui se rapporte était maintenu dans son être propre par ce à quoi il se rapporte.

P. Le rapport à la libre Etendue est l'attente. Et être en attente veut dire : se laisser engager dans l'ouverture de la libre Etendue.

E. Donc : entrer dans la libre Etendue.

S. Cette définition sonne comme si précédemment nous avions été hors de la libre Etendue.

P. Nous sommes hors d'elle et pourtant nous ne sommes pas hors d'elle. Nous ne sommes pas, nous ne sommes jamais, hors de la libre Etendue, pour autant que nous sommes des êtres pensants, c'est-à-dire en même temps des êtres qui se représentent des objets en mode transcendantal et qu'ainsi nous demeurons dans l'horizon de la transcendance. Or l'horizon est ce côté de la libre Etendue qui est tourné vers notre pensée représentative, présentante[1]. C'est comme horizon que la libre Etendue nous entoure et se montre à nous.

E. Je trouve que, comme horizon, elle se voile plutôt.

P. Certes. Toutefois, quand notre pensée représentative, au sens transcendantal du mot, nous fait sortir (de nous-mêmes) et nous élève dans l'horizon, nous sommes bien alors dans la libre Etendue ; mais, à prendre les choses d'un autre côté, nous ne sommes pas en elle, dans la mesure où nous ne sommes pas encore tournés vers elle, vers elle-même en tant que libre Etendue.

S. Ce qui, néanmoins, a lieu dans l'attente.

P. Une fois en attente, nous sommes, comme vous le disiez, libérés de la relation transcendantale à l'horizon.

S. Cette libération (*Gelassensein*) est le premier moment de la sérénité (*Gelassenheit*), mais elle n'atteint pas à son essence et encore moins l'épuise-t-elle.

E. Comment cela?

P. Je veux dire que la sérénité véritable peut apparaître sans que la précède nécessairement cette libération à l'égard de la transcendance et de l'horizon.

E. Si la sérénité véritable doit être la juste relation à la libre Etendue et si une telle relation se définit uniquement à partir de ce à quoi elle se rapporte, la véritable sérénité doit reposer dans la libre Etendue et avoir reçu d'elle le mouvement qui la porte vers elle.

1. *...die unserem Vor-stellen zugekehrte Seite der Gegnet.*

P. La sérénité vient de la libre Etendue, parce qu'elle consiste en ceci que l'homme, tourné vers la libre Etendue, demeure serein et confiant[1], et cela du fait même de cette dernière. C'est dans son être même qu'il est confié à la libre Etendue, pour autant qu'il lui appartient originellement. Il lui appartient pour autant qu'il lui a été initialement ap-proprié[2] et cela par la libre Etendue elle-même.

E. En fait l'attente de quelque chose, à supposer qu'elle soit une attente essentielle, c'est-à-dire décisive à tous égards, se fonde sur ceci que nous appartenons à ce vers quoi notre attente est tournée.

P. Nous avons appelé l'attente du nom de sérénité, et cela d'après notre expérience de l'attente, à savoir de l'attente du moment où la libre Etendue s'ouvre elle-même, et en nous référant à cette même attente.

E. Cette appellation de l'attente tournée vers la libre Etendue est donc bien appropriée.

S. Mais si maintenant la pensée représentative, dont la sérénité se libère du fait de son appartenance à la libre Etendue, si cette pensée représentative marquée par la transcendance et l'horizon a été jusqu'ici le mode dominant de la pensée, en revanche dans la sérénité la pensée se transforme, passant d'une telle activité représentative à l'attente tournée vers la libre Etendue.

P. Et pourtant l'être de cette attente est la sérénité qui se confie à la libre Etendue. Mais, comme c'est cette dernière qui fait reposer en elle la sérénité, de sorte que la sérénité lui est à tout moment rattachée par un lien d'appartenance, l'essence de la pensée réside en ceci que la libre Etendue prend en elle la sérénité et se l'assimile[3].

E. La pensée est la sérénité tournée vers la libre Etendue,

1. ...*dass der Mensch der Gegnet gelassen bleibt.*

2. *Ge-eignet.*

3. ...*dass die Gegnet die Gelassenheit in sich, wenn ich so sagen darf, vergegnet.*

parce que son être repose dans cette assimilation de la sérénité à la libre Etendue[1].

P. Mais c'est dire que l'être de la pensée ne peut être défini à partir de la pensée, entendons : de l'attente comme telle, mais bien à partir de ce qui est autre qu'elle-même, à savoir à partir de la libre Etendue, laquelle se déploie pour autant qu'elle assimile[2].

S. J'ai pu suivre plus ou moins tout ce que nous venons de dire de la sérénité, de la libre Etendue et de l'Assimilation ; toutefois je ne puis rien me représenter par là.

E. Il ne faut pas non plus vous représenter quoi que ce soit, si vous voulez penser ces différents sujets tels qu'ils sont.

S. Vous voulez dire que, conformément à la nouvelle essence de la pensée, nous devons rester en attente, tournés vers cette essence.

E. Oui : en attente de l'assimilation opérée par la libre Etendue, de telle sorte que cette assimilation donne à notre être accès à la libre Etendue, c'est-à-dire à la relation d'appartenance qui nous unit à elle.

P. Mais, si nous sommes déjà appropriés à la libre Etendue... ?

S. Le bel avantage, si nous ne le sommes pas véritablement !

E. Ainsi le sommes-nous et ne le sommes-nous pas.

S. Toujours la même oscillation sans fin entre le oui et le non.

E. Nous sommes pour ainsi dire suspendus entre les deux.

P. Mais le séjour en cet entre-deux, c'est l'attente.

E. Et celle-ci est l'essence de la sérénité, à laquelle l'homme arrive grâce à la vertu de présence, au pouvoir

1. *In der Vergegnis der Gelassenheit.*

2. *...die west, indem sie vergegnet.*

assimilateur et réalisateur de la libre Etendue. Nous pressentons l'être de la pensée comme sérénité.

P. Pour l'oublier aussi vite.

S. Elle, la sérénité, que j'ai pourtant éprouvée moi-même comme attente...

P. Considérons que la pensée n'est aucunement la sérénité subsistant pour elle-même. La sérénité tournée vers la libre Etendue n'est la pensée que comme cette Assimilation qui a ouvert à la sérénité l'accès de la libre Etendue.

E. Maintenant, cette dernière fait aussi durer la chose dans la durée de l'étendue. Comment appellerons-nous, quand il s'agit de la chose, la vertu de présence de la libre Etendue ?

S. Il ne peut être ici question de l'Assimilation, puisque celle-ci est le rapport de la libre Etendue à la sérénité et que la sérénité doit abriter en elle l'être de la pensée, alors que les choses ne pensent pas.

P. Manifestement les choses sont choses par l'acte opposant de la libre Etendue, comme il nous est apparu, lors de notre précédent entretien, par l'exemple de la cruche, qui dure et est ainsi prise dans l'ampleur de la libre Etendue. Seulement les choses ne sont pas causées et opérées par l'acte op-posant de la libre Etendue, pas plus que la sérénité n'est produite par cette dernière. Dans l'Assimilation, la libre Etendue n'est pas non plus l'horizon de la sérénité ; elle n'est pas davantage un horizon pour les choses, que celles-ci soient simplement appréhendées comme objets ou que nous les concevions comme des « choses en soi » ajoutées aux objets.

E. Ce que vous dites à présent me paraît si décisif que je voudrais essayer de le fixer dans une terminologie savante ; je reconnais volontiers que la terminologie, non seulement fige les pensées, mais encore les rend équivoques, en raison des sens multiples qui s'attachent inévitablement aux terminologies en cours.

P. Après cette réserve savante, vous pouvez en toute tranquillité vous exprimer savamment.

E. Suivant votre exposé, la relation de la libre Etendue à la sérénité n'est ni un rapport causal d'effectuation, ni la relation transcendantale à un horizon. Pour le dire d'une façon encore plus brève et plus générale : la relation unissant libre Etendue et sérénité, à supposer qu'elle soit encore une relation, ne peut être pensée ni comme ontique ni comme ontologique...

P. mais seulement comme l'Assimilation.

S. De même la relation entre la libre Etendue et la chose n'est pas davantage un rapport causal d'effectuation, ni la relation transcendantale à un horizon ; elle aussi n'est ni ontique ni ontologique.

E. Mais il est évident que cette même relation de la libre Etendue à la chose n'est pas non plus l'Assimilation, laquelle concerne l'être de l'homme.

P. Comment donc appeler le rapport de la libre Etendue à la chose, si la libre Etendue laisse la chose durer en elle-même comme chose ?

S. Elle constitue la chose comme chose[1].

E. C'est pourquoi elle serait encore mieux appelée la Constitution[2].

S. Mais « constituer comme chose »[3] n'est ni faire ni opérer ; ce n'est pas non plus « rendre possible » au sens du transcendantal...

P. c'est seulement constituer comme chose[4].

S. Il faut donc que nous apprenions d'abord à penser ce que veut dire « constituer comme chose »...

P. en apprenant à saisir l'être de la pensée...

1. *Sie bedingt das Ding zum Ding. Au sujet de* « la chose » (*das Ding*), cf. *Essais et Conférences*, p. 194-218.

2. *Die Bedingnis.*

3. *Bedingen.*

4. *Sondern nur die Bedingnis.*

E. ce qui revient à rester en attente de la Constitution et de l'Assimilation.

S. Toutefois, dès maintenant ces appellations nous aident à démêler quelque peu la diversité de relations dont nous avons parlé. A vrai dire une relation demeure encore vague, et c'est justement celle que j'aimerais le plus à voir précisée. Je veux dire le rapport de l'homme à la chose.

E. Qu'est-ce qui vous attache si fort à cette relation?

S. Notre premier dessein n'était-il pas d'éclairer la relation du moi et de l'objet à partir du rapport de fait qui unit la pensée du physicien à la nature? La relation du moi et de l'objet, cette relation sujet-objet dont il est tant parlé et que je considérais comme la plus universelle, n'est manifestement qu'une variante historique du rapport de l'homme à la chose, pour autant que les choses peuvent devenir des objets...

P. et qu'elles le sont même devenues avant d'avoir atteint leur état de choses.

E. On peut en dire autant de la transformation historique correspondante: l'être de l'homme devenu égoïté...

P. cette égoïté qui de même a fait son apparition avant que l'être de l'homme eût pu revenir à lui-même...

S. à supposer que nous n'acceptions pas comme définitive la caractérisation de l'être de l'homme comme *animal rationale*...

E. ce qui, après notre entretien d'aujourd'hui, est à peine encore possible.

S. J'hésite à me prononcer si vite sur ce point. Un autre, cependant, s'est éclairé pour moi: il y a, caché dans la relation du moi et de l'objet, quelque chose d'historique qui relève de l'histoire de l'être de l'homme.

P. C'est seulement pour autant que l'*être* de l'homme *ne* reçoit *pas* ses caractères de l'homme, mais bien de ce que nous appelons la libre Etendue et l'Assimilation que l'histoire pressentie par vous se produit comme histoire de la libre Etendue.

S. Je ne puis encore vous suivre aussi loin ; mais je suis satisfait que cette perspective ouverte sur le caractère historique de la relation moi-objet ait dissipé pour moi une obscurité. En effet, lorsque je me suis décidé pour le côté méthodologique de l'analyse de la science mathématique de la nature, vous disiez que cette façon de voir était « historique »[1].

E. Assertion que vous avez vivement contestée.

S. Je devine à présent ce que vous vouliez dire. Le projet[2] mathématique et l'expérimentation sont fondés sur la relation de l'homme comme « moi » à la chose comme objet.

P. Vous contribuez même à tirer au clair cette relation et à mettre en évidence son caractère historique.

S. Si nous appelons « historique » toute considération qui porte sur de l'histoire, l'analyse méthodologique de la physique est bien en fait, elle aussi, « historique ».

E. Le terme d'« historique » qualifiant ici un mode de connaissance et étant pris en un sens élargi.

P. Probablement élargi dans la direction de cette histoire qui ne consiste pas en événements et hauts faits du monde.

E. Ni en réussites culturelles de l'homme.

S. En quoi donc alors ?

P. L'histoire repose dans la libre Etendue et dans ce qui se produit au jour comme libre Etendue, comme cette libre Etendue qui, se dispensant à l'homme, se l'assimile et lui ouvre l'être propre de l'homme.

1. *Historisch.* Heidegger, comme on sait, distingue l'histoire, *die Geschichte*, qui est déploiement de l'Etre dans le temps, et l'« histoire », *die Historie*, qui est la science historique, la représentation que nous nous faisons de la première. Comme nous ne disposons que d'une série de termes en français, nous utilisons les guillemets pour indiquer ceux qui correspondent à *Historie, historisch* (« histoire », « historique ») (Cf. *Essais et Conférences*, p. 348 ; *Le Principe de raison*, p. 35).

2. *Entwurf.*

E. Cet être de l'homme que toutefois nous avons à peine entrevu, puisque nous n'admettons pas qu'il se soit déjà accompli dans la rationalité d'un *animal*.

S. Dans une telle situation, nous ne pouvons que rester en attente de l'être de l'homme.

P. En attente dans la sérénité qui nous rattache à la libre Etendue, laquelle nous voile encore son être propre.

E. Cette sérénité tournée vers la libre Etendue, nous la pressentons comme cet être de la pensée que nous cherchons.

P. Quand nous nous disposons à la sérénité tournée vers la libre Etendue, nous voulons le non-vouloir.

S. Parvenir à la sérénité, c'est en fait se détacher de la pensée représentative à structure transcendantale et renoncer au vouloir rapporté à l'horizon. Cette renonciation ne procède plus d'un vouloir, à moins pourtant que l'incitation à nous acheminer vers l'appartenance à la libre Etendue n'ait elle-même besoin d'un dernier vestige du vouloir, vestige qui toutefois s'efface au cours de notre acheminement et est complètement disparu dans la sérénité.

E. Mais comment la sérénité peut-elle se rapporter à ce qui n'est pas un vouloir?

P. Après tout ce que nous avons dit de l'étendue qui dure et fait durer, du repos rendu possible dans le retour, de la vertu op-posante de la libre Etendue, cette dernière peut difficilement être considérée comme volonté.

E. Que l'Assimilation à la libre Etendue, et aussi la Constitution, restent, par leur être même, à distance de toute opération et causation, ce fait seul montre avec quelle rigueur tout caractère de volonté est exclu de ce dont nous parlons.

P. Car chaque volonté veut agir et elle veut la réalité[1], comme son élément.

1. « La réalité »: des choses sur lesquelles agir. *Denn jeder Wille will wirken und will als sein Element die Wirklichkeit.*

S. Si quelqu'un nous entendait en ce moment, avec quelle facilité ne croirait-il pas que la sérénité flotte au sein de l'irréel, de ce qui n'est rien, et qu'elle-même, sans force pour agir et tolérant tout lâchement, n'est rien d'autre au fond que la négation du vouloir-vivre !

E. Estimez-vous donc nécessaire de prévenir cette fausse interprétation de la sérénité en montrant comment, en elle aussi, s'affirme quelque chose d'apparenté à l'énergie et à la résolution ?

S. Je le pense en effet, tout en reconnaissant que ces termes induisent aussitôt à travestir la sérénité, en lui accordant une nature volontaire.

E. Il faudrait alors, par exemple, penser le mot de « résolution »[1] comme il est proposé dans *L'Etre et le Temps*[2] : comme le fait, assumé *spécialement* par l'être-là, de s'ouvrir *pour* l'Ouverture...

P. et c'est comme Ouverture que nous pensons la libre Etendue.

E. Si, conformément au dire et à la pensée des Grecs, nous percevons l'être de la vérité comme non-occultation et dévoilement, nous nous souvenons alors que la libre Etendue est vraisemblablement l'être caché de la vérité.

S. L'essence de la pensée, à savoir la sérénité qui se confie en la libre Etendue, serait alors la « résolution » s'ouvrant à l'être de la vérité.

P. Dans la sérénité pourrait se cacher une endurance consistant simplement en ceci que la sérénité perçoit toujours plus clairement son être propre et, l'endurant jusqu'au bout, se tient en lui.

E. Ce serait là un comportement qui ne s'enflerait pas en

1. *Entschlossenheit*, ou *entschlossen* (aujourd'hui « résolu ») va être ramené à son sens premier de « ouvert » (*aufgeschlossen* ou *erschlossen*).

2. P. 297 sq. de l'original.

une attitude, mais se recueillerait dans une retenue[1] qui serait à tout moment la retenue de la sérénité.

P. La sérénité ainsi endurante et retenue serait la manière dont nous accueillons en nous l'acte assimilateur de la libre Etendue.

S. L'endurance retenue, par laquelle la sérénité repose en son être propre, serait ce qui pourrait correspondre au Vouloir suprême, mais ne devrait pas le faire. Pour ce repos de la sérénité en elle-même, repos par lequel elle s'unit précisément à l'acte assimilateur de la libre Etendue...

P. et aussi, de quelque manière, à la Constitution...

S. ...pour cette endurance de la sérénité recueillie sur elle-même, dans son appartenance à la libre Etendue, toute appellation nous manque encore.

E. Peut-être encore le mot « instance »[2] aurait-il quelque valeur comme désignation. J'ai lu un jour chez un ami quelques vers dont il avait pris copie et qui éclairent ce mot. A mon tour j'ai noté ces vers, que voici :

« Instance »

Jamais une chose vraie, solitaire,
Mais la vérité dans son être !
Pour l'accueillir intacte,
Pour trouver consistance et ampleur,
Assigne à ton cœur méditant,
Assigne-lui la simple patience
De l'unique grandeur d'âme,
De celle qu'inspire un noble souvenir.

P. L'« instance » de la sérénité qui se confie en la libre Etendue serait ainsi l'essence authentique de la spontanéité de la pensée.

1. *Ein Verhalten... eine Haltung..., die Verhaltenheit.*

2. *Inständigkeit.* — *Inständig* est « instant » au sens de ce mot dans « prière instante ». « Instance », qualité de ce qui est instant, est assez proche de « constance » et de « persévérance ».

E. Et la pensée, suivant les vers cités, serait la *Commémoration*[1], parente de toute noblesse.

P. L'« instance » de la sérénité qui se confie en la libre Etendue serait la Noblesse elle-même.

S. Je me demande si cette nuit invraisemblable ne crée pas chez vous deux une certaine exaltation.

P. Elle le fait, si vous pensez à cette exaltation dans l'attente, par laquelle notre attente s'accroît et notre cœur s'apaise.

E. Par laquelle nous sommes plus pauvres en apparence, mais plus riches de tout ce qui nous échoit.

S. Profitez donc, je vous prie, de cet étrange apaisement qui est le vôtre et dites-nous encore comment la sérénité peut s'apparenter à la noblesse.

E. Est noble ce qui possède une ascendance.

P. Ce qui ne la possède pas seulement, mais qui séjourne à l'origine de son être.

S. La vraie sérénité pourtant ne consiste-t-elle pas en ceci que l'homme en son être appartient à la libre Etendue, c'est-à-dire qu'il s'y confie[2] ?

E. Et non pas à l'occasion, mais bien — comment dire ? — d'avance.

S. D'avance, et si loin en avant que notre pensée à proprement parler n'y atteint pas...

P. parce que l'essence de la pensée commence là.

S. C'est donc en ce que la pensée ne peut anticiper que l'être de l'homme est confié à la libre Etendue.

E. C'est pourquoi nous avons aussitôt ajouté :... à savoir par la libre Etendue elle-même.

P. A son acte qui op-pose et met en présence, elle approprie l'être de l'homme[3].

1. *Andenken.*
2. *... die eigentliche Gelassenheit..., d. h. ihr gelassen ist.*
3. *Sie vereignet das Wesen des Menschen ihrem eigenen Gegnen.*

S. Nous avons de cette manière éclairci la sérénité. Mais nous avons aussi — ce qui m'a tout de suite frappé — omis de considérer pourquoi l'être de l'homme est approprié à la libre Etendue.

E. Manifestement, si l'être de l'homme est confié à la libre Etendue, c'est parce qu'il lui appartient si essentiellement que, sans l'être de l'homme, la libre Etendue ne saurait se déployer comme elle le fait.

S. Ceci est à peine pensable.

P. C'est rigoureusement impensable, aussi longtemps que nous cherchons à nous le représenter, c'est-à-dire à l'amener de force devant nous comme une relation objectivement donnée entre un objet nommé « homme » et un autre objet nommé « libre Etendue ».

S. Il est possible. Mais, alors même que nous en tenons compte, un obstacle insurmontable ne subsiste-t-il pas encore dans l'affirmation d'un rapport essentiel de l'être de l'homme à la libre Etendue? Il y a un instant, nous caractérisions la libre Etendue comme étant l'être caché de la vérité. Disons une fois, pour simplifier, « vérité » au lieu de « libre Etendue », alors l'affirmation d'un rapport entre la libre Etendue et l'être de l'homme signifie que l'homme est transproprié à la vérité, parce que la vérité a besoin de l'homme. Or n'est-ce pas le caractère distinctif de la vérité, et justement en ce qui concerne sa relation à l'homme, que c'est indépendamment de l'homme qu'elle est ce qu'elle est?

E. Vous touchez par là à une difficulté qu'à vrai dire nous ne pourrons pas examiner avant d'avoir élucidé spécialement l'essence de la vérité et défini plus clairement l'être de l'homme.

P. Nous n'en sommes pas encore là; pourtant, cette assertion qui concerne le rapport de la vérité à l'homme, j'aimerais essayer de la formuler, de sorte qu'apparaisse plus clairement le point qu'il faudrait bien considérer, le jour où nous donnerions à ce rapport une attention particulière.

S. Ce que vous avez à dire sur ce sujet demeure donc, jusqu'à nouvel ordre, une simple allégation.

P. Sans aucun doute. Et je veux dire ceci : si l'être de l'homme, par la sérénité et la confiance, trouve accès à la libre Etendue et si celle-ci a donc besoin de lui, c'est uniquement parce que l'homme, par lui-même, ne peut rien sur la vérité et que celle-ci demeure indépendante de lui. Si la vérité peut être indépendamment de l'homme, c'est uniquement parce que la libre Etendue a besoin de l'être de l'homme en tant que sérénité confiante accédant à l'Assimilation et préservant la Constitution. L'indépendance de la vérité *à l'égard de* l'homme est ainsi clairement une relation *à* l'être de l'homme, relation qui repose sur l'Assimilation de l'être de l'homme à la libre Etendue.

E. S'il en était ainsi, l'homme, *en tant qu*'il est « instant » dans la sérénité et qu'il se confie en la libre Etendue, séjournerait à l'origine de son être, et nous pourrions alors définir ce dernier comme suit : L'homme est celui dont il est besoin qu'il accède à l'être de la vérité. Séjournant ainsi à son origine, l'homme serait touché et intéressé par ce qu'il y a de noble en son être. Il pressentirait toute noblesse.

S. Et ce pressentiment, sans doute, ne pourrait être autre chose que l'attente, ce comme quoi nous pensons l'« instance » de la sérénité.

E. Si la libre Etendue était ainsi l'étendue qui fait durer, c'est la patience qui pourrait pressentir au plus loin ; elle pourrait pressentir l'étendue même de la durée, parce que c'est elle qui peut attendre le plus longtemps.

P. La Noblesse patiente serait le pur repos de ce vouloir qui repose en lui-même et qui, renonçant au vouloir, s'est tourné vers ce qui n'est pas une volonté.

S. La Noblesse serait l'être de la pensée et, par voie de conséquence, du remerciement[1].

P. De ce remerciement qui ne remercie pas de quelque chose, mais seulement de ce qu'il lui est permis de remercier.

E. Avec cette essence de la pensée, nous aurions découvert ce que nous cherchons.

S. A supposer que nous ayons découvert ce sur quoi tous les propos de notre entretien semblent reposer. Je veux dire l'essence de la libre Etendue.

P. Comme ceci n'est que supposé, tout ce que nous disons depuis un bon moment, vous l'avez peut-être remarqué, nous ne le disons que par manière de supposition.

S. Toutefois je ne puis me retenir plus longtemps de reconnaître que l'essence de la libre Etendue s'est rapprochée de nous, alors que la libre Etendue elle-même me semble plus éloignée que jamais.

E. Voulez-vous dire que vous vous sentez proche de son essence et loin de la libre Etendue elle-même ?

S. Pourtant la libre Etendue et son essence ne peuvent pas être deux choses différentes, à supposer que l'on puisse ici parler de choses.

E. Le Soi, l'ipséité, de la libre Etendue[2] est vraisemblablement son essence et identique à la libre Etendue.

P. Peut-être l'expérience que nous avons faite au cours de notre entretien se laisserait-elle résumer en ces termes : nous arrivons près de la libre Etendue et demeurons en même temps loin d'elle : à vrai dire « demeurer » est ici « revenir ».

E. Cette remarque, toutefois, décrirait seulement l'être de l'attente et de la sérénité.

1. Penser conduisant à reconnaître, et reconnaître — acte noble — étant à l'origine de la pensée. Approfondissement de la parenté qui unit *danken* (remercier) à *denken* (penser).

2. *Das Selbst der Gegnet.*

S. Mais qu'en est-il alors du près et du loin, en lesquels la libre Etendue s'éclaire et s'obscurcit, s'approche et s'éloigne ?

E. Ce près et ce loin ne peuvent être rien d'extérieur à la libre Etendue.

P. Parce que la libre Etendue, mettant toutes choses en présence les unes des autres[1], les rassemble, les rapporte les unes aux autres et les fait revenir à elle-même, à leur propre repos dans le Même.

S. La libre Etendue serait alors ce qui rapproche et ce qui éloigne.

E. Elle serait elle-même la proximité du lointain et l'éloignement du proche...

S. caractérisation qu'il ne faudrait pas penser dialectiquement...

P. mais... ?

S. mais suivant les lignes d'une pensée uniquement déterminée à partir de la libre Etendue,

E. donc en attente, en « instance » dans la sérénité.

P. Que devient alors l'être de la pensée, si la libre Etendue est la proximité du lointain ?

E. Nous ne saurions plus le caractériser d'un seul mot. A vrai dire, je connais un mot qui, il y a encore peu de temps, me semblait pouvoir constituer une dénomination appropriée pour l'être de la pensée, donc aussi de la connaissance.

S. J'aimerais entendre ce mot.

E. Il m'est venu à l'esprit dès notre première réunion. C'est à quoi je faisais allusion, quand j'ai remarqué, au début de notre entretien d'aujourd'hui, que je devais une suggestion précieuse au premier de ceux que nous avons eus sur ce chemin de campagne. Aujourd'hui, à maintes reprises déjà, j'ai voulu citer ce mot ; mais chaque fois il

1. *Alles gegnend.*

m'a semblé convenir moins bien pour ce qui s'approchait de nous comme étant l'être de la pensée.

S. Vous parlez de ce mot d'une façon bien mystérieuse, comme si vous craigniez de nous livrer trop vite votre découverte.

E. Ce mot auquel je pense, je ne l'ai pas découvert moi-même ; c'est un terme ancien qui m'est simplement revenu à l'esprit.

S. C'est donc, si je puis m'exprimer ainsi, une réminiscence « historique ».

E. Si vous le voulez. Cette réminiscence aurait même été dans la note de notre entretien d'aujourd'hui, au cours duquel il nous est arrivé de citer des mots et des phrases empruntés à la pensée grecque. Mais à présent le terme en question ne convient plus pour ce que nous cherchons à désigner d'un seul mot.

P. Vous voulez dire *l'être de la pensée* qui, en tant que sérénité « instante », se confiant en la libre Etendue, est le rapport essentiel de l'homme à cette même libre Etendue, rapport que nous pressentons comme la proximité à l'égard de ce qui est lointain.

S. Même si le mot ne convient plus maintenant, vous pourriez tout de même nous le révéler, comme conclusion de notre entretien: car nous voici revenus près des habitations des hommes et, de toute façon, il nous faut mettre un terme à notre conversation.

P. Ce mot qui maintenant ne vous satisfait plus, mais qui avait précédemment pour vous la valeur d'une suggestion précieuse, pourrait aussi nous faire comprendre qu'entre-temps nous sommes arrivés devant quelque chose d'indicible.

E. Il s'agit d'un mot d'Héraclite.

S. A quel fragment l'avez-vous emprunté?

E. Le mot m'est revenu à l'esprit parce qu'il est isolé. A lui seul, il constitue le fragment 122.

S. Le plus court, sans doute, des fragments d'Héraclite! mais je ne le connais pas.

E. C'est à peine aussi si l'on s'y arrête: que faire en effet d'un mot isolé?

S. Et que dit ce fragment?

E. 'Αγχιβασίη.

S. Ce qui signifie... ?

E. Ce mot grec est rendu par l'allemand *herangehen*, « s'approcher ».

S. Je tiens ce mot pour une appellation remarquable de l'être de la connaissance; car il fait ressortir d'une façon frappante un de ses caractères: avancer et marcher vers les objets.

E. C'est aussi ce qu'il me semblait. C'est sans doute pourquoi le mot m'est revenu à la mémoire durant notre premier entretien, alors que nous parlions du rôle de l'action, de l'œuvre productrice, du travail dans la connaissance moderne et principalement dans la recherche scientifique.

S. On pourrait fort bien utiliser le terme grec pour montrer que la recherche, dans les sciences de la nature, est comme une attaque dirigée contre celle-ci, attaque qui toutefois laisse parler la nature. 'Αγχιβασίη, « s'approcher »: je verrais bien ce mot d'Héraclite comme l'épigraphe d'un traité sur l'être de la science moderne.

E. C'est aussi pourquoi j'hésiterais maintenant à prononcer le mot: car il s'applique très mal à cet être de la pensée que nous pressentions chemin faisant.

S. L'attente, en fait, est presque le mouvement contraire de l'approche.

E. Pour ne pas dire le repos contraire...

P. ou tout simplement le repos. Mais est-il tout à fait sûr qu' ἀγχιβασίη signifie l'approche?

E. Traduit littéralement, le mot veut dire « aller auprès ».

P. Peut-être pourrions-nous aussi penser par là: « aller dans la proximité ».

E. Sans doute l'entendez-vous littéralement au sens de: « s'engager dans la proximité »?

P. Oui, quelque chose comme cela.

E. Alors le mot serait tout de même l'appellation, et peut-être la plus heureuse appellation, de ce que nous avons trouvé.

P. Et que pourtant nous continuons à chercher, pour ce qui est de son essence.

E. 'Αγχιβασίη « aller dans la proximité ». Il me semble à présent que le mot pourrait encore mieux désigner notre tour d'aujourd'hui sur le chemin de campagne[1].

P. Ce chemin qui nous a accompagnés jusqu'avant dans la nuit...

S. laquelle gagne le haut du ciel et, toujours plus belle, resplendit...

E. surpassant, dans son émerveillement, les étoiles...

P. parce qu'au ciel elle rapproche les uns des autres leurs éloignements...

S. du moins pour l'observateur naïf, non pour la science exacte.

P. Pour l'enfant qui est toujours en l'homme, la nuit demeure la couseuse d'étoiles.

E. Elle assemble sans couture, sans lisière et sans fil.

S. Elle est la couseuse parce qu'elle ne travaille qu'avec la proximité[2].

E. A supposer qu'il lui arrive jamais de travailler et qu'elle ne repose pas plutôt...

P. alors que les profondeurs émerveillées du zénith s'ouvrent devant elle.

1. Le présent texte, comme on va le voir, date des années 1944-1945, alors que *Le Chemin de campagne* (ici p. 7) a été écrit en 1948.

2. *Sie ist die Näherin, weil sie nur mit der Nähe arbeitet.*

E. L'émerveillement pourrait donc ouvrir ce qui est fermé ?

S. Ce serait alors à la manière de l'attente...

P. quand celle-ci est sereine et confiante...

E. et que l'être de l'homme demeure ap-proprié...

P. à Ce d'où nous sommes appelés.

INDICATIONS

Le Discours[1] *a été prononcé à Messkirch le 30 octobre 1955, à l'occasion d'une fête commémorant le 175e anniversaire de la naissance du compositeur Conradin Kreutzer.*

Le Commentaire[2] *reproduit une partie d'un entretien — noté par écrit en 1944-45 — entre un savant (S), un érudit (E) et un professeur (P).*

1. P. 133 *sq.*
2. P. 149 *sq.*

Questions IV

AVERTISSEMENT

Le recueil Questions IV *comprend, avec l'ensemble des textes de* Zur Sache des Denkens *(Tübingen, Niemeyer, 1969), quelques autres textes ainsi que les séminaires du Thor (1966, 1968, 1969) et celui de Zähringen (1973). Toutes les traductions antérieurement parues ont fait l'objet d'une révision due aux soins de Jean Beaufret et Claude Roëls.*

I

Temps et Être

TEMPS ET ÊTRE

« La conférence "Temps et Être" a été prononcée le 31 janvier 1962 au Studium Generale de l'Université de Fribourg-en-Brisgau dirigé par Eugen Fink. Le titre "Temps et Être" caractérise dans le plan proposé pour le livre Être et Temps *(1927, p. 39) la troisième section de la première partie de l'étude annoncée. L'auteur n'était pas alors de taille pour une élaboration suffisante du thème que nomme le titre "Temps et Être". La publication de* Être et Temps *fut interrompue à ce point précis.*

« Ce que contient aujourd'hui le texte de la conférence, établi trente-cinq ans après Être et Temps, *ne peut plus être mis en connexion directe avec le texte de* Être et Temps. *En vérité la question directrice est bien toujours la même, mais cela veut seulement dire: la question s'est faite encore plus questionnante et par là encore plus étrangère à l'esprit de l'époque actuelle. Les passages placés entre parenthèses ont été écrits en même temps que la conférence mais n'ont pas été prononcés.*

« Une première publication du texte allemand, accompagnée d'une traduction en français due aux soins de François Fédier, a trouvé place dans le recueil d'hommage à Jean Beaufret, L'Endurance de la pensée, *paru aux éditions Plon, Paris, 1968 » (Indication de Heidegger à la fin de* Zur Sache des Denkens, *p. 91).*

PROLOGUE

La conférence qui suit demande un court prologue. Si l'on nous montrait maintenant les deux œuvres que Paul Klee a peintes l'année de sa mort, l'aquarelle *Heilige aus einem Fenster* et la gouache sur jute *Tod und Feuer* — nous pourrions longtemps rester devant elles et... abandonner toute prétention à l'entente immédiate.

Si maintenant pouvait nous être dit, et par le poète Georg Trakl lui-même, le poème *Siebengesang des Todes*, c'est volontiers que nous l'écouterions répété et que nous abandonnerions toute prétention à l'intelligibilité immédiate.

Si Werner Heisenberg voulait maintenant nous exposer un extrait de ses réflexions physico-théoriques sur le chemin de la formule absolue du monde dont il est en quête, peut-être, si tout allait bien, deux ou trois auditeurs seraient en état de le suivre — mais nous, les autres, nous abandonnerions sans conteste toute prétention à comprendre immédiatement.

Il n'en est pas ainsi lorsqu'il s'agit de la pensée qui s'appelle philosophie. Car elle doit fournir une « sagesse de vie », si ce n'est même des directives « pour une vie bienheureuse ». Or il se pourrait qu'une telle pensée se trouve aujourd'hui placée dans une situation qui exige des méditations fort éloignées d'une sagesse utilisable. Il se pourrait que soit devenue nécessaire une pensée qui ait à méditer cela d'où même la peinture et la poésie, et la théorie physico-mathématique reçoivent leur détermination. Alors, il nous faudrait là aussi abandonner la prétention de comprendre immédiatement ; il nous faudrait cependant prêter l'oreille, parce que voici le moment de penser ce qu'il n'est pas possible de contourner — bien que cela ne soit qu'avant-coureur.

C'est pourquoi il ne faut pas que cela surprenne ni étonne, si la plupart des auditeurs se scandalisent à cette conférence. Savoir si pourtant quelques-uns, maintenant ou plus tard, par cette conférence, parviennent à continuer la pensée, cela ne se laisse pas fixer.

Il s'agit de lire quelque chose de la tentative qui pense l'être sans égard pour une fondation de l'être à partir de l'étant. La tentative de penser l'être sans l'étant devient une nécessité, parce que sans cela, à ce qu'il me paraît, il n'y a plus aucune possibilité de porter en propre au regard l'être de ce qui *est* aujourd'hui tout autour du globe terrestre — sans parler de déterminer suffisamment le rapport qui tient et porte l'homme jusqu'à ce qui jusqu'ici se nommait « être ».

Voici une petite indication pour l'écoute : il s'agit, non de prêter l'oreille à une série de propositions et à ce qu'elles énoncent — mais de suivre, d'accompagner le pas de la démarche qui montre.

Qu'est-ce qui donne occasion de nommer ensemble Temps et Être?

Être, depuis le matin de la pensée européenne-occidentale et jusqu'à aujourd'hui, veut dire le même que *anwesen*[1] — approche de l'être [génitif subjectif]. Dans ce mot d'*Anwesen*, παρουσία, parle le présent. Or le présent, selon la représentation courante, forme avec le passé et le futur ce qui caractérise le temps. Être, en tant qu'avancée-de-l'être, est déterminé par le temps. Qu'il en soit ainsi suffirait déjà pour porter dans la pensée un trouble à ne plus cesser. Ce trouble croît dès que nous nous attachons à penser et repenser dans quelle mesure et en quoi il y a cette détermination de l'être par le temps.

En quelle mesure? Cela demande: en raison de quoi, en quelle modalité et d'où parle dans l'être quelque chose de tel que le temps? Toute tentative de penser suffisamment le rapport de l'être et du temps à l'aide des représentations banales et approximatives de « Temps » et d'« Être », ne tarde pas à s'embrouiller dans un réseau inextricable de relations non pensées à fond.

Nous nommons le temps quand nous disons: chaque chose a son temps propre. Cela veut dire: tout ce qui est en son temps, chaque étant, vient et va au bon moment, et demeure un certain temps, pendant le temps qui lui est accordé. Chaque chose a son propre temps.

Mais est-ce que l'être est une chose ? L'être est-il, tout comme un étant ayant son propre temps, dans le temps ? Et même, avant tout, l'être *est*-il ? S'il était, alors il faudrait, sans autres, que nous le reconnaissions comme quelque chose d'étant, et par conséquent que nous le rencontrions, parmi le reste de l'étant, comme un étant. Cet auditorium *est*. L'auditorium *est* éclairé. L'auditorium éclairé, nous allons sans autres et sans hésitation le reconnaître comme quelque chose d'étant. Mais où, dans tout l'auditorium, trouvons-nous le « *est* » ? Nulle part au milieu des choses nous ne trouvons l'être. Chaque chose a son propre temps. Mais l'être n'est pas une chose, n'est pas dans le temps. Et pourtant l'être reste, en tant que mouvement d'approche de l'être, en tant que présent, déterminé par le temps, par ce qui tient au temps.

Ce qui est dans le temps, et ainsi se détermine par le temps, on le nomme : le temporel. Quand un homme meurt et est enlevé de l'ici-bas, de ce qui est ici et là, nous disons : il a quitté le temporel. Le temporel, cela veut dire le transitoire, ce qui, dans le cours du temps, passe. Notre langue le dit encore plus précisément : ce qui périt avec le temps. Car le temps lui-même passe. Mais le temps passant constamment, il demeure en tant que temps. Demeurer signifie : ne-pas-s'évanouir, donc : avancée de l'être, c'est-à-dire être dans le mouvement d'approche qu'est l'entrée dans la présence. Ainsi, le temps est déterminé par un être. Comment alors l'être peut-il continuer d'être déterminé par le temps ? Dans la constance avec laquelle le temps passe, c'est l'être qui parle. Et pourtant, nulle part nous ne trouvons le temps comme quelque chose d'étant, à l'instar d'une chose.

L'être n'est pas une chose ; par suite ce n'est rien de

temporel — et cependant, en tant qu'être-en-présence, il est déterminé par le temps.

Le temps n'est pas une chose ; par suite ce n'est rien d'étant — mais dans son passer, il demeure constant, sans être lui-même quelque chose de temporel comme l'étant qui est dans le temps.

Être et temps se déterminent réciproquement, mais de telle sorte que celui-là — l'être — ne peut pas être déclaré temporel, pas plus que celui-ci — le temps — ne peut être déclaré étant. Méditant tout cela, nous vagabondons en propositions contradictoires.

(Pour de tels cas, la philosophie connaît une échappatoire. On laisse être les contradictions — au besoin on les aiguise même, et on essaie de rassembler ce qui se contredit (et qui par conséquent ne tient pas ensemble) dans une unité plus large. On nomme ce procédé: la dialectique. Même si l'on admet que les énoncés contradictoires sur l'être et le temps puissent se laisser ramener à un accord par une unité qui les dépasserait, ce serait encore une échappatoire, c'est-à-dire un chemin qui évite et esquive les choses en cause et ce qui les tient l'une par rapport à l'autre ; en effet, il n'entre et ne s'engage ni dans l'être comme tel, ni dans le temps comme tel, ni dans leur mutuelle relation. Il est ici tout à fait exclu de savoir si la relation de l'être et du temps est un rapport qui, dès lors, se laisse produire par une composition des deux — ou bien si « être *et* temps » nomme un seul tenant de la question, à partir de quoi seulement résultent aussi bien être que temps.)

Pourtant, comment allons-nous, faisant droit à la question, nous laisser porter jusqu'au cœur de cette question d'un seul tenant que nomment les titres « Être et Temps », « Temps et Être » ?

Réponse: de telle sorte que nous poursuivions avec

prévoyance la pensée des choses ici en question. Avec prévoyance, cela veut dire d'abord: ne pas, dans la hâte, assaillir les choses en question avec des représentations incritiquées, mais au contraire les suivre méditativement dans le rassemblement que permet leur souci.

Mais d'abord, nous est-il permis de donner l'être, de donner le temps pour des « choses en question »? Ils n'en sont pas, si « chose en question » signifie *quelque chose d'étant*. Le mot « Sache », « eine Sache »[2] nous signifiera désormais quelque chose dont il est question dans un sens éminent, c'est-à-dire dans la mesure où s'y héberge quelque chose d'impossible à éluder et outrepasser. Être — une *question*, et présumons-le: *la* question de la pensée.

Temps — une *question*, et présumons-le: *la* question de la pensée, si tant est que dans l'être comme παρουσία parle quelque chose de tel que le temps. Être *et* temps, temps *et* être nomment la relation qui retient les deux questions, le *tenant* de la question, qui *tient* l'une à l'autre les deux questions et *soutient* leur relation. Suivre en le méditant ce tenant de la question, voilà la tâche de la pensée — étant admis que cela reste méditation de s'exposer à l'endurance de sa question.

Être — une question, mais rien d'étant.

Temps — une question, mais rien de temporel.

De l'étant, nous disons: il est. Portant le regard sur la question « être » et sur la question « temps », nous restons circonspects. Nous ne disons pas: l'être est, le temps est — mais: il y a être, et il y a temps. Au premier abord, nous n'avons, par ce détour, que changé de tournure. Au lieu de « il est », nous disons « il y a ».

Afin de revenir à la question, au-delà de son expression verbale, il faut montrer comment cet « Il y a » se laisse éprouver et apercevoir. Le chemin approprié, en cette direction, c'est que nous fassions apparaître en son lieu propre ce qui est donné dans le « Il y a »[3] — ce que veut dire « être », qu'— Il y a ; ce que veut dire « temps », qu'— Il y a. En réponse à cela, nous tenterons de jeter le regard en avant jusqu'à cet *Il* qui donne être et temps. Ainsi regardant en avant, nous deviendrons en un autre sens encore prévoyants. Nous tentons de porter au regard le *Il* et son *donner*, et nous écrivons le « Il » avec une majuscule.

Nous pensons d'abord sur la trace de l'être, afin de le penser lui-même en son propre.

Nous penserons ensuite sur la trace du temps, afin de le penser lui-même en son propre.

Par là, il faudra que se montre la manière dont il y a être, et dont il y a temps. Dans cet « y avoir » qui donne, devient visible, comment est à déterminer le « donner » qui, en tant que *tenant*, tient d'abord les deux l'un à l'autre, et ainsi les obtient comme résultat de la donation.

Être, par quoi tout étant est signé comme tel, être veut dire *Anwesen* — approche de l'être, son déploiement dans la présence. Si nous avons regard sur l'étant qui ainsi avance dans la présence, alors l'être, l'avancée du déploiement de l'être fait apparition comme « laisser se déployer dans la présence ». Mais maintenant, il s'agit de penser en propre ce laisser-se-déployer-dans-la-présence, c'est-à-dire la mesure dans laquelle est donné lieu au déploiement en présence. Donner lieu, *i.e. laisser être* le déploiement de l'être, cela fait apparaître ce qui lui est propre en ceci qu'il le porte au non-retrait. Laisser être le déploiement dans la présence veut dire : libérer du retrait, porter à l'Ouvert. Dans « libérer du retrait » joue un *donner*, celui à vrai dire qui dans le *laisser*-se-déployer-l'être donne le déploiement, c'est-à-dire l'être.

(La question « être », la penser en propre, cela demande que notre méditation obéisse à l'indice qui se montre dans le laisser-se-déployer-en-présence. Il fait apparaître, dans le laisser-se-déployer-en-présence, la libération du retrait. De cette dernière sort la parole d'un donner, le donner de l'Il y a.)

Entre-temps, pour nous, le *donner* qui vient d'être dit demeure tout aussi obscur que Cela qui donne — que le *Il*, qu'il *y a*.

L'être, le penser en propre, demande de détourner le regard de l'être, pour autant qu'il est, comme dans toute Métaphysique, seulement pensé à partir de l'étant, et fondé, en vue de l'étant, comme fond de l'étant. Penser l'être en propre demande que soit abandonné l'être comme fond de l'étant, en faveur du donner qui joue en retrait dans la libération du retrait, c'est-à-dire en faveur du Il y a. L'être, en tant que donation de cet Il y a, a sa place et est à sa place dans le donner. L'être, en tant que donation, n'est pas repoussé hors du donner; l'être, se-déployer-en-présence, devient tout autre. En tant que laisser-se-déployer-dans-la-présence, il a sa place dans la libération hors du retrait; mais en tant que don de cette libération, il reste retenu dans le donner. L'être n'*est* pas. De l'être Il y a, en tant que libération (hors du retrait) d'un déploiement en présence.

Le « Il y a être » va peut-être se montrer quelque peu plus distinctement dès que nous poursuivrons encore plus ouvertement la pensée du donner dont il s'agit ici. Cela peut réussir, à condition que nous portions attention à la richesse du changement de ce qu'on nomme avec suffisamment d'imprécision: l'être — que l'on méconnaît du même coup dans ce qu'il a de plus propre quand on le tient pour le plus vide des concepts vides. Cette représentation de l'être comme l'absolument abstrait n'est pas encore abandonnée dans son principe, mais bien au contraire renforcée quand l'être est supprimé en tant qu'absolument abstrait pour être conservé et élevé à l'absolument concret de l'effectivité de l'esprit absolu — ce qui s'est accompli dans la pensée la plus impériale des Temps Modernes, dans la dialectique spéculative de Hegel, et s'expose dans sa *Science de la Logique*.

Une tentative pour suivre en méditant la plénitude de changement de l'être atteint son premier ancrage, celui qui montre le chemin, en ceci que nous pensons l'être au sens de *Anwesen* — le déploiement en approche qui est présence.

(Penser — je dis bien — et non simplement dire à la suite, et faire alors semblant que l'entente de l'être comme se déployer en présence se comprendrait de soi.)

D'où prenons-nous alors le droit de caractériser l'être comme *Anwesen* ? La demande vient trop tard. Car ce type de l'être, il y a beau temps qu'il s'est décidé et mis en route sans que nous y soyons pour rien. Par conséquent, nous sommes liés à caractériser l'être comme *Anwesen*. Cette caractérisation tient sa force obligatoire du début même de la déclosion de l'être comme dicible, c'est-à-dire comme pensable. Depuis le début de l'emprise de la pensée occidentale chez les Grecs, tout dire de l'« être » et du « est » se maintient dans la mémoire d'une détermination de l'être qui lie la pensée — la détermination de l'être comme *Anwesen* (παρουσία). Cela vaut aussi pour la pensée qui mène la technique et l'industrie la plus moderne, quoique seulement dans un certain sens. Après que la moderne technique a installé son extension et sa domination sur toute la terre, il n'y a pas que les satellites artificiels et tout ce qui s'en suit pour tourner autour de notre planète — l'être comme *Anwesen* au sens de la base calculable de toute permanence de stock parle quasi uniformément en interpellant tous les habitants de la terre, sans que les habitants des continents extra-européens en sachent proprement rien, et encore moins soient en état, et aient pouvoir de savoir en ce qui concerne la provenance de cette détermination de l'être. (Le moins supportent un tel savoir, manifestement, les développeurs, dans leur affairement, qui aujourd'hui s'activent à pousser les « sous-développés » (comme on dit) dans le domaine d'écoute de cette interpellation de l'être qui parle à partir du plus propre de la technique moderne.)

Mais l'être comme *Anwesen*, nous ne l'accueillons pas seulement — tant s'en faut — dans la pensée qui garde mémoire de la matinale présentation de l'être libéré hors du retrait, qui fut l'œuvre de l'hellénité. Nous accueillons l'approche de l'être en toute méditation simple et suffisamment libre de préjugés si elle porte sur l'être-à-portée-de-la-main et l'être-en-main de l'étant. L'être-en-main tout aussi bien que l'être-à-portée-de-la-main sont des modes de l'approche, *i.e.* du se-déployer-en-présence de l'être. Mais l'ampleur de portée de ce déploiement-en-présence de l'être, voici qu'elle se montre à nous de la façon la plus pressante lorsque nous méditons que l'*absence*[4] elle aussi — et précisément elle — reste déterminée par un déploiement-en-présence de l'être parfois élevé à la plus haute puissance de l'inhabituel.

Cependant, nous pouvons aussi établir historiographiquement la plénitude de changement du déploiement-en-présence, en attirant l'attention sur le fait que se-déployer-en-présence se montre en tant que le 'Eν, l'Un unique unifiant ; en tant que Λόγοζ, le recueillement sauvegardant le Tout ; en tant que ἰδέα, οὐσία, ἐνέργεια, *substantia*, *actualitas*, *perceptio*, Monade ; en tant qu'objectivité ; en tant que thèse de la position de soi au sens de la volonté de raison, de la volonté d'amour, de la volonté d'esprit, de la volonté de puissance ; en tant que volonté pour la volonté dans l'éternel retour de l'égal. Ce que l'on peut établir historiographiquement se laisse trouver à l'intérieur de l'Avoir-Lieu (l'Histoire). La libération de la plénitude de changement de l'être a l'air, à première vue, d'une histoire de l'être. Mais l'être n'a pas d'histoire comme une ville ou un peuple a son histoire. Ce qui est du genre de l'histoire dans l'histoire de l'être ne se détermine manifestement qu'à partir de la manière dont l'être a lieu — autrement dit, suivant ce qui vient d'être exposé, à partir de la manière dont Il y a être.

Au début de la déclosion d'être, l'être εἶναι, ἐόν, est bien pensé — mais non le « Il y a ». Au lieu de cela, Parménide dit : ἔστι γὰρ εἶναι — « Il est à vrai dire être ». Cela fait des années, dans la *Lettre sur l'humanisme* (1946), la remarque suivante était faite à propos de cette parole de Parménide : « Le ἔστι γὰρ εἶναι de Parménide est aujourd'hui encore impensé ». Cette indication voudrait au moins souligner qu'il ne nous est pas licite, sous la parole « Il est à vrai dire être », de sous-entendre hâtivement une interprétation bien trop facile qui rend inaccessible ce qui est pensé dans le texte. Tout ce dont nous disons qu'Il est, le voilà représenté comme quelque chose d'étant. Mais l'être n'est rien d'étant. Ainsi, impossible que le ἔστι, accentué dans la parole de Parménide, se représente l'être qu'il nomme comme quelque chose d'étant. Le ἔστι accentué veut pourtant bien dire, traduit littéralement, « il est ». Soit. Mais l'accentuation, hors du ἔστι, fait ressortir par l'écoute ce que les Grecs pensaient alors déjà dans le ἔστι accentué et que nous pouvons circonscrire par : « Il est capable ». Cependant, le sens de cet être-capable demeura alors et par la suite tout aussi impensé que le « Il », qui est capable d'être. Etre-capable d'être signifie : obtenir et donner être. Dans le ἔστι est en retrait le Il y a. Au début de la pensée occidentale, l'être est bien pensé, mais non le « Il y a » comme tel. Celui-ci se soustrait, en faveur de la donation qu'Il y a, cette donation étant à l'avenir exclusivement pensée comme être dans le regard portant sur l'étant, ce qui permet de le porter au concept.

Un donner qui ne donne que sa donation, mais qui, se donnant ainsi, pourtant se retient et se soustrait, un tel donner, nous le nommons : destiner. Si nous pensons ainsi le donner, alors l'être qu'Il y a est bien le destiné. Destiné de cette manière est chacun de ses changements. L'historique dans l'histoire de l'être se détermine à partir du caractère destinal d'une destination, et non pas à partir d'un « cours de l'histoire » entendu dans un sens indéterminé.

Histoire de l'être veut dire destination de l'être — et dans ces destinations, aussi bien le destiner que le Il, qui destine, font halte, *i.e.* contiennent et retiennent leur propre manifestation. Faire halte se dit en grec : ἐποχή. D'où la locution d'époques de la destination de l'être. Époque ne veut pas dire ici une période de temps dans le cours de ce qui arrive, mais bien le trait fondamental du destiner, à savoir : chaque fois faire halte et se retenir en faveur de la perceptibilité de la donation, c'est-à-dire en faveur de l'être — dans le regard dirigé sur la fondation de l'étant. La suite des époques dans le destinement d'être n'est pas plus contingente qu'elle ne se laisse supputer comme nécessaire. Pourtant s'annonce dans la destination ce qui répond au destin, et dans l'appartenance mutuelle des époques ce qui convient en elles. Ces époques se recouvrent dans leur succession, si bien que la destination initiale de l'être comme οὐσία est recouverte de plus en plus de diverses manières.

Seul défaire ces couvertures — c'est cela que veut dire la « destruction » — pourvoit la pensée d'un regard avant-coureur dans ce qui alors se dévoile comme destinement de l'être. Comme de partout on se représente le destinement de l'être seulement comme une histoire, et celle-ci comme le cours de ce qui arrive, on tente, mais en vain, d'interpréter cette histoire à partir de ce qui est dit dans *Être et Temps* sur l'historicité du Dasein (et non de l'être). Là contre, le seul chemin possible, déjà depuis *Être et Temps*, pour pousser plus avant la pensée ultérieure du destinement de l'être, c'est de penser de fond en comble ce qui dans *Être et Temps* est dit sur la destruction de la doctrine ontologique de l'être de l'étant.

Quand Platon présente l'être comme ἰδέα et comme κοινωνία des Idées ; Aristote comme ἐνέργεια ; Kant comme *positio* ; Hegel comme Concept absolu ; Nietzsche comme Volonté pour la Puissance — ce ne sont pas des doctrines produites au hasard, mais bien des paroles de l'être, qui répondent à un appel parlant dans le cœur s'hébergeant lui-même de la destination, dans le « Il y a être ». Chaque fois retenu dans la destination qui se soustrait elle-même, l'être se libère du retrait pour la pensée avec sa plénitude époquale de changement. La pensée reste liée à la tradition des époques du destinement de l'être là-même et précisément là où elle vient à se souvenir de la manière dont et d'où, chaque fois, l'être lui-même se libère et s'ouvre pour prendre la détermination qui lui est propre — autrement dit à partir du : Il y a être. Le donner du « Il y a » s'est montré comme *destiner*.

Mais comment penser le « Il » qui *donne* être ? La remarque introductive, à propos du rapprochement de « Temps et Être », faisait signe vers le fait que l'être, en tant que οὐσία (Anwesenheit — être-entré-en-présence), en tant que présence, était marqué dans un sens non encore déterminé par une caractéristique temporelle, et donc par le temps. De là, il n'y a qu'un pas à présumer que le Il, qui donne être, qui détermine l'être comme approche-de-l'être et comme laisser-l'être-se-déployer-en-présence, pourrait bien se laisser trouver en ce qui, dans le titre « Temps et Être », se nomme « Temps ».

Obéissant à cette présomption, nous pensons en suivant le temps à la trace. « Temps », cela nous est connu de la même façon que « être », par des représentations courantes : mais cela nous est pareillement non-connu, dès que nous proposons de situer et clarifier ce qui est tout à fait propre au temps. Alors que, tout à l'heure, nous méditions l'être, il s'est avéré : le tout à fait propre de l'être, ce en quoi il a sa place et où il reste retenu, cela se montre dans le « Il y a », dans son *donner*, entendu comme *destiner*. Le propre de l'être n'est rien du genre de l'être. Si nous pensons proprement après l'être, alors la question elle-même (ce qui s'y débat) nous mène d'une certaine manière loin de l'être, nous le faisant délaisser, et nous pensons le destinement qui *donne* l'être comme donation. Pour autant que nous portions attention à cela, nous nous attendons alors à ce que le propre, aussi, du temps ne se laisse plus déterminer à l'aide de la caractéristique courante du temps tel qu'il est communément représenté. Le rapprochement de « temps » et « être » contient pourtant l'invite — le regard étant porté sur ce qui a été dit de l'être — à situer le temps dans ce qui lui est propre. Être veut dire : avancée de l'être, se déployer en présence, laisser se déployer en présence, être-présent : παρουσία. Nous lisons par exemple n'importe où l'information : « En présence de nombreux invités, la fête a été célébrée. » La phrase pourrait également dire : De nombreux invités « étant là », ou bien « étant présents »[5].

Le présent — à peine l'avons-nous nommé pour lui-même que déjà nous pensons *passé* et *avenir*, l'antérieur et l'ultérieur par rapport au maintenant. Seulement, le présent entendu à partir du maintenant n'est absolument pas l'égal du présent entendu au sens de l'être-présent (παρουσία), par exemple « la *présence* des invités ». Il ne nous arrive en effet jamais, et il est impossible que nous puissions dire : « Dans le maintenant de nombreux invités, la fête a été célébrée. »

Et cependant, lorsqu'il faut caractériser le temps à partir du présent, nous comprenons le présent comme le maintenant, par opposition au non-plus-maintenant du passé et au pas-encore-maintenant du futur. Mais présent veut tout aussi bien dire être-présent, se déployer en *présence*, παρουσία, Anwesenheit. Néanmoins, nous n'avons pas coutume de déterminer le propre du temps à partir du regard porté sur la *présence* entendue au sens de l'οὐσια. C'est bien plutôt le temps — l'unité de présent, passé et futur — qui est représenté à partir du maintenant. Déjà Aristote dit que ce qui, du temps, *est*, *i.e.* avance en se déployant, c'est le maintenant de chaque fois. Passé et futur sont un μὴ ὄν τι : quelque chose de non-étant ; assurément, non pas quelque chose de simplement nul, un pur néant, mais plutôt quelque chose qui avance bien en se déployant (*un prae-s-ens*), mais à quoi quelque chose fait défaut — ce faire-défaut étant nommé précisément par le « ne plus » et par le « pas encore » qui tous deux se réfèrent au maintenant. Dans cette vision, le temps apparaît comme la succession des maintenants — desquels chacun, à peine nommé, déjà s'évanouit dans le « moment d'avant » et déjà se fait chasser par le « moment d'après ». Kant dit, parlant du temps ainsi représenté : « Il n'a qu'une seule dimension » (*Critique de la raison pure*, A 31, B 47). C'est bien le temps entendu comme le coup sur coup dans la suite des maintenants que l'on a dans l'idée lorsqu'on mesure et calcule le temps. Le temps calculé, nous l'avons devant nous, à pouvoir immédiatement le palper — du moins telle est l'apparence — quand nous prenons en main la montre, le chronomètre, quand nous jetons le regard sur la position des aiguilles et constatons : « Maintenant, il est 20 h 50. » Nous disons « maintenant », et nous avons dans l'esprit le temps. Mais nulle part, attenant à la montre qui nous donne l'heure nous ne trouvons le temps, ni sur le cadran, ni dans le mouvement. Nous ne trouvons pas plus le temps dans les modernes chronomètres techniques. Une assertion vient même s'imposer : plus les chronomètres deviennent techniques, c'est-à-dire exacts et généreux dans l'effectuation de la mesure, moins on a matière à méditer en direction de ce qui est le propre du temps.

Mais où est le temps ? Est-il même, et a-t-il un lieu ? Manifestement, le temps n'est pas rien. C'est pourquoi nous sommes restés circonspects et avons dit : Il y a temps. Devenons-le encore plus, et portons le souci du regard sur ce qui se montre à nous comme temps lorsque nous allons voir jusqu'à l'être au sens d'être-déployé-en-présence, au sens de : présence. Seulement, la présence au sens de l'être-déployé est de si loin distincte de la présence entendue au sens du maintenant que la présence (en tant que être-déployé-en-présence) ne se laisse en aucune façon déterminer à partir du présent comme maintenant. C'est plutôt l'inverse qui paraît possible (cf. *Être et Temps*, § 81). S'il en était bien ainsi, alors c'est la *présence* comme παρουσία, et tout ce qui appartient à un tel présent, qui devrait se nommer proprement le temps, même si alors le temps n'a immédiatement en lui plus rien de la représentation courante du temps (comme coup sur coup de la suite calculable des maintenants).

Pourtant, jusqu'ici nous nous sommes dispensés de signaler plus distinctement ce que veut dire *présence* au sens de παρουσία. Par cette dernière, l'être est unitairement déterminé comme avancée du déploiement et laisser se déployer une telle approche, autrement dit comme libération hors du retrait. Quelle question pensons-nous lorsque nous disons *Anwesen*? Wesen (déployer son être) veut dire *Währen* (être comme *manere*). Mais trop vite nous nous faisons une raison en comprenant *Währen* comme pur et simple durer, et saisissant la durée, au fil conducteur de la représentation courante du temps, comme portion de temps s'étendant depuis un maintenant jusqu'à celui qui suit. Toutefois, parler de l'être qui se déploie en s'avançant (*Anwesen*), cela exige que nous entendions dans le *Währen*, dans le *manere* compris comme *Anwähren* (venir, avancer dans la permanence), — que nous y entendions le *Weilen* et *Verweilen*, avoir quiétude, avoir séjour. L'avancée du déploiement de l'être s'avance en venant à nous (ce venir-à-nous étant ce qui nous importe, ce qui nous regarde[6]) ; présence (*Gegenwart*), cela veut dire : venir séjourner à notre rencontre (*uns entgegenweilen*) — à nous, les hommes.

Qui sommes-nous ? Soyons circonspects quant à la réponse. Car il se pourrait que ce qui caractérise et signe l'homme se détermine précisément à partir de ce que nous avons à méditer ici : l'homme, celui que regarde la venue à lui de l'état de *présence*, celui qui à partir de cette venue à lui, déploie sa propre *présence* et, à sa manière, vient lui-même à être pour tout ce qui entre en *présence* et pour tout ce qui en sort.

L'homme — se tenant au cœur de la venue à lui de la παρουσία, cela pourtant de telle sorte qu'il s'ouvre pour accueillir l'avancée du déploiement — le Il y a — comme donation, en prenant garde à ce qui fait apparition dans le laisser-avancer-le-déploiement. Si l'homme n'était pas constamment celui qui accueille la donation venant du Il y a παρουσία ; si ce qui, dans la donation, est dirigé et tendu vers lui n'atteignait pas l'homme, alors, avec le défaut de cette donation, l'être ne resterait pas seulement en retrait, pas seulement non plus renfermé — l'homme resterait exclu de l'ampleur de règne du: Il y a être. L'homme ne serait pas homme.

Maintenant, on dirait qu'avec ce renvoi à l'homme nous nous sommes écartés du chemin sur lequel nous voudrions penser en suivant le temps dans ce qu'il a de propre. Dans une certaine mesure c'est exact. Et pourtant nous sommes plus proches que nous croyons de la question qui se nomme temps et qui doit, à proprement parler, se montrer à partir de la *présence* entendue comme παρουσία.

Παρουσία veut dire: le perpétuel avoir-séjour, dont la venue à lui regarde l'homme, quiétude qui l'atteint et qui lui est offerte. D'où, alors, cet atteindre? d'où ce règne qui s'étend et tend[7], et dans lequel la *présence* (en tant qu'approche du déploiement) a sa place pour autant qu'Il y a παρουσία? A la vérité, l'homme reste toujours celui que regarde la venue à lui de l'être de ce qui, en son temps, entre dans la *présence*, sans que là il porte expressément attention à l'avancée elle-même de l'être. Mais tout aussi souvent, *i.e.* perpétuellement, l'*absence* vient à nous comme ce qui nous regarde. D'abord en ceci que bien des choses ne se déploient plus à notre rencontre selon le mode de déploiement tel que nous le connaissons, c'est-à-dire au sens du déploiement de *présence*. Et cependant, même cela qui n'est plus présent se déploie immédiatement à notre rencontre dans son absence — en effet, suivant le mode de l'avoir-été en tant qu'être du passé[8], qui comme tel vient à nous comme ce qui nous regarde. Cet être du passé ne s'abîme pas, comme ce qui simplement a cessé d'être, hors du maintenant d'autrefois. L'avoir-été (en tant qu'être du passé) se déploie bien plutôt à notre rencontre, quoique sur son mode propre. Dans l'avoir-été, c'est l'approche d'un être qui est procurée.

Mais l'*absence* nous regarde et vient à nous encore dans

le sens du non-encore-présent, sur le mode du déploiement à notre rencontre, entendu au sens du venir-sur-nous de l'avenir. L'expression venir sur nous de l'avenir, la voilà qui est devenue une tournure à la mode. Ainsi on entend dire : « l'avenir a déjà commencé » ; ce qui n'est pas le cas, puisque l'avenir ne se borne jamais à commencer — dans la mesure où l'*absence*, en tant que déploiement à notre rencontre du non-encore-présent, vient à nous et nous regarde toujours déjà d'une certaine manière, c'est-à-dire déploie de l'être, tout aussi immédiatement que l'être-passé. Dans l'à-venir, dans le venir-sur-nous, c'est l'approche d'un être qui est procurée.

Si nous portons une attention encore plus circonspecte à ce qui a été dit, alors nous trouvons dans l'*absence*, que ce soit l'*absence* de l'être-passé ou bien celle de l'avenir, un mode d'approche de l'être et de venue à nous qui ne coïncide aucunement avec l'approche de l'être au sens de l'immédiate présence. Conformément à quoi il vaut la peine de remarquer : toute approche de l'être (toute *prae-s-ence*) n'est pas nécessairement présence. Étrange. Cependant nous trouvons une telle approche de l'être, à savoir la venue à nous qui nous regarde et nous atteint, également dans la présence. En elle aussi l'approche d'un être est procurée.

Comment faut-il déterminer cette porrection d'être qui joue dans le présent, dans l'avoir-été et dans l'avenir ? Cette porrection repose-t-elle en ceci qu'elle nous atteint, ou bien nous atteint-elle parce qu'elle est en elle-même une porrection ? Assurément, c'est le second cas. L'approche de ce qui survient, en tant que non-encore présent, apporte et produit du même coup ce qui n'est plus présent, l'avoir-été — et inversement ce dernier, l'avoir-été, se procure avenir. Le rapport réciproque des deux apporte, porte et produit en même temps le présent. « En même temps », disons-nous attribuant ainsi un caractère temporel à la mutuelle porrection qui porte les uns aux autres l'avenir, l'avoir-été et le présent — c'est-à-dire l'attribuant à leur unité propre.

Cette façon de procéder n'est manifestement pas fondée, si l'on admet que l'unité qui vient d'être désignée, l'unité de la porrection qui porte et apporte — et précisément elle —, il nous faut la nommer: temps. Car le temps n'est lui-même rien de temporel, pas plus qu'il n'est quelque chose d'étant. C'est pourquoi il nous demeure interdit de dire que l'avenir, l'avoir-été et le présent sont donnés « en même temps ». Et cependant, le fait qu'ils se portent les uns aux autres leur propre porrection appartient à un seul ensemble. Leur unifiante unité ne peut se déterminer qu'à partir de ce qui leur est propre; à partir de ce qu'ils se portent les uns aux autres. Mais quoi donc se portent-ils les uns aux autres? Rien d'autre qu'eux-mêmes, et cela veut dire: l'avancée du déploiement d'être en eux procurée. Avec elle s'éclaircit ce que nous nommons l'espace libre du temps[9]. Mais avec le mot de « temps » nous ne voulons plus dire le coup sur coup d'une suite de maintenants. En conséquence, « espace libre du temps » ne signifie plus à son tour seulement l'écart entre deux points instantanés dans le temps calculé, celui que nous avons en tête quand nous constatons par exemple: dans un espace de temps de cinquante années, ceci ou cela est arrivé. « Espace libre du temps » nomme maintenant l'Ouvert, qui s'éclaircit dans la porrection qui porte et apporte les uns aux autres l'avenir, l'être-passé et le présent. Seul cet Ouvert — et lui seul — accorde à l'espace tel que nous le connaissons habituellement tout son espacement possible. L'éclaircissante porrection qui porte et apporte les uns aux autres l'avenir, l'avoir-été et le présent est elle-même pro-spatiale; seulement ainsi elle peut accorder place à l'espace, *i.e.* le donner.

L'espace de temps, dans son acception courante — comme intervalle mesuré entre deux instants ponctuels — est le résultat d'un calcul du temps. Par ce calcul, le temps représenté comme ligne et paramètre, le temps unidimensionnel, est mesuré par des nombres. Dans cette façon de penser, le dimensionnel du temps (entendu comme coup sur coup de la suite des maintenants) est emprunté à la représentation de l'espace comme tridimensionnel.

Mais avant tout calcul du temps et indépendamment de lui, le propre de l'espace libre du temps — propre au temps véritable — repose cependant dans la porrection qui porte et apporte les uns aux autres l'avenir, l'avoir-été et le présent. C'est ainsi qu'au temps véritable et à lui seul appartient en propre ce que nous nommons de façon trop facile à mésentendre: la Dimension (la mesure à travers, dia-mètre, de part en part). Celle-ci repose dans la porrection éclaircissante, telle qu'elle a été caractérisée, et selon laquelle l'arrivée porte et apporte l'avoir-été, celui-ci celle-là, et la relation réciproque des deux régit et donne l'éclaircie de l'Ouvert. Pensé depuis cette porrection régissante à trois faces, le temps véritable s'avère être tridimensionnel. Dimension — répétons-le — n'est pas pensé ici seulement comme domaine d'une possible mesure, mais comme tendre et s'étendre-d'un-bout-à-l'autre, comme porrection éclaircissante. Cela seul donne lieu et permet de représenter et de délimiter un domaine de mesure.

Mais d'où, maintenant, se détermine l'unité des trois dimensions du temps véritable, *i.e.* l'unité des trois modes jouant les uns dans les autres de la porrection qui porte et apporte, chaque fois, une manière propre d'avancer dans l'être? Nous venons d'entendre: aussi bien dans le survenir du non-encore présent que dans l'avoir-été de ce qui n'est plus présent, et même dans le présent lui-même — chaque fois, joue un genre d'afflux et d'apport, c'est-à-dire l'avancée de l'être.

Cette avancée de l'être — qu'il faut penser ainsi — nous ne pouvons pas l'assigner à l'une des trois dimensions du temps, à savoir, ce qui semble aller de droit, au présent. Bien plutôt, l'unité des trois dimensions temporelles repose dans le jeu par lequel chacune se tient et se tend pour chacune. Ce jeu de tension s'avère comme la véritable porrection, celle qui joue dans le propre du temps, donc en quelque sorte comme la quatrième dimension — et non pas seulement « en quelque sorte », mais en tant que telle, si l'on voit depuis la *question* elle-même.

Le temps véritable est quadri-dimensionnel. Ce qu'en énumérant nous nommons la quatrième, selon la *question* est la première, *i.e.* la porrection qui détermine et accorde tout. Elle apporte dans le survenir, dans l'avoir-été, dans le présent, l'avancée d'être qui chaque fois leur est propre, elle les tient — faisant éclaircie — les uns hors des autres, et les tient ainsi les uns pour les autres dans la proximité à partir de laquelle les trois dimensions restent rapprochées les unes des autres. C'est pourquoi cette première, cette initiale et au sens propre du mot entre-prenante porrection — où repose l'unité du temps véritable — nous la nommons: la proximité approchante. (*Nahheit* — prochaineté — un nom ancien, encore employé par Kant.) Mais elle approche l'avenir, l'avoir-été, le présent les uns des autres dans la mesure où elle libère et déploie un lointain. Car elle tient ouvert l'avoir-été tandis qu'elle empêche sa venue comme présent. Cet approchement de la proximité tient ouvert le survenir depuis l'avenir en ce que, dans le venir, elle réserve la possibilité du présent. La proximité approchante a le caractère de l'empêchement et de la réserve. A l'avance, elle tient les modes de la porrection d'avoir-été, d'avenir et de présent les uns pour les autres dans leur unité.

Le temps n'est pas, Il y a temps. Le donner, dont la

donation obtient le temps, se détermine depuis la proximité qui empêche et réserve. C'est elle qui procure l'Ouvert de l'espace libre du temps et sauvegarde ce qui demeure empêché dans l'avoir-été, et ce qui dans le survenir demeure réservé. Nous nommons le donner qui donne le temps véritable: la porrection éclaircissante-hébergeante. Dans la mesure où le régir de cette porrection est lui-même un donner, il s'héberge dans le temps véritable le donner d'un donner.

Mais où y a-t-il le temps et l'espace libre du temps? Aussi pressante que soit la demande au premier abord, il ne nous est plus permis en cette façon de demander après un « où », après le lieu du temps. Car le temps véritable lui-même, la région de sa porrection triple (déterminée par la proximité approchante), c'est le site pro-saptial par lequel seulement il y a un possible « où ». A la vérité, la philosophie, dès son commencement, chaque fois qu'elle méditait le temps, s'est toujours aussi demandé où le temps avait sa place. Ce faisant, on avait surtout en vue le temps calculé comme écoulement du coup sur coup de la suite des maintenants. On expliquait qu'il ne pouvait y avoir de temps compté — avec lequel nous calculons — sans la ψυχὴ, sans l'*animus*, sans l'âme, sans la conscience, sans l'esprit. Il n'y a pas de temps sans l'homme. Mais que veut dire: « pas sans »? L'homme est-il le donateur du temps, ou bien celui qui l'accueille? Et s'il est ce dernier, comment l'homme accueille-t-il le temps? L'homme est-il d'abord homme pour ensuite, à l'occasion, *i.e.* en n'importe quel temps, faire accueil au temps et assumer le rapport au temps? Le temps véritable est la proximité du déploiement d'être à partir du présent, de l'avoir-été et de l'avenir — proximité qui unifie sa porrection triplement éclaircissante. Le temps a déjà atteint de son règne l'homme en tant que tel et de façon qu'il ne peut être homme qu'en se tenant au cœur de la triple porrection, ek-sis-tant la proximité, empêchement et réserve, qui la détermine. Le temps n'est pas un fabricat de l'homme, l'homme n'est pas un fabricat du temps. Il n'y a pas ici de fabrication, pas de faire. Il n'y a que le donner — entendu au sens de la porrection que nous avons nommée, celle qui régit et éclaircit l'espace libre du temps.

Pourtant, une fois accordé que le mode de donation dans lequel Il y a temps exige les précisions qui viennent d'être exposées, nous nous trouvons toujours face à l'énigmatique « Il » que nous nommons en disant. Il y a temps ; Il y a être. Le péril croît qu'en mettant en avant cet « Il », nous fassions arbitrairement entrer en jeu quelque puissance indéterminée dont la tâche serait de mettre en œuvre toute la donation de l'être et du temps. Cependant, nous échappons à l'indétermination et évitons l'arbitraire tant que nous nous en tenons aux déterminations du *donner* que nous tentions de montrer, et ceci en partant de la circonspection du regard portant sur l'être comme παρουσία et sur le temps comme région de la porrection de l'éclaircie d'une multiple avancée de l'être.

Le *donner* dans le « Il y a être » s'est manifesté comme destiner et comme unité déterminante de toutes les destinations (= comme destinement) de παρουσία, en leurs changements lourds d'époques.

Le *donner* dans le « Il y a temps » s'est manifesté comme la porrection éclaircissante de la région quadri-dimensionnelle.

Pour autant que dans l'être comme παρουσία s'annonce quelque chose comme le temps, la présomption déjà signalée se renforce, selon laquelle le temps véritable — la quadruple porrection de l'Ouvert — se laisserait découvrir comme le « Il » qui donne être, c'est-à-dire l'avancée du déploiement. La présomption paraît même se renforcer tout à fait quand nous remarquons que l'*absence* même, chaque fois, s'annonce comme un mode d'avancée du déploiement. Or, dans l'avoir-été, qui laisse se déployer ce qui n'est plus présent par empêchement du présent, et dans le venir-sur-nous de l'avenir, qui laisse se déployer du non-encore présent en lui réservant d'être présent — dans les deux s'est montré ce mode de porrection éclaircissante qui *donne* toute avancée d'être dans l'Ouvert.

Ainsi, le temps véritable fait-il apparition comme le « Il » que nous nommons en disant : Il y a être. Le rassemblement de la destination, là où Il y a être, repose dans la porrection du temps. Par cette indication le temps s'avère-t-il comme le « Il » qui donne être ? — Nullement. Car le temps reste lui-même la donation d'un Il y a, dont le donner sauvegarde la région dans laquelle est procurée la παρουσία. Ainsi, le « Il » continue de demeurer indéterminé, énigmatique, et nous-mêmes restons sur l'énigme. En un tel cas, il est prudent de déterminer cet « Il », qui donne, à partir du *donner* tel qu'il vient d'être caractérisé. Ce dernier est apparu comme destinement d'être ; et comme temps, porrection éclaircissante.

(Ou bien sommes-nous maintenant ainsi perplexes seulement parce que nous nous laissons induire en erreur par la langue — ou plus exactement par l'interprétation grammaticale de la langue ; erreur depuis laquelle nous nous hypnotisons sur un « Il » dont la fonction est de donner, mais qu'en tant que tel il n'y a pas ? Si nous disons : Il y a être, Il y a temps, alors nous énonçons des propositions. Suivant la grammaire, une proposition consiste en sujet et prédicat. Le sujet de la proposition ne doit pas nécessairement être un sujet au sens d'un *Je* ou d'une *personne*. La grammaire et la logique comprennent pour cette raison les propositions en « Il » comme propositions impersonnelles et sans sujet. Dans d'autres langues indo-européennes, en grec et en latin, le « Il » manque, du moins en tant que mot individualisé et structure phonétique — en ce qui ne signifie pas toutefois que ce qui est intentionné dans le « Il » n'y est pas pensé aussi. En latin *pluit*, il pleut; en grec χρὴ, il fait nécessité. Cependant, que signifie cet « Il »? La linguistique, la philosophie du langage ont abondamment réfléchi là-dessus, sans trouver aucun éclaircissement valable. Le domaine de signification intentionné dans le « Il » va et porte depuis l'insignifiant jusqu'au démonique. Le « Il » prononcé quand on dit « Il y a être », « Il y a temps » nomme, c'est probable, quelque chose de typique et d'exceptionnel, qu'il est impossible ici de discuter à fond. C'est pourquoi nous nous contenterons d'une réflexion principielle. D'après l'interprétation grammatico-logique, ce dont est énoncé quelque chose apparaît comme sujet: ὑποκείμενον — le déjà-là en son gîte, en quelque façon se déployant en *présence*. Et ce qui est attribué au sujet comme prédicat apparaît comme ce qui, avec l'étant qui se déploie en présence, déjà se déploie-avec = le συμβεβηκόζ, *accidens*: l'auditorium est éclairé. Dans le « Il » du « Il y a être » parle une avancée en présence de ce qui est tel qu'il s'absente — donc en quelque façon un être. Si nous posons cela à la place du « Il », alors la phrase « Il y a être » dit: être donne être. Par là nous sommes rejetés aux difficultés mentionnées en début de conférence: l'être est. — Mais l'être « est » aussi peu que le temps n'« est ». C'est pourquoi nous abandonnons maintenant la tentative que se détermine tout seul le « Il » pour lui-même. Nous gardons cependant en vue: le « Il » nomme — en tout cas dans l'interprétation qui s'offre en premier — une avancée d'*absence*. A la vue de cela que, lorsqu'on dit: « Il y a être », « Il y a temps », il ne s'agit pas d'énoncés sur de l'étant ; mais que la structure propositionnelle des énoncés, cependant, a été transmise et communiquée par les grammairiens gréco-romains exclusivement dans la perspective de tels énoncés portant sur de l'étant, nous portons du même coup attention à la possibilité que, dans les phrases « Il y a être », « Il y a temps » — contre toute apparence — il ne s'agisse pas d'*énoncés*, qui sont toujours fixés dans la structure propositionnelle de la relation sujet-prédicat. Comment cependant porter autrement au regard le « Il » que nous prononçons en disant « Il y a être », « Il y a temps » ? Tout simplement de telle façon que nous pensions cet « Il » à partir du genre de donation qui lui appartient : donation comme rassemblement de la destination, donation comme porrection éclaircissante. Toutes deux y ont ensemble leur part, dans la mesure où le premier, le rassemblement de la destination, repose en la seconde, la porrection éclaircissante.)

Dans le destiner du rassemblement de toute destination d'être, dans la porrection de temps, se montre une propriation, une appropriation — à savoir de l'être comme παρουσία et du temps comme région de l'Ouvert — en leur propre. Ce qui détermine et accorde tous deux en leur propre, et cela veut dire dans leur convenance réciproque — nous le nommons : *das Ereignis*[10]. Ce que nomme cette parole, nous ne pouvons maintenant le penser qu'à partir de ce qui s'annonce dans le circonspect regard sur l'être et sur le temps comme rassemblement de la destination et comme porrection — en quoi temps et être sont à leur place. Les deux, l'être aussi bien que le temps, nous les avons nommés des *questions*. Le « et », entre les deux, laissait leur relation l'un à l'autre dans l'indéterminé.

Maintenant se montre : ce qui laisse appartenir et convenir l'une à l'autre les deux questions, ce qui non seulement apporte les deux questions à leur propriété, mais encore les sauvegarde dans leur co-appartenance et les y maintient, le tenant des deux questions, c'est l'*Ereignis*. Le tenant de la question ne vient pas s'ajouter après coup comme un rapport plaqué sur l'être et sur le temps. Le tenant de la question fait advenir d'abord l'être et le temps à leur propriété à partir de leur rapport, et à la vérité à travers l'appropriation qui s'héberge dans le rassemblement de la destination et dans la porrection éclaircissante. En conséquence de quoi le « Il » qui donne dans le « Il y a être », « Il y a temps » — cet « Il » s'atteste comme l'*Ereignis*. Cet énoncé est juste, et cependant manque du même coup la vérité, autrement dit il nous voile le tenant de la question; car sans y prendre garde, nous nous le sommes représenté comme quelque chose de présent, alors que nous tentons pourtant de penser l'être de la *présence* comme tel.

Mais peut-être que d'un seul coup nous allons être libérés de toutes les difficultés, de toutes ces explications compliquées et apparemment inféconds — en demandant simplement (et en y répondant ensuite): qu'est-ce que l'*Ereignis*?

A ce propos, qu'on nous permette d'intercaler une autre demande. Que veut dire ici: « répondre » et « réponse »? Répondre, c'est le dire qui correspond au tenant de la question qu'il s'agit ici de penser — qui répond à l'*Ereignis*. Pourtant, si le tenant de la question interdit qu'on parle de lui dans le langage de l'énonciation, alors il faut que nous renoncions à l'énoncé sur lequel on compte en faisant la demande. Mais cela signifie: avouer l'incapacité de penser conformément à sa nature ce qui est ici à penser. Ou bien est-il plus prudent de ne pas renoncer seulement à la réponse, mais déjà à la demande? Qu'en est-il en effet de cette demande évidente, justifiée et toute naturelle: qu'est-ce que l'*Ereignis*? Là, nous sommes en quête d'un *quid*, d'une essence, de la façon dont l'*Ereignis* déploie son être, *i.e.* entre en présence. Avec la demande apparemment innocente: qu'est-ce que l'*Ereignis*?, nous exigeons un renseignement sur l'être de l'*Ereignis*. Mais si l'être lui-même s'avère comme quelque chose qui a sa place dans l'*Ereignis* et reçoit de lui la détermination de παρουσία, alors nous retombons en arrière, avec la demande qui vient d'être faite, en arrière vers ce qui en tout premier lieu réclame sa détermination: l'être, à partir du temps. Cette détermination s'est montrée à partir de la circonspection du regard sur le « Il » qui donne, dans la vision qui traverse de part en part les modes les uns aux autres ajointés de la donation: le destiner et porriger. Destiner l'être repose dans la porrection éclaircissante-hébergeante du multiple avancer en présence — avancer dans l'ouverte région de l'espace libre du temps. Mais la porrection repose, ne faisant qu'un avec la destination, dans l'appropriation. Cela, c'est-à-dire le propre de l'*Ereignis*, détermine aussi le sens de ce qui est nommé ici: reposer.

Ce qui vient d'être dit autorise, oblige même d'une certaine manière à dire comment l'*Ereignis* ne doit pas être pensé. Nous ne pouvons plus représenter ce qui se nomme par ce nom d'*Ereignis* au fil conducteur de la signification courante du nom; car celle-ci entend *Ereignis* au sens de « ce qui arrive », « ce qui se passe », l'*événement* — et non à partir du *Eignen* — faire advenir à soi-même en sa propriété — comme éclaircie sauvegardante de la porrection et destination.

C'est ainsi que récemment on a entendu publier que l'unification réalisée dans le marché commun européen était un événement européen appelé à faire poids dans l'histoire mondiale. Que maintenant, dans le contexte d'une situation de l'être, apparaisse le mot d'*Ereignis* et qu'on entende ce mot seulement dans sa signification courante — et déjà s'impose bel et bien la tournure de « Ereignis des Seins ». Car sans l'être aucun étant n'est capable d'être en tant que tel. Ainsi l'être peut-il être déclaré le plus haut événement, le plus significatif.

Or, l'unique intention de cette conférence ne va-t-elle pas dans le sens de porter au regard l'être lui-même en tant qu'*Ereignis*? Assurément. A cette seule différence que ce qui est nommé par ce mot de « *das Ereignis* » est tout autre chose qu'un événement. Il faut aussi penser conformément à cela le « en tant que », inapparent et toujours insidieux, parce que plurivoque. Étant admis que nous laissions tomber pour la situation de l'être et du temps la signification courante du mot « Ereignis » et que nous suivions au lieu de cela le sens qui se donne à entendre dans la destination de παρουσία, et la porrection éclaircissante de l'espace libre du temps — alors, même là encore, parler de l'« être comme *Ereignis* » reste indéterminé.

« Être comme l'*Ereignis* » — autrefois la philosophie pensait, partant de l'étant, l'être comme ἰδέα, comme *actualitas*, comme volonté; et maintenant — pourrait-on croire — comme *Ereignis*. Ainsi entendu, *Ereignis* signifie une déclinaison nouvelle dans la suite des interprétations de l'être — déclinaison qui, au cas où elle tient debout, représente une continuation de la métaphysique. Le « en tant que » signifie en ce cas: *Ereignis* en tant que mode d'être, subordonné à l'être qui constitue le concept-guide, maintenant son hégémonie. Si nous pensons au contraire — ainsi qu'il a été tenté — l'être au sens d'avancée dans la présence et de laisser-avancer dans la présence, qu'Il y a dans le rassemblement de la destination — qui à son tour repose dans la porrection éclaircissante-hébergeante du temps véritable, alors l'être a sa place dans le mouvement qui fait advenir à soi le propre. De lui, le donner et sa donation accueillent et reçoivent leur détermination. Alors, l'être serait un mode de l'*Ereignis*, et non l'*Ereignis* un mode d'être.

Mais la fuite qui cherche refuge dans un tel renversement serait trop bon marché. Elle passe à côté de la vraie pensée de la question et de son tenant. *Ereignis* n'est pas le concept suprême qui comprend tout, et sous lequel être et temps se laisseraient ranger. Des relations logiques d'ordre ne veulent ici rien dire. Car, dans la mesure où nous pensons en quête de l'être lui-même et suivons ce qu'il a de propre, il s'avère comme la donation, accordée par la porrection du temps, du destinement de παρουσία. La donation de *présence* est propriété de l'*Ereignen*. L'être s'évanouit dans l'*Ereignis*. Dans le tour: « Être en tant que l'*Ereignis* », le « en tant que » signifie maintenant: être, laisser-entrer-en-présence destiné dans le faire advenir à soi — temps porrigé dans le faire advenir à soi. Temps et être advenus à eux-mêmes dans l'appropriement. Et ce dernier, lui-même? Est-il possible d'en dire plus, de l'*Ereignis*?

En chemin, il a déjà été pensé davantage, mais n'a pas été dit expressément, en propres termes ceci: qu'au donner en tant que destiner appartient l'arrêt d'un suspendre; en propres termes ceci que dans la porrection d'avoir-été et d'advenir jouent l'empêchement du présent et la réserve du présent. Ce qui vient d'être nommé: suspension, empêchement, réserve, manifeste quelque chose de tel qu'un se-soustraire, bref: le retrait. Dans la mesure pourtant où les modes déterminés par lui de la donation (destination et porrection) reposent dans le mouvement de faire advenir à soi dans sa propriété, il faut que le retrait appartienne au propre de l'appropriement. Expliquer cela n'est plus la tâche de cette conférence.

(En toute brièveté, et insuffisamment pour une conférence, qu'il nous soit permis de faire signe en direction de ce qui est propre à l'*Ereignis*.

La destination dans le destinement de l'être a été caractérisée comme une donation, où ce qui destine s'arrête et se contient soi-même, et dans cette suspension se retire, se dérobe à la déclosion.

Dans le temps véritable et son espace libre pour le temps s'est manifestée la porrection de l'avoir-été, donc de ce qui n'est plus présent : l'empêchement portant sur le présent ; s'est manifesté dans la porrection du futur, donc du non-encore présent : la réserve du présent. Empêchement et réserve montrent le même trait que la suspension : à savoir le se-soustraire.

Dans la mesure maintenant où le rassemblement de la destination repose dans la porrection du temps, et où celle-ci repose avec celui-là dans l'*Ereignis*, s'annonce dans le faire advenir à soi (dans l'ad-propriation) cette propriété singulière que l'*Ereignis* soustrait à la déclosion sans limite ce qu'il a de plus propre. Pensé à partir du faire advenir à soi, cela veut dire : il se déproprie, au sens qu'on a dit, de soi-même. A l'*Ereignis* comme tel appartient le dépropriement. Par ce dernier, l'*Ereignis* ne se délaisse ni ne s'abandonne lui-même, mais au contraire sauvegarde ce qui lui est propre.

L'autre propriété singulière dans l'*Ereignis*, nous l'entrevoyons dès que nous méditons avec suffisamment de distinction quelque chose qui a déjà été dit. Dans l'être comme approche du déploiement s'annonce et se manifeste la venue à nous qui, à nous autres hommes, nous regarde de telle sorte que dans l'entente et dans l'acceptation de cette venue à nous, nous avons atteints ce qui distingue l'être-homme. Cette acceptation qui reprend dans l'entente la venue à nous de l'approche du déploiement, elle repose quant à elle dans l'insistance au cœur de la région que régit la porrection, qui est la façon dont le temps véritable, en sa quadri-dimensionnalité, nous a atteints de son règne.

Dans la mesure où il y a être et temps seulement dans l'appropriation (de l'être et du temps), à cette dernière appartient donc la propriété qu'elle porte à son propre l'homme en tant que celui qui entend l'être durant qu'il insiste au cœur du temps véritable. Ainsi proprié (ainsi rendu propre à ce qui lui est propre), l'homme est à sa place et a sa part dans l'*Ereignis*.

Cette appartenance repose dans le rappropriement[11] qui distingue l'*Ereignis*. Par lui, l'homme est engagé dans l'*Ereignis*. A cela tient que nous ne puissions jamais poser l'*Ereignis* devant nous — ni comme un vis-à-vis, ni comme ce qui comprend et embrasse tout. C'est pourquoi la pensée représentante et donatrice de raison ne répond pas plus à l'*Ereignis* que le dire simplement énonciateur.)

Dans la mesure où le temps, aussi bien que l'être, en tant que dons de l'appropriation, ne sont à penser qu'à partir de celle-ci, il faut analoguement méditer aussi le rapport de l'espace à l'*Ereignis*. Cela ne peut assurément réussir que si d'abord nous avons reconnu la provenance de l'espace depuis ce qu'a de propre — lui-même pensé à fond, c'est-à-dire de façon à atteindre ce qui est en vue — le lieu ou le site (*das Ort*) (cf. « Bâtir, Habiter, Penser », 1951, in *Essais et Conférences*, Paris, Gallimard, 1958, p. 170 sq.).

La tentative, dans *Être et Temps*, § 70, de ramener la spatialité du *Dasein* à la temporalité, n'est pas tenable*.

A la vérité, maintenant, est devenu visible dans la vision à travers l'être lui-même et à travers le temps lui-même, est devenu visible dans le regard portant au cœur du destinement d'être et au cœur de la porrection de l'espace libre du temps ce que dit « *Ereignis* ». Et pourtant parvenons-nous sur ce chemin à autre chose qu'à un vain poème d'idées? Dans l'arrière-pensée de ce soupçon parle l'opinion qui voudrait encore que l'*Ereignis* « soit » quelque chose d'étant. Cependant: l'*Ereignis* n'est pas plus qu'il n'*y a* l'*Ereignis*. Dire l'un comme l'autre signifie le renversement

* Au sujet de ce passage qui ne figurait pas dans la première version de la conférence « Temps et Être » publiée dans *L'Endurance de la pensée* (pour saluer Jean Beaufret, Paris, Plon, 1968), se reporter ci-après au texte « l'Art et l'Espace » (p. 269.) (*N.d.T.*)

qui fait prendre à contresens le tenant de la question, tout comme si nous voulions du fleuve faire dériver la source.

Que reste-t-il à dire? Rien que ceci: l'*Ereignis* — l'appropriement approprie. Ainsi, à partir du Même et en direction du Même nous disons le Même. D'après l'apparence, cela ne dit rien. Et cela ne dit effectivement rien, tant que nous entendons ce qui est dit comme une simple proposition, et que nous le livrons à l'interrogatoire de la logique. Mais qu'arrive-t-il quand nous reprenons ce qui est sans relâche, comme ancrage et appui pour la méditation, et considérons alors que ce Même n'est pas même quelque chose de neuf, mais le plus ancien de ce qui est ancien dans la pensée occidentale: l'archi-ancien qui s'héberge dans le nom de 'A-λήθεια. Depuis ce qui se dit d'avance par cet initial de tous les motifs directeurs de la pensée, c'est un lien qui parle — lien qui lie toute pensée, étant admis qu'elle se soumette à l'appel de ce qui est à penser.

Il valait la peine, dans la vision qui va à travers le temps véritable, de penser l'être jusqu'à ce qui lui est propre — à partir de l'*Ereignis* — sans égard pour le trait qui porte l'être jusqu'à l'étant.

Penser l'être sans l'étant, cela veut dire: penser l'être sans égard pour la métaphysique. Un tel égard règne encore dans l'intention de surmonter la métaphysique. C'est pourquoi il vaut la peine de renoncer au surmontement et de laisser la métaphysique à elle-même.

Si un surmontement demeure nécessaire, alors il regarde la pensée qui, en propre, s'engage dans l'*Ereignis* afin — depuis lui-même et en direction de lui-même — de *le* dire.

Il vaut la peine d'inlassablement surmonter les obstacles qui rendent facilement insuffisant un tel dire.

Un obstacle de ce genre demeure également le dire de l'*Ereignis* sur le mode d'une conférence. Elle n'a parlé qu'en énoncés de propositions.

Traduit par François Fédier.

NOTES DE TRADUCTION

1. *Anwesen*, au sens strict et littéral veut dire: *an-* dans un mouvement d'approche, *wesen* déployer son être. Remarquons que le latin *prae-s-entia* (à condition d'entendre *entia* verbalement comme un *wesen*) signifie rigoureusement *Anwesen*: « venir se déployer auprès ».

Toutefois, le mot de *présence* (non celui de présent!) s'étant restreint à la signification exclusivement temporelle-ontique, il a paru bon de souligner chaque fois par la traduction ce que la méditation de Heidegger entend dans ce mot. A défaut d'une traduction développée, on trouvera pour *Anwesen*: παρουσία ou bien même *présence* (en italiques).

L'une des difficultés particulières du texte provient de ce que l'allemand peut dire le *présent*: die Anwesenheit *et* die Gegenwart. La difficulté devient proprement spéculative lorsque Heidegger interprète *Gegenwart* à son tour méditativement comme « venir séjourner à notre rencontre ». Si enfin on prend à cœur que l'*Anwesen* ne peut être pensé à fond sans y penser le jeu de l'*Abwesen* (οὐσία — παρουσία — ἀπουσία), l'avertissement de Heidegger pourrait sonner sur un autre ton que rhétorique: « *Penser — je dis bien* penser, *et non pas simplement répéter des mots, et faire comme si l'Auslegung de l'être comme Anwesen se comprenait toute seule.* »

2. Dès la troisième ligne de la conférence *Die Onto-Theo-Logische Verfassung der Metaphysik*, Heidegger précise: « Sache, *d'après la détermination donnée, c'est le cas d'un litige, ce qui est ainsi en question...* »

Traduire *Sache*, ici, par « question », c'est faire référence à la mise en question véritable, celle qui met en cause un véritable *différend*, dans la mesure où c'est le différend lui-même qui ouvre l'espace pour la *question*; c'est également prendre ce mot dans son usage juridique, comme lorsqu'on parle en gros d'une « question », là où il s'agit d'un tout où il y a matière à débat. Inutile de préciser que *Frage* (traduit habituellement par « question ») est très loin de ce sens.

3. « Il y a » traduit « *Es gibt* ». On se rappellera que *geben* c'est le développement germanique de la racine indo-européenne *ghabh-*, qui a donné le latin *habere*. Toutes les fois donc où, dans la traduction, le *Es gibt* est développé en direction d'un *donner*, la traduction va un peu trop loin. Ce qu'il faudrait tenter, c'est d'entendre le *habere* latin en consonance avec le *geben* pour percevoir dans le « il y a » ce que veut dire « avoir » — et qui est sans doute plus proche de *tenir* que de *posséder*. Ainsi, dans la langue courante, on dit: « tenez! » lorsqu'on *donne*, faisant appel à ce qui transforme l'acte subjectif de donner en pure « donation » — qui est ainsi double abandon.

4. Il faut entendre ici *ab-s-ence* comme: « se déployer en éloignement » —

symétrique de l'*Anwesen*. Pour ce qu'ajoute aussitôt Heidegger, voir *Vom Wesen und Begriff der Physis*, *Wegmarken*, p. 366. *Questions II*, p. 267 *sqq*.

5. C'est ici que s'amorce le développement où Heidegger laisse expressément s'opposer d'abord *Anwesenheit* et *Gegenwart*, avant de « détruire » la notion de *Gegenwart* jusqu'à son sens ontologique : « venir séjourner à notre rencontre. » Il s'agit donc de suivre attentivement le texte pour mesurer l'opposition puis la consonance des deux manières de dire la *présence*.

6. Heidegger emploie ici à sa manière le verbe *angehen*. « Es geht mich an », « c'est moi que cela regarde » n'a en fait ce sens que parce que, plus secrètement, ce qui me regarde *vient à moi*. On retrouve l'entente accentuée du *an-* (le mouvement d'approche) que Heidegger avait déjà fait ressortir du verbe *anwesen*. Pour le traducteur, la difficulté consiste à toujours dire les deux à la fois : 1°) l'abord, l'approche, l'avancée — et 2°) que cet abord, cette approche et cette avancée est ce qui regarde (ce qui *concerne*, dit-on en romain) essentiellement celui vers qui a lieu l'approche.

7. Le verbe *reichen* n'a pas d'équivalent immédiat en français. Et pourtant la racine *rec* de *reichen* est la même que le latin *reg-*. *Rex*, c'est celui dont le pouvoir *s'étend* et se *tend*. *Reichen* veut dire la portée d'un geste où quelque chose est procuré. L'ancien français connaissait encore le verbe *porriger* (tendre, présenter) qui a exactement le sens de *reichen*. C'est pourquoi on s'est autorisé à traduire *das Reichen* par : la porrection.

8. Traduire *Gewesen* par « avoir-été » ne permet que partiellement de comprendre ce que dit Heidegger. *Gewesen*, comme *Ge-wesen*, c'est le rassemblement de toutes les modalités du *wesen* — rassemblement ayant lieu au « passé ». C'est pourquoi si l'on entend « avoir-été » comme *présence* (=approche) de la modalité d'être au « passé » ; si on l'entend comme *avoir l'« été »*, — on n'est finalement pas si loin du *Gewesen*.

9. L'espace libre du temps (Zeit-Raum) n'a rien à voir avec l'espace-temps des physiciens. Ce dernier est un paramètre, pour un calcul encore plus mathématique. Le *Zeit-Raum* de Heidegger, au contraire, c'est l'unité d'un état d'ouverture dans lequel aussi bien le temps et sa temporalisation ekstatique que l'espace et son espacement trouvent leur place. On pourrait presque traduire *Zeit-Raum* par « espacement du temps ». (Cf. *La fin de la philosophie et la tâche de la pensée*, p. 133.)

10. *Das Ereignis* : au sens courant, ce mot signifie l'événement, ce qui arrive. Heidegger l'entend comme : *er*-eignis — ce qui amène jusqu'à être proprement (eigen) sa propriété. *Ereignen*, c'est « laisser advenir jusqu'à soi », et dans ce sens « faire *advenir* à soi ». Si l'on entend événement comme avènement, alors on est déjà plus près de ce qu'entend ici Heidegger. Mais il faut encore remarquer ceci : *Ereignis*, ainsi entendu, exclut tout pluriel ; l'*Ereignis* est ce qui laisse advenir proprement jusqu'à soi. D'où l'étrange phrase : « *Que reste-t-il à dire ? Rien que ceci : das Ereignis ereignet.* »

11. *Vereignung*, c'est l'« action » de *vereignen*, *i.e.* de laisser appartenir en retour dans l'*Ereignis*. Ce qui a été approprié (*das Ereignete*) doit son appropriation à l'*Ereignis*. Ainsi est-il rapproprié à l'*Ereignis*.

PROTOCOLE D'UN SÉMINAIRE SUR LA CONFÉRENCE « TEMPS ET ÊTRE »

« C'est à Alfredo Guzzoni que l'on doit le protocole du séminaire sur la conférence "Temps et Être". J'ai moi-même revu le texte et l'ai complété à certains endroits. Le séminaire eut lieu à Todtnauberg (Forêt-Noire) du 11 au 13 septembre 1962 et se déroula en six séances. La publication du protocole répond à l'intention de rendre clair et d'approfondir ce qui, dans le texte de la conférence, est digne de question » (Indication de Heidegger à la fin de Zur Sache des Denkens, *p. 91-92).*

Comme introduction furent données quelques indications, afin de permettre une meilleure compréhension de la conférence et par là de préparer et donner dans ses grandes lignes le propos du séminaire. En donnant ces indications, on évoque déjà les questions et les thèmes qui furent expressément articulés dans les séances suivantes ou qui déterminèrent de façon sous-jacente le cours du séminaire.

Ce séminaire représentait une tentative d'aborder le caractère propre de ce qui vient à la parole dans la conférence. Il se différencie fondamentalement des travaux de séminaire effectués par Heidegger au cours de son activité d'enseignant — cette différence, pour ne dire les choses que de l'extérieur, s'annonce déjà en ce que ce n'est pas un texte de la métaphysique qui a été choisi pour base, mais un texte de Heidegger lui-même. Dans la tentative de traiter le dit de la conférence, apparut un risque encore plus grand que le risque qu'était la conférence elle-même. Ce risque réside en ce qu'elle formule en propositions quelque chose à quoi est essentiellement inappropriée cette manière de dire[1]. Au demeurant il faut être attentif à ceci : il ne s'agit pas de simples propositions, mais d'un répondre préparé par un questionner, répondre qui tente de correspondre à la teneur de la « question ». En tout cela — proposition, questionner, répondre — c'est l'épreuve de la « question » elle-même qui est présupposée.

La tentative du séminaire était donc double : d'une part il voulait indiquer, en faisant signe vers elle, une « question » qui par elle-même se refuse au dire de la communication ; d'autre part il devait tenter, à partir d'une expérience, de préparer les participants à faire en propre l'épreuve du dit, l'épreuve de quelque chose qui ne peut ouvertement être porté à la lumière. C'est donc la tentative de parler de quelque chose que la mesure de la connaissance ni non plus celle d'un questionnement ne saurait rendre accessible, mais dont on doit bien plutôt faire l'épreuve — tentative visant à préparer cette épreuve —, qui constituait essentiellement le risque-pris du séminaire.

Le dessein du séminaire se détermina dans le sens suivant : il devait s'agir de porter au regard la conférence en son ensemble, son intention fondamentale ainsi que le rapport de la conférence à la pensée de Heidegger en général. En outre se présentait la tâche de se rendre claire la situation de la philosophie à notre époque ; à une époque donc où la pensée de Heidegger ek-siste, à une époque par ailleurs qui peut être caractérisée par la disparition de la philosophie. Cette disparition se montre sous de nombreux visages. Pour autant que l'on comprenne sous le mot de philosophie la métaphysique, ce qui signale cette disparition, c'est que la « question » de la pensée n'est plus celle que se pose la métaphysique — celle à laquelle il est à présumer que la métaphysique elle-même s'en tient. Nous avons déjà sous les yeux ce qui apparaît comme figures de substitution de la philosophie, les possibilités qu'elle-même se donne de s'éluder : d'une part l'interprétation pure et simple des textes de la tradition philosophique, d'autre part le refoulement de la philosophie dans le logique (logistique), dans la psychologie et la sociologie, bref dans l'anthropologie.

Dans ce séminaire devaient être supposées la connaissance et l'expérience de l'histoire de la métaphysique, dans la mesure où l'on ne pouvait se rapporter expressément aux relations historiales entre penseurs ni à des positions métaphysiques particulières. La seule exception fut Hegel, que l'on aborda en propre, et ceci à cause de ce singulier état de choses qui veut que la pensée de Heidegger soit sans cesse et des manières les plus diverses comparée à la pensée de Hegel. Hegel, quant au fond de la « question », a beau être d'une certaine façon à plus grande distance de la proximité de Heidegger que toute autre position métaphysique, néanmoins l'apparence d'une mêmeté et par conséquent la possibilité de comparer les deux positions viennent presque inévitablement à l'esprit. Dans quelle mesure ? Que signifie le passage à l'être (en tant que concept) de l'être (en tant qu'objet) dans son déploiement spéculatif ? Comment « être » se maintient-il ici comme présence ? Pourquoi la « pensée » lui correspond-elle comme dialectique spéculative ? Ainsi lorsque l'on considère rétrospectivement l'explicitation hégélienne de l'être pour clarifier le propre chemin de Heidegger et pour comprendre cette pensée, il est nécessaire de marquer ses distances vis-à-vis de Hegel, en ne se contentant pas de rejeter la ressemblance mais en cherchant à éclaircir ce qui fonde cette apparence.

Après ces remarques préliminaires — sur la particularité du séminaire, son propos et la connaissance qu'il suppose de la métaphysique — la conférence elle-même fut abordée.

En caractérisant son cours, on peut rendre manifeste sa place dans l'ensemble des efforts de Heidegger.

La conférence intitulée « Temps et Être » questionne tout d'abord sur ce qui est le propre de l'être, puis sur ce qui est le propre du temps. Il se révèle là que être aussi bien que temps *ne sont pas*. C'est dans cette mesure-là seule que le pas peut être gagné en direction du *Il y a (Es gibt)*. Le Il y a *(Es gibt)* est d'abord commenté en perspective du donner *(das Geben)*, puis en perspective du Il *(Es)* qu'il y a, qui donne. Ce Il est interprété comme l'avènement *(das Ereignis)*. Plus brièvement: la conférence va de *Être et Temps*, par-delà ce qui fait le propre de « Temps et Être », au Il *(Es)*, qu'il y a, qui donne, et depuis lui à l'avènement.

Avec toute la prudence de mise, on pourrait dire que la conférence répète le mouvement de la pensée de Heidegger depuis *Être et Temps* et sa mue en un dire ultérieur, celui de l'avènement. Qu'est-ce qui a lieu dans ce mouvement? Quelle est la figure de la mutation du questionner et du répondre, qui a lieu dans la pensée de Heidegger?

Être et Temps tente une interprétation de l'être axée sur l'horizon transcendantal du temps. Que signifie ici « transcendantal »? Non pas l'objectivité d'un objet de l'expérience comme constitué dans la conscience, mais — vu à partir de la clairière de l'être-le-là » — le lieu où s'esquisse la détermination de l'être, c'est-à-dire de la présence comme telle. Dans la conférence « Temps et Être » le sens du temps jusqu'alors impensé, reposant dans l'être comme présence, est repris dans l'abri d'un rapport plus originel. Il peut y avoir ici facilement mésentente quand on parle d'un « plus originel ». Mais même si nous laissons provisoirement indéterminée la manière dont doit être compris « plus originel », c'est-à-dire comment il n'y a là rien à « comprendre », il n'en reste pas moins à coup sûr que la pensée — et ce aussi bien dans la conférence elle-même que dans le chemin de Heidegger dans son ensemble — a le caractère d'une marche qui revient sur ses pas. C'est le pas qui rétrocède. Il reste à prendre garde à la plurivocité de cette locution: il est nécessaire d'expliquer vers où et comment s'accomplit la rétrocession.

Mais ensuite se pose la question: est-ce que (et comment) cette « marche qui revient sur ses pas » et qui constitue le style de mouvement de cette pensée, est liée à ce que ce n'est pas seulement en tant que destiner mais bien plutôt en tant qu'avènement que l'avènement est le retrait?

Le caractère de retrait apparaît-il déjà dans la problématique de *Être et Temps*? Pour voir cela il faut pénétrer dans la simplicité du propos de cette œuvre, et en particulier dans la signification qu'a le temps dans la question du sens de l'être. Le temps, tel qu'il est défini dans *Être et Temps* comme le sens de l'être, n'est là ni une réponse ni une dernière étape pour le questionnement, mais lui-même le nom d'une question. Le nom « temps » est le prénom de ce qui plus tard s'appellera la « prise en garde de l'être » *(die Wahrheit des Seins).*

L'interprétation du temps vise d'abord le caractère de saisonnement du temps qui est la temporalité de l'être-le-là, de l'ek-statique, qui, sans que la teneur de cette « question » soit expressément nommée dans la partie publiée de *Être et Temps* (cf. *Être et Temps*, § 28), fait déjà signe vers la prise en garde *(Wahrheit)*, la clairière *(Lichtung)*, l'ouvert sans retrait de l'être comme être. Par conséquent dès *Être et Temps* — bien que l'interprétation du temps y soit limitée à la temporalité de l'être-le-là et qu'il ne soit pas question du caractère temporel de l'être (tandis que dans la conférence « Temps et Être » au contraire le rôle de l'être de l'homme quant à la clairière de l'être reste intentionnellement réservé) — le temps a été d'emblée arraché à la compréhension courante, de par le renvoi à l'ἀλήθεια et à la présence, et a ainsi acquis un sens nouveau.

Par conséquent, aussi bien dans « Temps et Être » où cela est expressément et pleinement vu que dans *Être et Temps* où cela repose plutôt dans le mouvement et dans une visée inexprimée, il s'agit d'éviter le caractère limité que pourrait avoir ce que l'on intitule « temps » et qu'il a tout d'abord effectivement. Temps est dès *Être et Temps* pensé en rapport à l'ἀλήθεια (l'ouvert sans retrait) et à partir de l'οὐσία grecque (présence).

S'il en est ainsi du temps, tel qu'il est abordé comme l'horizon transcendantal de l'être, comment se laisse alors caractériser l'expérience fondamentale qui préside à l'essor de *Être et Temps*? Se laisse-t-il déjà déceler en elle un caractère de retrait? L'expérience qui tente pour la première fois de se dire dans *Être et Temps*, et qui est obligée, en posant la question du transcendantal, de parler encore d'une certaine façon la langue de la métaphysique, est la suivante: sans doute dans la métaphysique en son ensemble l'être de l'étant a été pensé et porté au concept, et la vérité de l'étant a été rendue visible; mais dans toutes les manifestations de l'être, sa prise en garde en tant que telle n'est jamais parvenue au langage, est toujours restée oubliée. Aussi l'expérience fondamentale de *Être et Temps* est-elle celle de l'oubli de l'être. Mais oubli veut dire ici au sens grec: retrait et se retirer.

L'oubli de l'être, qui se présente comme un non-penser à

la prise en garde de l'être, peut être facilement interprété, et ainsi mal compris, comme une négligence de la pensée jusqu'à nos jours, peut être en tout cas interprété comme quelque chose que clôt la question (expressément prise en charge et pleinement vue) du sens de l'être, c'est-à-dire de la prise en garde. La pensée de Heidegger pourrait être comprise — et *Être et Temps* le laisse encore croire aisément — comme la préparation et l'ouverture du fondement sur lequel reposait toute la métaphysique comme sur le fond qui lui était à elle-même inaccessible, comme si une telle pensée supprimait et faisait disparaître l'oubli de l'être qui régnait jusqu'à présent. Là, pour une juste compréhension, il convient de voir que ce que l'on a nommé le non-penser qui régnait jusqu'à nos jours n'est pas une négligence, mais est à penser au contraire comme la conséquence du retrait de l'être lui-même. Un tel retrait appartient à la clairière de l'être comme privation de celle-ci. L'oubli de l'être, qui constitue l'essence de la métaphysique, et qui donna son impulsion à *Être et Temps*, appartient à l'essence de l'être lui-même. Ainsi s'impose à une pensée de l'être la tâche de penser l'être de façon telle que le retrait lui appartienne essentiellement.

La pensée qui commence avec *Être et Temps* est donc l'éveil hors de l'oubli de l'être — en quoi l'éveil est à comprendre comme un se-souvenir de quelque chose qui n'a jamais été pensé ; mais cette pensée, en tant qu'elle est cet éveil, n'est pas l'escamotage de l'oubli de l'être : elle est au contraire un s'installer et un se-tenir debout dans cet oubli. Ainsi s'éveiller hors de l'oubli de l'être pour un tel oubli est s'éveiller pour l'avènement. C'est dans la pensée de l'être lui-même, dans celle de l'avènement, que peut seulement être faite l'épreuve de l'oubli de l'être comme tel.

Cette pensée fut caractérisée à plusieurs reprises comme

« pas qui rétrocède ». On comprend tout d'abord ce pas comme un « rétrocédant de » et un « rétrocédant en direction de ». Par conséquent la pensée de Heidegger serait le mouvement rétrocédant de l'ouverture de l'étant en direction de l'ouverture comme telle, qui reste en retrait dans l'ouvert de l'étant. C'est pourtant autre chose encore qui est pensé dans ce que l'on intitule « pas qui rétrocède ». Le pas qui rétrocède se retire devant, prend ses distances par rapport à ce qui d'abord veut bien approcher. La prise de distance est un é-loignement *(Ent-Fernung)*, la libération de l'approche de ce qui est à penser.

Dans le pas qui rétrocède, c'est l'ouverture comme telle qui apparaît comme ce qui est à penser. Mais vers où apparaît-elle ? C'est-à-dire : si cela est pensé à partir du pas qui rétrocède, vers où celui-ci nous guide-t-il ? Ce « vers où » ne se laisse pas déterminer. Il ne peut se déterminer que dans l'accomplissement du pas qui rétrocède, c'est-à-dire qu'il ne peut survenir qu'à partir de sa correspondance à ce qui vient à l'apparaître dans le pas qui rétrocède.

Il se révéla une difficulté fondamentale quant à l'indétermination de ce « vers où ». Cette indétermination ne subsiste-t-elle que pour la connaissance, de telle sorte que le lieu de l'apparaître est bien déterminé en soi, tout en restant en retrait pour la connaissance ? Ou bien alors : cette indétermination ne subsiste pas simplement pour la connaissance, mais elle est une indétermination du mode d'être du « vers où » lui-même ; alors se pose la question : comment peut être pensé un tel indéterminé, s'il n'est pas uniquement à comprendre à partir de l'indigence de notre connaissance ?

Autant qu'il a pu être expliqué, l'on pourrait dire ceci — en dépit de l'inadéquation de ces expressions : le « Que » *(Dass)* du lieu « vers où » est fermement établi, mais c'est le « Comment » *(Wie)* de ce lieu qui reste encore en retrait pour la connaissance, et il faut que demeure en suspens si le « Comment », le mode d'être du lieu est déjà fermement établi (sans être encore cependant susceptible d'une connaissance), ou s'il ne survient lui-même que dans l'accomplissement du pas qui rétrocède, dans ce qui a été nommé l'éveil pour l'avènement.

A nouveau fut tentée une caractérisation de l'intention fondamentale et du mouvement de la conférence, ce qui amenait à réfléchir une nouvelle fois sur *Être et Temps*.

Selon le mode de penser de la métaphysique, l'ensemble du chemin de la conférence, et par là la détermination de l'être à partir de l'avènement, pourrait être interprété comme retour au fondement, à l'origine. Le rapport d'avènement à être serait alors le rapport de l'*a priori* à l'*a posteriori*, où il ne faut pas seulement entendre dans « a priori » l'*a priori* de la connaissance et pour la connaissance, tel qu'il a prévalu dans la philosophie des Temps modernes. Il s'agissait donc d'un rapport de fondation, qui d'un point de vue hégélien se laisserait déterminer plus précisément comme reprise et dépassement *(Aufhebung)* de l'être dans l'avènement.

Cette interprétation venait facilement à l'esprit en raison du titre d'« ontologie fondamentale » utilisé pour caractériser l'intention et la démarche de *Être et Temps* — titre qui fut bientôt abandonné et avec raison pour s'opposer à cette mésinterprétation. Ce qu'il y a de décisif et qui doit retenir l'attention, c'est le rapport de l'ontologie fondamentale à la question sur le sens de l'être, unique question préparée dans *Être et Temps*. D'après *Être et Temps* l'ontologie fondamentale est l'analytique ontologique de l'être-le-là. « C'est pourquoi l'*ontologie fondamentale*, la seule d'où peuvent naître toutes les autres, doit être cherchée dans l'*analytique existentiale* de l'être-le-là » (*Être et Temps*, p. 13). D'après cela, on croirait que l'ontologie fondamentale est le fondement de l'ontologie qui ferait encore défaut mais qui serait à construire sur celle-là. Or si, l'essentiel étant la question du sens de l'être, le sens n'est qu'esquissé et si l'esquisse survient dans le comprendre et comme comprendre, si la compréhension de l'être constitue le trait fondamental de l'être-le-là, alors l'élaboration de l'horizon de compréhension de l'être-le-là est la condition de toute élaboration de l'ontologie, qui, comme on pourrait le croire, ne peut être édifiée que sur l'ontologie fondamentale de l'être-le-là. Ainsi le rapport de l'ontologie fondamentale à l'ouverture de l'éclaircie du sens de l'être à laquelle on parvient, serait à peu près analogue au rapport qui existe entre théologie fondamentale et systématique théologique.

Mais il n'en est pas ainsi : reconnaissons cependant que *Être et Temps* lui-même ne pose pas encore la question de façon pleinement claire. *Être et Temps* est bien plutôt en chemin, par-delà la temporalité de l'être-le-là, vers l'interprétation de l'être comme temporalité ; *Être et Temps* est donc en passe de trouver un concept (ou un sens) du temps, le propre du « temps », d'où « être » pro-vient comme présence. Mais il est dit par là que le fondamental pensé dans l'ontologie fondamentale ne supporte aucun construire-sur. Au lieu de cela, une fois éclairci le sens de l'être, toute l'analytique de l'être-le-là devrait être répétée de façon plus originelle et d'une tout autre manière.

C'est donc parce que le fondement de l'ontologie fondamentale n'est pas un fondement sur lequel il puisse y avoir un construire, c'est parce qu'il n'est pas un *fundamentum inconcussum* mais bien plutôt un *fundamentum concussum*, c'est donc parce que le mot « fondement » contredit le caractère provisoire de l'analytique, bien que la reprise de l'analytique de l'être-le-là appartienne déjà à l'élan de *Être et Temps*, que le titre « ontologie fondamentale » fut abandonné.

A la fin de la première séance furent discutés certains passages du texte dont la compréhension n'est pas aisée et pourtant indispensable à l'entente de la conférence.

A la fin de l'introduction de la conférence (p. 13), le paragraphe « Il s'agit… se nommait être », présente quelques difficultés.

Tout d'abord il y a dans la phrase « La tentative de penser l'être sans l'étant devient une nécessité, parce que sans cela, à ce qu'il me paraît, il n'y a plus aucune possibilité de porter en propre au regard l'être de ce qui *est* aujourd'hui tout autour du globe terrestre » une énorme contradiction. La nécessité et la possibilité de cette contradiction ne furent pas approfondies ; il fut simplement indiqué qu'elle était en relation avec l'ambivalence du *Ge-stell*, dont il est question dans l'expression « l'être de ce qui *est* aujourd'hui ». Le *Ge-stell* en tant que la pré-apparition de l'avènement est aussi ce qui rend nécessaire cette tentative. Ce n'est donc pas — comme on pourrait le tirer du texte au premier abord — la nécessité de comprendre l'aujourd'hui qui motive en propre la tentative.

Fut ensuite posée la question : l'expression « l'être de ce qui est aujourd'hui tout autour du *globe terrestre* » ne signifie-t-elle pas une limitation du problème universel de l'être à cette petite planète qui n'est qu'un minuscule grain de sable, la terre ? Cette limitation ne provient-elle pas d'une curiosité anthropologique ? Cette question ne fut pas poussée plus loin. Comment le *Ge-stell*, qui constitue l'essence de la technique moderne, l'essence de quelque chose qui, pour autant que nous sachions, ne se produit que sur la terre, peut être un nom de l'être universel : cela ne fut pas éclairci.

Puis c'est la formule « *penser l'être sans l'étant* » qui fut commentée. Elle est — de même que l'expression utilisée à la page 48 : « sans égard pour le trait qui porte l'être jusqu'à l'étant » — une formulation raccourcie pour: « penser l'être sans égard à une fondation de l'être à partir de l'étant ». « Penser l'être sans l'étant » ne signifie donc pas que le rapport à l'étant serait inessentiel à l'être et qu'il faudrait ne pas tenir compte de ce rapport; l'expression signifie bien plutôt que être est à penser autrement qu'à la manière dont le pense la métaphysique. Dans la fondation de l'être à partir de l'étant, ce n'est pas uniquement (même si c'est essentiellement) le moment théologique de la métaphysique qui est en cause, c'est-à-dire le fait que le *summum ens* comme *causa sui* constitue la fondation de tout étant comme tel (cf. ce qu'on appelle les vingt-quatre thèses métaphysiques de Leibniz dans *Nietzsche*, t. II, p. 454 sq. ; trad. fr., Paris, Gallimard, 1971, p. 363). C'est avant tout à la forme métaphysique qu'est la différence ontologique que l'on pense, selon laquelle l'être est pensé et conçu à dessein de l'étant et se tient, sans préjudice de son être-au-fond, sous la domination de l'étant.

Les premières phrases de la conférence — après l'introduction — présentaient également certaines difficultés.

D'abord il est dit sans détour: « être, depuis le matin de la pensée européenne occidentale et jusqu'à aujourd'hui veut dire le même que présence *(Anwesen)*. » Qu'en est-il de cette proposition? Être dit-il au bout du compte ou en tout cas autant que présence? Et cette détermination est-elle à ce point préséante que les autres déterminations de l'être peuvent être omises? Est-ce que la détermination de l'être comme présence — détermination qui n'apparaît que dans la conférence — ne provient que de l'intention de la conférence qui tente de penser être et temps en correspondance? Ou bien la présence a-t-elle dans l'ensemble des déterminations de l'être une préséance inhérente à la « question » et qui est indépendante de l'intention de la conférence? Qu'en est-il avant tout de la détermination de l'être comme principe *(Grund)*?

Présence, présenteté règne et parle dans tous les concepts métaphysiques de l'être, dans toutes les déterminations de l'être. Même le fond comme ce qui est déjà là, comme ce qui repose au fond, conduit, considéré en lui-même, au repos, au durer, au temps, à la présenteté. Ce n'est pas seulement dans les déterminations grecques de l'être, mais aussi, par exemple, dans la position kantienne et dans la dialectique hégélienne en tant que mouvement *thèse*, anti*thèse*, syn*thèse* (donc ici aussi position) que parle la présenteté, que s'annonce un primat de la présence (cf. *Nietzsche*, II, p. 399 sq., trad., p. 319 sq., ultérieurement: *Wegmarken*, 1967, p. 273 sq., trad. *Questions II*, p. 69, sq., la thèse de Kant sur l'être).

Il ressort de ces indications allusives un primat de la présence, déterminante dans toutes les figures de l'être. Quelle est la manière de cette détermination, quel est le sens du primat de la présence qui s'annonce: ceci demeure encore impensé. Le primat de la présence reste donc dans la conférence « Temps et Être » une affirmation, mais en tant que telle c'est une *question* et une tâche de la pensée, celle précisément de penser si, d'où, et dans quelle mesure se maintient le primat de la présence.

La première partie de la conférence se poursuit donc ainsi selon la phrase déjà citée: « A partir de la présence *(Anwesen)* parle la présenteté *(Gegenwart)*. » Plusieurs sens sont possibles: d'un côté l'on peut comprendre ainsi: la présence *(Anwesen)* en tant que « présence » *(Präsenz)* est réservée à la pensée de qui perçoit, à sa *representatio*. Présenteté *(Gegenwart)* serait alors une *détermination dérivée* de présence *(Anwesen)* et nommerait la relation de la présence à l'homme percevant. D'un autre côté il est possible de comprendre autrement: à savoir que, d'une façon très générale, à partir de la présence parle le temps, en quoi reste encore en suspens comment et en quelle guise.

« Être est déterminé comme présence par le temps. » C'est ce second sens qui est pensé dans la conférence. Cependant la plurivocité et la difficulté de l'exposition du problème — le fait qu'il ne s'agisse pas dans les premières phrases de procéder à une conclusion, mais bien plutôt d'une première approche du domaine thématique — conduisent très facilement à des malentendus, dont la suppression n'est possible qu'au prix d'un regard constamment fixé sur la thématique de la conférence en son ensemble.

Au début de la deuxième séance, quelques remarques furent ajoutées aux remarques générales sur lesquelles s'ouvrit le séminaire.

a) Que la relation être-penser appartient à la question de l'être.

Bien que la relation être et penser — ou être et homme — n'ait pas été expressément explicitée dans la conférence, il faut affirmer qu'elle appartient par essence à la question de l'être dans chacun de ses pas. Il y a là un double rôle de la pensée auquel il faut prêter attention. La pensée qui par essence appartient à l'ouverteté* *(die Offenbarkeit)* de l'être, est d'abord la pensée que l'on considère comme la marque distinctive de l'homme. Du point de vue de *Être et Temps*, elle peut être nommée la pensée qui *comprend*. D'un autre côté la pensée est la pensée qui interprète, donc la pensée qui pense le rapport de être et penser et la question de l'être.

En cela reste à penser si la pensée au premier sens a la possibilité de préfigurer, en son propre, la pensée qui interprète, donc la manière dont la pensée « philosophique » appartient à la question de l'être. Reste posée la question : l'interprétation peut-elle être ce qui caractérise la pensée, lorsqu'il s'agit de prendre vraiment en charge la question de l'être. L'important est donc que la pensée

* Nous nous permettons ce néologisme *(N.d.T.)*

s'affranchisse et se tienne disponible pour ce qui est à penser, afin qu'elle en reçoive sa détermination.

b) Le caractère précurseur.

La pensée qui s'engage dans l'avènement en reçoit avant tout sa détermination — ce qui apparaissait déjà lors de l'explicitation du pas qui rétrocède : à ceci est très étroitement associé un second caractère de la pensée, qui est lui aussi décisif pour l'accomplissement de la question de l'être. Ce caractère est le *caractère précurseur.* Au-delà de la signification première selon laquelle cette pensée n'est toujours que préparatoire, ce caractère a un sens plus profond : cette pensée chaque fois prend les devants — et ce à la manière du pas qui rétrocède. Mettre l'accent sur son caractère précurseur ne procède donc pas du jeu d'une quelconque modestie ; cela a un sens rigoureux, conforme à la « question », sens qui est étroitement lié à la finitude de la pensée et de ce qui est à penser. Plus est conforme à la « question » l'accomplissement du pas qui rétrocède, et plus lui correspond le dire avant-coureur.

c) Les différents chemins menant à l'avènement.

De l'avènement il est déjà question dans des écrits antérieurs :

1° Dans la *Lettre sur l'humanisme*, où il est déjà parlé de l'avènement dans un sens dont on a conscience qu'il est encore cependant ambivalent.

2° Il est question de façon nette de l'avènement dans les quatre conférences qui furent prononcées en 1949 et rassemblées sous le titre : « Regard dans ce qui est. » Ces quatre conférences dont seules la première et la dernière ont été publiées, s'intitulent : « La Chose », « Le Gestell », « Le Danger », « Le Tournant » (*Essais et Conférences*, 1954, p. 163 sq., « La Chose »).

3° Dans la conférence sur la technique, qui n'est pas simplement une autre version de la conférence « Le Gestell », que l'on vient de citer (*Essais et Conférences*, p. 13 sq., « La Question de la technique »; ultérieurement: Opuscula I, « La Technique et le tournant », 1962).

4° Et surtout de la manière la plus nette dans la conférence sur l'identité (*Identité et Différence*, 1957, p. 11 sq., trad. *Questions I*, p. 270 sq.).

Le rappel de ces textes avait pour but de donner à méditer sur la diversité et l'appartenance réciproque des chemins indiqués jusqu'ici qui mènent à l'avènement.

Puis ce fut le passage critique, page 18, d'importance pour la marche et l'avancée du séminaire, qui fut l'objet de réflexions approfondies. Il s'agit des deux paragraphes:

« Être, par quoi... », jusqu'à « ... c'est-à-dire il y a être ».

Ce fut d'abord le mot « signé » *(gezeichnet)* (« être, par lequel tout étant est signé comme tel ») qui fut expliqué: le mot avait été choisi avec beaucoup de prudence pour nommer en quoi l'étant est touché par l'être. Signer *(Zeichnen)* — apparenté à signaler, montrer *(Zeigen)* — fait allusion au contour, au profil, pour ainsi dire au *quid* de sa tournure, qui sont appropriés à l'étant comme tel. L'être est en ce qui concerne l'étant ce qui précisément montre, rend visible, sans se montrer soi-même.

Le paragraphe qui fait question continue ainsi: « Pensée en direction du présent *(das Anwesende)*, la présence *(Anwesen)* se montre comme laisser advenir *(Anwesenlassen)* le présent à la présence. »

« Mais maintenant il s'agit de penser en propre ce laisser advenir à la présence, la mesure dans laquelle présence est laissée à l'advenir. »

Le point délicat est le « mais maintenant » qui sépare de façon tranchée ce qui suit de ce qui précède et signale l'introduction d'une idée nouvelle.

A quelle distinction invite le « mais maintenant » dans la

séparation qu'il opère ? Une distinction est à entendre dans le laisser advenir à la présence, et avant tout dans le *laisser advenir (Lassen)*. Les deux sens à distinguer sont :

1. Laisser advenir à la présence : laisser advenir à la *présence* : le présent.

2. Laisser advenir à la présence : *laisser advenir à* la présence (c'est-à-dire pensé en direction de l'avènement).

Dans le premier cas, la présence, en tant que laisser advenir à la présence se rapporte à l'étant, au présent. Il est donc pensé ici à la différence être-étant et à leur rapport, qui constitue le fond de la métaphysique. Laisser (advenir) signifie ici à partir du sens premier du mot : laisser aller, laisser libre, laisser partir, laisser partir au loin, c'est-à-dire donner libre cours dans l'*Ouvert*. C'est par là seulement que le présent laissé à l'advenir par le laisser advenir est admis comme un présent pour soi dans l'ouvert de ce qui lui est co-présent. Demeure ici non-dit et digne de question le d'où et le comment il y a l'« ouvert ».

Mais si le laisser advenir à la présence est maintenant pensé en propre, alors ce n'est plus le présent qui est touché par ce laisser advenir, mais la présence elle-même. Par conséquent le mot pourra aussi être par la suite écrit de cette façon : le-laisser-advenir-à-la-présence *(das Anwesen-Lassen)*. Laisser (advenir) signifie alors : laisser venir, donner, offrir, destiner, *laisser* appartenir. La présence est laissée, dans et par ce laisser, à advenir vers là où elle appartient.

L'ambivalence déterminante réside donc dans le laisser et par là aussi dans la présence. Les deux sens que le « mais maintenant » a opposés ne sont pas sans être en relation : c'est ce rapport qui fait difficulté. En s'exprimant de façon purement formelle : il existe entre les termes de l'opposition un rapport de détermination. *Ce n'est que dans la mesure où il y a le laisser advenir de la présence qu'est possible le laisser advenir du présent à la présence.* Mais comment ce rapport est à penser en propre, comment l'opposition énoncée est à déterminer à partir de l'avènement, voilà qui ne fut qu'indiqué. La difficulté majeure réside en ce qu'il est nécessaire que ce soit à partir de l'avènement que soit confiée à la pensée la différence ontologique. C'est à partir de l'avènement que ce rapport se montre désormais comme le rapport du monde et de la chose, rapport qui pourrait d'abord être conçu d'une certaine manière comme le rapport de l'être et de l'étant ; mais dans ce cas sa caractéristique propre est alors perdue.

La troisième séance, le second jour, débuta par quelques indications. La difficulté qu'il y a à entendre et à lire la conférence va de pair, d'une manière caractéristique, avec la simplicité de la « question » dont il s'agit là. Ce qui importe avant tout, c'est donc de parvenir à la simplicité du regard.

L'expression « question » *(Sache)*, « question de la pensée » *(Sache des Denkens)*, qui apparaît à plusieurs reprises au cours de la conférence, signifie, en partant de la signification ancienne (« question » *(Sache)* = cas juridique, dispute juridique), le cas disputé, le différend, ce dont il s'agit. Qu'ainsi pour la pensée encore non déterminée, la « question » soit ce qui est à penser et ce qui donne à la pensée sa détermination.

Sur le caractère précurseur de la pensée de Heidegger, sujet souvent abordé, on pourrait avec toute la prudence requise et les précautions nécessaires transposer ce que Hölderlin écrit dans une lettre à Böhlendorff (automne 1802) :

« Mon cher ami, je pense que nous ne commenterons pas les poètes qui ont vécu jusqu'à nous, mais que c'est plutôt la poésie en général qui prendra un autre caractère... »

Les explicitations de cette séance eurent trait avant tout à l'expression « Il y a » *(Es gibt)* qui est ce qui porte le mouvement de la conférence de façon décisive. On tenta d'éclaircir l'usage qu'en fait la langue courante.

La manière dont apparaît le « Il y a » dans l'usage de la langue courante montre déjà et encore une richesse de références derrière le sens théorétique général et délaissé (obsolète) de la pure et simple existence, du simple événement. Si l'on dit par exemple : dans le ruisseau il y a des truites, ce n'est pas le pur et simple « être » des truites qui est affirmé, avant tout et en même temps, cette phrase est une manière de distinguer le ruisseau. Il est caractérisé comme ruisseau à truites, donc comme un ruisseau particulier, à savoir comme un ruisseau où l'on peut pêcher. Immédiatement, dans l'emploi du « Il y a » *(Es gibt)*, réside déjà le rapport à l'homme.

Ce rapport est ordinairement l'être disponible, le rapport à une appropriation possible de la part de l'homme. Ce qu'il y a n'est pas purement et simplement existant ; bien plutôt il s'adresse à et concerne l'homme. En raison du rapport à l'homme qui y vibre, le « Il y a » nomme, dans l'usage immédiat de la langue, l'être, plus nettement que le pur et simple « être », le « est ». Qu'en revanche aussi le « est » n'a pas toujours et seulement le sens théorétique général et obsolète de la constatation d'une pure existence, cela apparaît bien dans la langue poétique. Trakl dit :

Il est une lumière que le vent a éteinte.
Il est une auberge sur la lande, qu'après midi un homme ivre délaisse.
Il est une vigne, brûlée et noircie, avec des cabanes pleines d'araignées.
Il est une pièce qu'ils ont blanchie avec du lait.

Ces vers se trouvent dans la première strophe du poème *Psaume*. Dans un autre poème intitulé *De profundis* qui appartient au même cycle que le poème cité, Trakl dit :

Il est un champ de chaume dans lequel tombe une pluie noire.
Il est un arbre brun qui s'y tient solitaire.
Il est un vent qui vole en sifflant autour de huttes vides.
Qu'il est triste ce soir.
...
...
Il est une lumière qui dans ma bouche s'éteint.

Et Rimbaud dit, dans un passage extrait des *Illuminations*:

Au bois il y a un oiseau, son chant vous arrête et vous fait rougir.
Il y a une horloge qui ne sonne pas.
Il y a une fondrière avec un nid de bêtes blanches.
Il y a une cathédrale qui descend et un lac qui monte.
Il y a une petite voiture abandonnée dans le taillis, ou qui descend le sentier en courant, enrubannée.
Il y a une troupe de petits comédiens en costumes, aperçus sur la route à travers la lisière du bois.
Il y a enfin, quand l'on a faim et soif, quelqu'un qui vous chasse.

Le français « Il y a » (cf. la tournure idiomatique propre à l'allemand du sud: *Es hat*) correspond à l'allemand *Es gibt*, mais a une plus grande extension. La traduction parfaitement conforme du « Il y a » de Rimbaud serait en allemand le *Es ist* (« Il est ») ; d'ailleurs on peut supposer que Trakl connaissait ce poème de Rimbaud.

Ce qu'est à la langue poétique le « Il est » *(Es ist)* qui est également employé par Rilke et Benn, fut à peu près éclairci. D'abord l'on peut dire ceci: pas plus que le « Il y a » *(Es gibt)*, il n'établit l'existence de quelque chose. Cependant, à la différence du « Il y a » courant, il ne nomme pas l'être disponible de ce qu'il y a, mais il désigne précisément cela comme indisponible, il désigne ce qui s'approche comme un inquiétant, le démonique. Ainsi dans le « Il est » *(Es ist)* est inclus le rapport à l'homme et ceci de manière bien plus aiguë que dans le « Il y a » courant.

Ce que dit ce « Il est » *(Es ist)* ne peut être pensé qu'à partir de l'avènement. On le laissa donc en suspens, de même que le rapport entre le « Il est » *(Es ist)* de la poésie et le « Il y a » *(Es gibt)* de la pensée.

Quelques éclaircissements grammaticaux sur le Il *(Es)* du « Il y a » *(Es gibt)*, sur le genre de ces phrases caractérisées grammaticalement comme phrases impersonnelles ou sans sujets, ainsi qu'un bref rappel des fondements métaphysiques grecs de l'interprétation — qui aujourd'hui va de soi — de la phrase comme rapport du sujet au prédicat, éveillèrent la possibilité de comprendre le dire de « Il y a être », « Il y a temps », autrement que comme un formulé en propositions.

Enfin l'on discuta deux questions qui furent posées à la suite de la conférence. Elles concernaient d'un côté la possibilité de la fin de l'histoire de l'être et de l'autre la manière du dire appropriée à l'avènement.

Pour la première question : Si l'avènement n'est pas une nouvelle marque de l'être appartenant à l'histoire de l'être, mais si au contraire l'être appartient à l'avènement où il y est retiré (de quelque manière que ce soit), alors pour la pensée *dans* l'avènement, c'est-à-dire pour la pensée qui entre dans l'avènement, l'histoire de l'être est terminée, et ce dans la mesure où ainsi, l'être qui repose dans le destin n'est plus ce qui est à penser en propre. La pensée se tient alors dans et devant ce qui a destiné les différentes figures de l'être comme époque. Mais ceci, ce qui destine comme avènement, est soi-même sans histoire, mieux : sans destin.

La métaphysique est l'histoire des marques de l'être, c'est-à-dire du point de vue de l'avènement, l'histoire du se-retirer de ce qui destine au profit des destins (donnés dans le destin) d'un laisser chaque fois advenir le présent à la présence. La métaphysique est l'oubli de l'être, c'est-à-dire l'histoire du voilement et du retrait de ce qui donne être. L'entrée de la pensée dans l'avènement est ainsi de même importance que la fin de l'histoire de ce retrait. L'oubli de l'être est surmonté avec l'éveil pour l'avènement.

Mais le voilement *(Verbergung)*, qui appartient à la métaphysique comme sa limite, doit correspondre à l'avènement lui-même. Ceci veut dire que le retrait *(Entzug)* qui caractérisait la métaphysique sous la forme de l'oubli de l'être, se montre désormais comme la dimension du voilement lui-même. Avec cette réserve que maintenant, ce voilement ne se voile plus et qu'au contraire c'est à lui entre autres que s'applique l'attention de la pensée.

Avec l'entrée de la pensée dans l'avènement advient le mode du voilement conforme à l'avènement. L'avènement-appropriant *(Ereignis)* est en lui-même *Enteignis*[2], mot dans lequel est reçu conformément à l'*Ereignis* (au sens de réception-appropriante) le λήθη des présocratiques signifiant le voilement.

Que l'avènement soit sans destin ne dit donc pas que lui fait défaut toute mobilité, cela dit bien plutôt que c'est avant tout la manière la plus propre à l'avènement de se mouvoir — qui est de se tourner dans le retrait — qui se montre à la pensée comme ce qui est à penser. Mais il est dit par là que pour la pensée entrant dans l'avènement, l'histoire de l'être est terminée, sans préjuger du fait que la métaphysique peut bien demeurer telle quelle : là nous n'y pouvons rien.

Pour la seconde question : à ce qui vient d'être dit est liée la seconde des deux questions, à savoir : quelle pourrait être, pour la pensée dont l'avènement est le séjour, la tâche de la pensée et quel pourrait être, en réponse, le mode correspondant du dire. Il n'est pas seulement questionné sur la forme du dire — en effet s'exprimer en propositions demeure impropre à ce qui est à dire — mais aussi, *grosso modo*, sur le contenu du dire. Dans la conférence on peut lire (p. 47) : « Que reste-t-il à dire ? Rien que ceci : l'avènement fait advenir à son propre. » Ce n'est d'abord là qu'une mise en garde : comment l'avènement n'*a pas* à être pensé. Dans une tournure positive se pose cependant la question : que fait advenir l'avènement ? Qu'est-ce que l'avènement a fait advenir à son propre ? Et cette autre : est-ce que la pensée pensant l'avènement est la méditation de ce que l'avènement a fait advenir à son propre ?

Sur ce point, dans la conférence même, qui se voudrait simple chemin menant dans l'avènement, il n'est rien dit. Cependant d'autres écrits de Heidegger en disent un peu sur ce sujet.

Ainsi, dans la conférence sur l'Identité, si elle est pensée à partir de sa fin : il est dit ce que l'avènement *(Ereignis)* fait advenir, c'est-à-dire porte à son propre *(Eigen)* et maintient dans l'avènement, à savoir la co-appartenance de l'être et de l'homme. Dans cette co-appartenance, les co-appartenants ne sont dès lors l'être ni l'homme, mais — comme advenus à leur propre : les mortels dans le quadriparti du monde. De l'advenu à son propre, du quadriparti, traitent de tout autre manière la conférence « La Terre et le ciel chez Hölderlin » (*Annales Hölderlin*, 1960, p. 17 sq.) et la conférence « La Chose ». Tout ce qui a été dit sur la langue comme dict *(Sage)* appartient aussi à ce registre (cf. *Unterwegs zur Sprache*, 1959).

C'est ainsi également que Heidegger a déjà dit quelques mots sur ce que l'avènement fait advenir et à quoi il approprie, bien que ce fût d'une manière avant-courrière, pour au préalable faire signe. Car pour cette pensée il ne peut s'agir en un premier temps que de la préparation de l'entrée dans l'avènement. Qu'il ne reste à dire de l'avènement que ceci : l'avènement fait advenir à son propre, n'exclut donc pas mais bien au contraire inclut précisément qu'il y a à penser toute une richesse de ce qui est à penser dans l'avènement même. Ceci d'autant plus qu'en rapport à l'homme, à la chose, aux dieux, à la terre et au ciel, en rapport donc à l'advenu à son propre, il reste toujours à méditer qu'à l'avènement-appropriant appartient par essence l'*Enteignis*. Mais l'*Enteignis (die)* retient en elle la question : vers où ? La direction et le sens de cette question ne furent pas discutés plus amplement.

Au début de la quatrième séance, une seconde question conduisit une nouvelle fois à reprendre connaissance du propos de la conférence.

Dans la *Lettre sur l'humanisme* (éd. Klostermann, p. 23) il est dit : « Car le Il qui est ici donnant est l'être lui-même. » Cette affirmation à sens unique — telle fut du moins l'argumentation développée — ne s'accorderait pas du tout avec la conférence « Temps et Être », conférence dans laquelle l'intention de penser l'être comme avènement conduit à une prédominance de l'avènement et au disparaître de l'être. Le disparaître de l'être ne serait pas seulement en non-accord avec le passage de la *Lettre sur l'humanisme* mais aussi avec le passage de la conférence (p. 42) où il est dit que l'unique intention de la conférence est de « porter au-devant du regard l'être lui-même en tant que l'avènement ».

Sur ce point il fut dit que premièrement la locution « l'être lui-même » désigne déjà l'avènement dans le passage en question tiré de la *Lettre sur l'humanisme* et d'une façon presque générale. (Les traits caractéristiques et les rapports qui constituent la structure de l'essence de l'avènement ont été élaborés entre 1936 et 1938.) Il fut dit d'autre part qu'il s'agit précisément de voir que dans le même temps que l'être arrive au regard en tant que l'avènement, il disparaît en tant qu'être. Il n'y a donc pas de contradiction entre les deux propositions. Toutes les deux nomment dans une formulation différente la même teneur de la « question » *(Sachverhalt)*.

Il est tout aussi impossible de dire que le titre de la conférence « Temps et Être » contredit le disparaître de l'être. Ce titre veut être une indication pour la poursuite de la pensée de *Être et Temps*. Il ne veut pas dire que « être » et « temps » sont maintenus et qu'ils devraient comme tels être à nouveau prononcés à la fin de la conférence.

Bien plutôt l'avènement est à penser de telle manière qu'il ne puisse être maintenu ni comme être ni comme temps. Il est pour ainsi dire un « neutrale tantum », le neutre « et » dans le titre « Temps et Être ». Cela n'exclut pas cependant que dans l'avènement le destiner et l'offrir sont encore impliqués et pensés en propre de telle façon que être et temps, d'une certaine manière, demeurent aussi.

On rappela les passages de *Être et Temps* dans lesquels le « Il y a » est déjà employé, sans que pourtant il eût été pensé directement en direction de l'avènement. Ces passages se révèlent aujourd'hui comme des coups d'essai. Essai d'élaboration de la question de l'être, tentative pour lui indiquer sa juste direction, essais qui demeurent encore dans l'insuffisant. C'est pourquoi il importe aujourd'hui d'apercevoir dans ces essais les motifs et les thèmes qui font signe vers la question de l'être, et que celle-ci détermine. Sans cela l'on tombe trop facilement dans l'erreur de voir dans les recherches de *Être et Temps* des thèses indépendantes que l'on rejette alors comme insuffisantes. Ainsi par exemple : l'on s'intéressera à la question de la mort uniquement dans les limites et à partir des thèmes qui proviennent du projet d'élaboration de la temporalité de l'être-le-là.

Il est aujourd'hui déjà très difficile de se représenter la mesure des difficultés qui se dressèrent sur le chemin du questionner de la question de l'être, de son lancement et de son accomplissement. Dans le cadre du néokantisme de l'époque, une philosophie se devait, si elle voulait trouver audience en tant que philosophie, de penser de façon kantienne, critique, transcendantale. Ontologie était un titre interdit. Husserl lui-même, qui dans les *Recherches logiques* — surtout dans la sixième — approcha de très près la question de l'être proprement dite, ne put s'y maintenir, dans l'atmosphère philosophique de l'époque. Il tomba sous l'influence de Natorp et fit un virage vers la phénoménologie transcendantale qui atteint son apogée dans les *Ideen*. Mais c'était là délaisser le principe de la phénoménologie. Cette irruption de la philosophie (sous la forme du néokantisme) dans la phénoménologie eut pour conséquence que Scheler et bien d'autres se séparèrent de Husserl. Que demeure sur ce point ouverte la question : est-ce que et comment cette séparation s'est faite suivant le principe « droit à la “question” de la pensée » (« *zu den Sachen des Denkens* »).

Tous ces points furent soulevés pour éclaircir la question qui peut être posée sur la manière dont progresse la conférence. Cette progression peut être caractérisée comme phénoménologique, si l'on entend dans phénoménologie non pas une manière et une tendance particulières de la philosophie, mais quelque chose qui règne dans toute philosophie. Ce quelque chose peut être nommé de la meilleure façon grâce à la formule « droit à la “question” même » (« *zu den Sachen selbst* »). C'était précisément en ce sens que les recherches de Husserl contrastaient avec la démarche du néokantisme en apparaissant comme quelque chose de nouveau et d'étonnamment stimulant, comme Dilthey le vit le tout premier (1905). Et c'est en ce sens que l'on peut dire de Heidegger qu'il prend en garde la phénoménologie dans ce qu'elle a de plus propre. En effet, sans l'attitude fondamentale qu'est la phénoménologie, la question de l'être n'eût pas été possible.

La conversion de Husserl à la problématique du néokantisme — la première preuve en étant l'importante dissertation dont on tient trop peu compte aujourd'hui : *La Philosophie comme science rigoureuse* (*Logos I*, 1910-1911) — et le fait qu'à Husserl manqua tout rapport vivant à l'histoire, provoquèrent la rupture avec Dilthey. Il fut dit aussi entre autres choses que Husserl, dans le cadre des ontologies régionales qu'il concevait, comprenait *Être et Temps* comme l'ontologie régionale de l'historique.

La quatrième séance fut dominée par la discussion d'une question concernant l'important passage de la page 18 déjà cité (« être par quoi… » jusqu'à « … c'est-à-dire il y a être »). La question visait le rapport de être et temps à l'avènement, et demandait si entre les concepts énoncés dans la conférence — présence, laisser advenir à la présence, dévoiler, donner et faire advenir à son propre *(ereignen)* — il régnait une gradation allant dans le sens d'un toujours-plus-originel. Est-ce que le mouvement qui conduit dans le passage en question de la présence au faire advenir à son propre, en passant par le laisser advenir à la présence, etc., est une régression vers un fond toujours-plus-originel ?

S'il ne s'agit pas d'un toujours-plus-originel, alors se pose la question : quelle est, dans ce cas, la différence et le rapport entre les concepts énoncés ? Ils ne représentent aucune gradation mais plutôt des stations sur un chemin de retour qui est ouvert par ce qui déjà s'approche et mène à l'avènement.

La discussion connexe concerna pour l'essentiel le sens du déterminer : de quelle manière la présence détermine le présent à l'intérieur de la métaphysique ? Par là devait devenir plus net, en contraste, le caractère du rétrocéder de la présence à l'avènement, rétrocéder qui peut être par trop facilement mal compris et interprété comme la préparation d'un fond plus originel.

La présence du présent, c'est-à-dire le laisser advenir à la présence : le présent : voilà qui est interprété chez Aristote comme ποίησις. Celle-ci, réinterprétée ultérieurement comme *creatio*, conduit dans une ligne d'une simplicité grandiose jusqu'à la « position », conformément à laquelle il y a conscience transcendantale des objets. Il apparaît ainsi que le trait fondamental du laisser advenir à la présence est, dans la métaphysique, le produire sous ses formes les plus diverses. Néanmoins on fit valoir que le rapport de détermination qu'il y a entre présence et présent n'est pas à comprendre chez Platon comme ποίησις, bien que dans ses dernières œuvres (surtout dans *Les Lois*), le caractère poiétique du νοῦς apparaisse de plus en plus affirmé. Dans le τῷ καλῷ τά καλά καλά rien d'autre ne serait exprimé que la παρουσία, l'être en présence du καλόν auprès des καλά, sans que le sens du poiétique quant au présent soit attribué à l'être en présence-auprès-de *(Beisein)*. Mais cela montre que chez Platon le déterminer demeure impensé. Car nulle part n'est élaboré chez lui ce qu'est en son propre cette παρουσία, nulle part n'est expressément dit ce que constitue la παρουσία dans son rapport aux ὄντα. Cette lacune n'est pas comblée, parce que Platon tente de concevoir le rapport de la présence au présent dans la métaphore de la lumière — c'est-à-dire non pas comme ποίησις, faire, etc., mais comme lumière ; il y a là donnée sans nul doute une proximité à Heidegger. Car le laisser advenir à la présence pensé par Heidegger est un porter-dans-l'ouvert *(ins-Offene-Bringen)*, bien que dans le passage en question de la conférence il soit et il doive être pensé en mode neutre et suspensivement à l'égard de tous les modes du faire, de la constitution, etc. Par ce porter-dans-l'ouvert, la lumière et l'apparaître tels qu'ils étaient pour les Grecs sont désormais explicités. Reste cependant à poser la question : que peut vouloir dire, sans qu'elle puisse encore le dire, l'indication métaphorique en direction de la lumière ?

Le rapport du laisser-advenir-à-la-présence *(Anwesenlassen)* à l'ἀλήθεια permet de soustraire la question de l'être de l'étant dans son ensemble à la problématique kantienne de la constitution des objets, même si — rétrospectivement — la position elle-même doive être comprise à partir de l'ἀληθεύειν, comme en témoigne dans le *Kant-Buch* la mise au jour de l'imagination.

A ce stade une question fut posée : est-il suffisant de concevoir le rapport de la présence au présent comme dévoilement, si celui-ci est compris pour lui-même, c'est-à-dire s'il n'est pas déterminé à nouveau dans son contenu. Si le dévoiler réside déjà dans tous les modes de la ποίησις, du faire, de l'efficience, comment serait-il possible d'exclure ces modes et de conserver ainsi pur, pour soi, le dévoiler ? Que signifierait alors ce dévoiler, pour autant qu'il n'est pas à nouveau déterminé par un contenu ? A ce propos une différence importante fut établie entre le dévoiler qui par exemple appartient à la ποίησις, et le dévoiler tel que l'entend Heidegger. Le premier se rapporte à l'εἶδος — cet εἶδος est ce qui se pro-duit, ce qui est dévoilé dans la ποίησις — tandis que le dévoiler qui pour Heidegger devient question, se rapporte à l'étant tout entier. C'est à partir de là que mention fut faite de la différence entre l'existence *(Dass-sein)* et l'essence *(Was-sein)* dont la provenance est obscure et impensée (cf. Heidegger : *Nietzsche*, II, p. 399 sq. ; trad., p. 319 sq.).

Cependant en ce qui concerne l'intention de la réflexion qui se trouve dans la question, il fut dit que les différents modes du dévoiler déterminés par un contenu restent à penser, bien que le dévoiler soit uniquement maintenu comme trait fondamental dans le passage en question ; par là le caractère d'efficience y est soustrait au laisser advenir *(Lassen)* dans le laisser-advenir-à-la-présence *(Anwesen-lassen)*. Lorsqu'il est question du pas qui mène de la présence au laisser-advenir-à-la-présence, et de celui-ci au dévoiler, il n'est rien dit de la présenteté caractéristique des différents domaines de l'étant. Cela demeure une tâche de la pensée : déterminer le non-retrait des différents domaines des choses.

Le style de mobilité qui est celui du pas qui mène de la présence au laisser-advenir-à-la-présence, se révèle dans le passage du laisser-advenir-à-la-présence au dévoiler puis de celui-ci au donner. A chaque fois la pensée effectue le pas qui rétrocède. Ainsi la manière d'aller de l'avant de cette pensée pourrait être comparée à la méthode d'une théologie négative. Le fait que et la manière dont les modèles ontiques donnés dans la langue ont été usés et détruits pourraient aussi le montrer. Frappant est l'usage de verbes comme « offrir », « destiner », « retenir », « advenir à son propre », qui ne présentent pas une forme verbale uniquement en tant que verbes, mais qui affichent en plus un sens temporel avoué, pour quelque chose qui n'est en rien temporel.

La cinquième séance s'ouvrit avec un exposé de Jean Beaufret, qui devait servir de base pour l'explicitation de la ressemblance toujours prétendue entre la pensée de Heidegger et celle de Hegel. Jean Beaufret exposa à ce sujet la manière dont est perçue en France cette analogie.

On ne saurait nier qu'il existe au premier abord une proximité et une analogie frappantes entre Heidegger et Hegel. Ainsi prévaudrait largement en France l'impression que la pensée de Heidegger est une reprise — comme approfondissement et élargissement — de la philosophie de Hegel, de même que la philosophie de Leibniz est une reprise de celle de Descartes ou celle de Hegel une reprise de celle de Kant. Si la pensée de Heidegger était examinée quant à son fond dans cette perspective, l'on pourrait trouver sans hésiter d'évidentes correspondances entre tous les aspects de la pensée de Heidegger et ceux de la philosophie de Hegel. C'est comme une table de concordance que l'on pourrait établir entre eux et ainsi affirmer que Heidegger dit à peu près la même chose que Hegel. Mais cette manière de voir présuppose qu'il y a une philosophie de Heidegger. S'il n'en est pas ainsi, c'est alors le bien-fondé de la possibilité même de comparer qui est retiré à toute comparaison. Toutefois, notons là que l'impossibilité de la comparaison n'est pas équivalente à l'absence de tout rapport.

Dans la seconde partie de l'exposé furent évoqués certains des plus grossiers contresens que l'on fait en France sur la pensée de Heidegger. Dans la *Logique* de Hegel, l'être comme immédiat est médiatisé dans l'essence comme la vérité de l'être. Ce chemin qui mène de l'être à l'essence et de l'essence au concept, ce chemin qui mène à la vérité de l'être — introduit au départ comme immédiat — est-il un chemin identique, ou un chemin à tout le moins comparable à celui de la question de l'être déployée dans *Être et Temps*? Où peut être située la différence fondamentale?

Du point de vue de Hegel, l'on pourrait dire: *Être et Temps* en reste à l'être, ne produit pas l'être jusqu'au concept (affirmation qui s'en tient *de manière extérieure* à la terminologie hégélienne: être-essence-concept). Inversement, du point de vue de *Être et Temps*, l'on pourrait aussitôt, en se tournant vers la pensée de Hegel, poser la question: comment Hegel est-il amené à poser l'être comme l'immédiat indéterminé et ainsi à le situer d'emblée en relation à la détermination et à la médiation? (Cf. Heidegger, *Wegmarken*, 1967, p. 255 sq. « Hegel et les Grecs »; trad. in *Questions II*, p. 41 sq.).

Cette dernière question fut l'occasion d'une digression sur le problème non éclairci de la provenance de la négativité hégélienne. Cette « négativité », propre à la *Logique* de Hegel, se fonde-t-elle dans la structure de la conscience absolue, ou bien est-ce l'inverse? La réflexion spéculative est-elle le fondement de la négativité qui chez Hegel appartient à l'être, ou bien la négativité est-elle le fondement de l'absoluité de la conscience? Si l'on prend garde que Hegel dans la *Phénoménologie* opère à partir de dualismes originels qui ne seront harmonisés que plus tard (avec la *Logique*), et si l'on fait appel au concept de vie, tel qu'il est produit dans les écrits de jeunesse de Hegel, la négativité du négatif ne paraît pas pouvoir être réductible à la structure réflexive de la conscience. Toutefois il n'est guère facile de prouver que l'essor donné par les Temps modernes à la conscience a contribué de façon très importante au déploiement de la négativité. La négation pourrait bien plutôt être mise en relation avec la pensée du déchirement *(Zerrissenheit)*, c'est-à-dire (du point de vue du contenu) être reconduite à Héraclite (διαφέρον).

La différence dans la détermination de l'être d'un côté et de l'autre tient dans les deux points suivants:

1. Le point d'où se détermine pour Hegel l'être dans sa vérité, reste pour cette philosophie hors de question, parce que l'identité de être et pensée est vraiment pour Hegel une égalité. En aucun cas il n'y a donc chez Hegel de *question* de l'être (Seins-*frage*) et il ne peut y en avoir.

2. En partant de la conférence où il est montré que l'être est advenu à son propre dans l'avènement, l'on pourrait être tenté de comparer l'avènement comme l'ultime et le plus haut, avec l'Absolu de Hegel. Mais au-delà de cette identité

apparente devrait être en retour posée la question : comment chez Hegel l'homme se tient-il face à l'Absolu ? Et : quel genre de relation l'homme a-t-il avec l'avènement ? Il apparut là une insurmontable différence. Car pour Hegel l'homme est le lieu de l'advenir à soi-même de l'Absolu : cela conduit au dépassement *(Aufhebung)* de la finitude de l'homme. Chez Heidegger, au contraire, c'est la finitude — non seulement celle de l'homme, mais aussi celle de l'avènement lui-même — qui se trouve précisément révélée.

La discussion sur Hegel donna l'occasion d'évoquer à nouveau la question suivante : l'entrée dans l'avènement signifie-t-elle la fin de l'histoire de l'être ? Il semble qu'il y ait là une analogie avec Hegel, qu'il convient toutefois de voir sur le fond d'une différence fondamentale. Est-ce qu'est toujours juste la thèse selon laquelle il ne saurait être parlé de fin de l'histoire de l'être, que là où règne une identification réelle de être et pensée comme c'est le cas chez Hegel. La question demeura en suspens. En tout cas la fin de l'histoire de l'être au sens de Heidegger est quelque chose d'autre. L'avènement recèle, il est vrai, des possibilités de dévoilement que la pensée ne peut épuiser et en ce sens il ne peut être dit à coup sûr que tout ce que l'être peut faire advenir serait « stoppé » avec l'entrée de la pensée sans l'avènement. Mais il reste cependant à méditer s'il peut encore être parlé d'être et ainsi d'histoire de l'être, après l'entrée dans l'avènement, s'il est vrai du moins que l'histoire de l'être est comprise comme l'histoire des donations dans lesquelles l'avènement se tient en retrait.

Il avait été question dans une séance précédente de modèles ontiques — par exemple l'offrir, le don, etc., comme événements ontiques dans le temps : le débat reprit sur ce point. Une pensée qui pense dans des modèles ne doit pas être pour autant caractérisée d'emblée comme pensée technique, car il ne faut pas entendre modèle au sens technique du mot comme s'il était la reproduction ou l'esquisse de quelque chose à échelle réduite. Le modèle est bien plutôt ce dont la pensée, en tant qu'il en est le préalable naturel, doit absolument s'écarter, de manière que le « de quoi » soit en même temps l'« avec quoi » du s'écarter de. La nécessité pour la pensée d'utiliser des modèles est liée à la langue elle-même. La langue de la pensée ne peut être issue que de la langue naturelle. Mais celle-ci est en son fond historiale et métaphysique. En elle est donc déjà donnée d'avance une interprétation sur le mode du cela-va-de-soi. Dans cette perspective, la seule possibilité pour la pensée est de chercher des modèles pour les épuiser et accomplir par là le passage au spéculatif. Furent cités comme exemples de contenus pensés à partir de modèles :

1. La proposition spéculative chez Hegel, qui se développe sur le modèle de la proposition ordinaire et ce de manière que cette proposition donne à la proposition spéculative le modèle à épuiser.
2. Le mode de mouvement du νοῦς, tel qu'il est explicité dans les *Lois* de Platon, à savoir sur le modèle de l'automation de l'être vivant.

Ce qu'est le modèle en tant que tel et comment il faut comprendre sa fonction pour la pensée, voilà qui ne peut être pensé qu'à partir d'une interprétation de l'essence de la langue.

Ainsi la suite de la discussion eut trait à la question de la langue, précisément au rapport qui existe entre la langue dite naturelle et la langue de la pensée. Parler de modèles ontiques suppose que la langue a par principe un caractère ontique, en sorte que la pensée — qui, pour dire ontologiquement ce qu'elle veut dire, ne peut témoigner qu'en passant par la parole — se trouverait ici dans l'obligation d'utiliser des modèles ontiques.

Mais hors le fait également que la langue n'est pas seulement ontique, mais d'emblée ontico-ontologique, se pose la question de savoir s'il ne pourrait y avoir une langue de la pensée qui parle le *Simple* de la langue, de façon telle que la langue de la pensée rende précisément visible la limitation de la langue métaphysique. Mais l'on ne peut là-dessus faire de discours. Cela se décide en ce qu'un tel dire réussit ou non. En ce qui concerne finalement la langue naturelle, ce n'est pas elle qui est en premier lieu métaphysique. C'est bien plutôt notre interprétation de la langue courante qui est métaphysique, liée à l'ontologie grecque. Le rapport de l'homme à la langue pourrait néanmoins se métamorphoser de façon analogue à la métamorphose de son rapport à l'être.

A la fin de la séance fut donnée lecture d'une lettre de Heidegger publiée en préface au livre de Richardson à paraître: *Heidegger: Le chemin de la phénoménologie à la pensée de l'être.* Cette lettre qui répond surtout à deux questions — quelle a été la première impulsion qui a déterminé sa pensée et la question du tournant — mit en lumière les rapports qui sont à la base du texte discuté, texte qui parcourt le chemin de *Être et Temps* à « Temps et Être » et qui de là mène à l'avènement.

La sixième et dernière séance s'attache d'abord à répondre à quelques questions soulevées. Elles concernaient le sens du mot « mutation », « métamorphose », lorsqu'on parle de la richesse de l'être en métamorphose. « Mutation », « métamorphose », est dit d'abord à l'intérieur de la métaphysique, à son intention. Le mot veut dire ensuite les figures changeantes dans lesquelles l'être se montre épochalement dans son histoire. La question est celle-ci: par quoi est déterminée la suite des époques? D'où se détermine cette libre suite? Pourquoi la suite est-elle précisément celle-ci? Vient alors aisément à l'esprit l'histoire au sens hégélien de Gedanke. Pour Hegel règne dans l'histoire la nécessité de telle sorte qu'elle soit du même coup liberté. Les deux pour lui ne font qu'un, dans et par la marche dialectique, qui est comme telle l'essence de l'Esprit. Chez Heidegger au contraire, nulle trace d'un pourquoi. Seul le Que *(Dass)* — *que* l'histoire de l'être soit telle — peut être dit. C'est pourquoi dans la conférence « Le Principe de raison » est citée la parole de Goethe:

Comment? Quand? Et où? Les dieux restent muets!
Tiens-t'en donc au tant que (Weil) *sans demander* pourquoi (Warum)

Le tant que *(Weil)* dans la conférence citée est le durer, ce qui comme destin demeure persistant. A l'intérieur du « Que » et en son sens, la pensée peut aussi conclure à quelque chose qui est comme une nécessité, qui est comme une loi et une logique. Il se laisse ainsi dire que l'histoire de l'être est l'histoire de l'oubli croissant de l'être. Entre les métamorphoses épochales de l'être et le retrait, on peut apercevoir un rapport, qui n'a rien cependant d'un rapport de causalité. On peut dire que plus on s'éloigne du matin de la pensée occidentale et de l'ἀλήθεια, plus est grand l'oubli dans lequel elle tombe, plus est nette la manière dont percent le savoir, la conscience et la manière dont ainsi l'être se retire. Ce retrait de l'être demeure en même temps en retrait. Dans le κρύπτεσθαι d'Héraclite est exprimé pour la première et la dernière fois ce qu'est le retrait. Le retrait de l'ἀλήθεια comme ἀλήθεια libère la métamorphose de l'être, d'ἐνέργεια en actualitas, etc.

Cette signification de la métamorphose qui est dite dans une perspective métaphysique, doit être radicalement différenciée de celle qui est pensée lorsqu'on dit que l'être lui-même a son visage dans l'avènement. Il n'est pas question ici d'une manifestation de l'être comparable aux formes métaphysiques de l'être et qui leur succéderait comme une forme nouvelle. Il est bien plutôt pensé ici que l'être avec ses révélations épochales est gardé dans le destin mais, comme destin, est lui-même repris dans l'avènement.

Entre les figures épochales de l'être et la métamorphose de l'être dans l'avènement, se tient le *Ge-stell*. Celui-ci est pour ainsi dire une station intermédiaire, il offre un double aspect : c'est si l'on peut dire une tête de Janus. Il peut être en effet en quelque sorte compris encore comme une continuation de la volonté de volonté et du même coup comme une forme tout à fait extérieure de l'être. Mais il est en même temps aussi une préfiguration de l'avènement lui-même.

Dans le cours du séminaire, il fut très souvent question d'« expérience » *(Erfahren)*. Voilà ce qui fut dit : l'éveil pour l'avènement doit être éprouvé, il ne peut être prouvé. L'une des dernières questions qui fut posée concernait le sens de cette « expérience » ; elle arguait d'une certaine contradiction qui serait celle-ci : la pensée doit sans doute être elle-même l'épreuve de la teneur de la « question ». Mais elle n'est par ailleurs que la préparation de cette épreuve. Par conséquent — telle fut la conclusion — la pensée (et du même coup la pensée qui fut tentée dans le séminaire lui-même) n'est pas encore l'« expérience ». Mais qu'est-ce donc alors que cette épreuve ? Est-elle l'évacuation de la pensée ?

En fait, pensée et expérience ne peuvent cependant pas être placées vis-à-vis l'une de l'autre comme les termes d'une alternative. Ce qui s'est produit dans le séminaire demeure une tentative qui prépare à la pensée, par conséquent à l'« expérience ». Cette préparation cependant se produit déjà par la pensée, s'il est vrai que l'« expérience » n'est absolument rien de mystique, n'est pas un acte d'illumination, mais l'entrée dans le séjour de l'avènement. Ainsi l'éveil pour l'avènement reste à vrai dire quelque chose dont il faut faire l'épreuve, mais qui comme tel est précisément quelque chose qui est lié d'avance et nécessairement à l'éveil hors de l'oubli de l'être pour cet oubli. Il reste donc d'abord un événement qui peut et doit être montré.

Que la pensée en soit au stade de la préparation ne veut pas dire que l'expérience soit d'une essence autre que la pensée préparatoire. La limite de la pensée préparatoire se situe ailleurs. Elle réside d'une part dans le fait que la métaphysique, dans la situation terminale de son histoire, reste peut-être telle que l'autre pensée ne peut absolument pas apparaître — et pourtant *est*. Qu'advienne alors de la pensée, qui comme pensée avant-courrière regarde déjà dans l'avènement et ne peut qu'indiquer — c'est-à-dire faire signe en direction de l'entrée dans le lieu de l'avènement —, qu'advienne d'elle ce qui est advenu de la poésie de Hölderlin, qui pendant un siècle n'était pas là — et qui pourtant était. Elle réside d'autre part dans le fait que la préparation de la *pensée* ne peut être réalisée que dans une certaine perspective. Elle est aussi accomplie d'une tout autre manière et respectivement dans la poésie, dans l'art, etc., dans lesquels apparaissent aussi un penser et un parler.

Après cela, comme conclusion, pour que ce qui fut pour ainsi dire continûment discuté pendant le séminaire vienne à nouveau à l'écoute d'un autre côté et dans une plus grande unité, il fut donné lecture du texte « Le Tournant » tiré de la série de conférences « Regard dans ce qui est » et il fut apporté de brèves réponses aux quelques questions encore posées.

Le monde en tant qu'il se refuse, dont il est question dans « Le Tournant », va de pair avec le refus et la retenue de la présenteté dans « Temps et Être ». Car de refus et de retenue il ne peut être encore question même dans l'avènement, dans la mesure où ils touchent la manière dont il y a *(es gibt)* temps. Ceci dit, la situation de l'avènement est sans doute le site du congé donné à l'être et au temps, mais être et temps, d'une certaine façon, demeurent comme le don de l'avènement.

De la finitude de l'être, il fut d'abord question dans le *Kant-Buch.* La finitude de l'avènement, de l'être, du quadriparti, auxquels on fit allusion pendant le séminaire, se distingue cependant de la première finitude dans la mesure où elle n'est plus pensée à partir de son rapport à l'infinitude, mais à la finitude en elle-même : finitude, fin, limite, le propre — être dans l'abri du propre. C'est dans cette direction, c'est-à-dire à partir de l'avènement lui-même, à partir de la notion de propriété qu'est pensée la nouvelle notion de finitude.

« Mais l'accusé n'en voulait rien savoir. Qu'il faille être présent s'il s'agit de répondre à l'appel, d'accord. Mais par soi-même lancer l'appel, c'est là le plus extrême fourvoiement où l'on se puisse jeter » (H. E. Nossack).

Traduit par Jean Lauxerois et Claude Roëls.

INDEX ANALYTIQUE

P. 234-235 L'éveil hors de l'oubli de l'être : l'éveil pour l'avènement. Le pas qui rétrocède. L'ouverture apparaît.

P. 235 L'indétermination de « vers où » va le pas qui rétrocède.

P. 236 L'avènement : ce n'est pas un *a priori.*

P. 236 L'ontologie fondamentale.

P. 236 La relation de l'ontologie fondamentale à la question du sens de l'être. La nécessité d'une répétition de l'analytique de l'être-le-là.

P. 238 Les difficultés du texte à la fin de l'introduction de la conférence ; la phrase : « penser l'être sans l'étant. »

P. 239 Le primat de la présence dans l'ensemble des déterminations de l'être.

P. 240 Présence et Présenteté *(Anwesenheit und Gegenwart).*

P. 241 La relation de « Être et penser » à la question de l'être.

P. 242 Le caractère précurseur de la pensée.

P. 242-243 Les différents chemins menant à l'avènement. Le passage critique de la conférence : « être, par quoi... » ; l'expression « signé ».

P. 244 La différence dans le laisser advenir à la présence. La différence déterminante réside dans le *laisser.*

P. 245-246 Quelques indications : la simplicité de la « question » *(Sache).* L'expression « question » *(Sache).* Le « Il y a ». Son utilisation courante.

P. 246-247 Le « Il est » de Trakl et le « Il y a » de Rimbaud.

P. 247 « Il est » et « Il y a ». Le « Il ».

P. 248 La fin de l'histoire de l'être.

P. 249 Le voilement en tant qu'appartenant à l'avènement. L'*Enteignis.* L'avènement est sans destin. La question du mode du dire conforme à l'avènement.

P. 250 L'avènement et ce qu'il fait advenir.

P. 250 « Ce que l'avènement fait advenir » dans les autres textes de Heidegger. Le « vers où » de l'*Enteignis.*

P. 251 L'être lui-même et l'avènement.

P. 252 Le titre « Temps et Être » et le disparaître de l'être. Le « Il y a » dans *Être et Temps.*

P. 253 Le contexte philosophique à l'époque de *Être et Temps* et la question de l'être.

P. 253 Le virage de Husserl vers la phénoménologie transcendantale. La démarche de Heidegger comme proprement phénoménologique.

P. 254 La relation entre présence, laisser advenir à la présence et dévoiler est-elle une relation de degré ?

P. 255 Comment se caractérise le rapport de détermination entre présence et le présent à l'intérieur de la métaphysique. La ποίησις. La métaphore de la lumière chez Platon.

P. 255 Le laisser advenir à la présence comme porter dans l'ouvert. 'Αλήθεια. Question : le dévoiler a-t-il un contenu qui puisse le déterminer ?

P. 257 Le pas qui rétrocède. L'exposé de Jean Beaufret. La proximité (et la distance) de Heidegger à Hegel.

P. 258 L'être chez Hegel et chez Heidegger.

P. 259 Digression sur la provenance de la négativité hégélienne.

P. 259 L'absolu et l'avènement.

P. 260 La fin de l'histoire chez Hegel et la fin de l'histoire de l'être. Les modèles ontiques.

P. 261 Le modèle et la langue. Langue naturelle et langue de la pensée. Le simple de la langue.

P. 262 Que signifie: « mutations de l'être »? La libre suite des figures épochales de l'être à l'intérieur de la métaphysique. L'histoire de l'être comme histoire de l'oubli de l'être. Le retrait.

P. 263-264 L'abondance des mutations de l'être et la métamorphose de l'être dans l'avènement. Le *Ge-stell.*

P. 264 La relation entre expérience (épreuve) et pensée.

P. 265 La pensée en tant que modes d'accès dans la localité *(Ortschaft)* de l'avènement. « Le tournant » *(die Kehre).* Le se-refuser du monde et la retenue de la présenteté. La finitude de l'avènement.

P. 266 Nossack: « répondre à l'appel. »

NOTES DE TRADUCTION

1. Formuler-en-proposition et dire:

La traduction distingue ainsi entre *Aussagen* et *Sagen.* Cette distinction, importante pour Heidegger, n'est pleinement compréhensible qu'elle-même rapportée à la distinction d'Aristote: οὐ γὰρ τάυτο ἀπόφασις καὶ φάσις. Le λόγος ἀποφαντικός n'est que l'une des figures possibles du λόγος. L'*Aussagen* est à comprendre au sens de ce λόγος ἀποφαντικός, dont le propre est de λέγειν τι κατὰ τινος.

Quant au *Sagen*, il convient plutôt, selon Heidegger (cf. *Unterwegs zur Sprache*, Pfullingen, Neske 1958, p. 252), de le saisir dans la proximité à *zeigen* (latin: *dicere*, grec: δείκνυμι), à partir du mot « Sagan » qui signifie: « montrer, laisser-apparaître, laisser voir et laisser entendre ».

2. *Die Enteignis:*

Le verbe *enteignen*, au sens usuel, signifie « exproprier ». Heidegger a utilisé le mot *Enteignung* dans *Essais et conférences* (Paris, Gallimard, 1958, p. 90) et le mot *Enteignen* dans *Unterwegs zur Sprache* (Pfullingen, Neske 1971, p. 29).

Die Enteignis chez Heidegger, qui forge ici le mot afin qu'il soit rapproché de *Ereignis*, n'est pas à comprendre au sens où Marx prend le mot *Enteignung* (*Das Kapital*, III, p. 278: « dépropriement et paupérisation de la grande masse des producteurs ») mais, précisait en mai 1969 Heidegger: « so dass die Vereignung als solche nicht zum Vorschein kommt: hochste Innigkeit » (traduction: « de telle sorte que l'ad-propriation comme telle ne tienne pas le premier plan: le rapport au centre est alors au comble du secret »). (Note prise par Jean Beaufret à l'occasion d'un entretien de Heidegger avec les traducteurs américains de *Unterwegs zur Sprache.*) Ainsi dans le monde moderne, le *Gestell*, l'ordre établi par la technique, est dit *verdeckender Vorschein*, pré-apparition recouvrante de l'*Ereignis* (cf. ci-après Séminaire du Thor 1969, séance du jeudi 11 septembre, p. 301 sq.).

L'ART ET L'ESPACE*

> « *Quand on pense beaucoup par soi-même, on trouve beaucoup de sagesse inscrite dans la langue. Il est assurément peu vraisemblable qu'on y transporte tout soi-même ; c'est effectivement que beaucoup de sagesse y est — ainsi que dans les proverbes.* »
>
> G. Chr. Lichtenberg.

> Δοκεῖ δέ μὲγα τι εἶναι καὶ χαλεπὸν ληφθῆναι ὁ τόπος
>
> « *Il paraît bien être quelque chose de grande importance, et difficile à saisir le* topos — i.e. *l'espace-lieu.* »
>
> Aristote, *Physique IV*

Ces remarques à propos de l'art, à propos de l'espace, à propos de l'entrelacement de leur jeu réciproque, sont et demeurent des questions, même si elles sont énoncées en mode affirmatif. Elles se limitent aux arts plastiques, et plus précisément encore à la sculpture.

Ce que la sculpture forme plastiquement, ce sont des corps. Leur masse, consistant en divers matériaux, est multiplement façonnée. Le façonnement a lieu en une délimitation, qui est inclusion et exclusion par rapport à une limite. De ce fait, l'espace entre en jeu. Il est occupé par la

* Cf. dans ce recueil « Temps et Être, » p. 224, note

forme plastique, il reçoit sa marque comme volume clos, volume percé d'ouvertures et volume vide. États de faits bien connus, et cependant riches en énigmes.

Le corps plastique incorpore quelque chose. Incorpore-t-il l'espace? La sculpture est-elle mainmise sur l'espace, domination de celui-ci? La sculpture répond-elle ainsi à la conquête scientifico-technique de l'espace?

Certes, comme art, la sculpture est en débat avec l'espace de l'art. L'art et la technique scientifique considèrent et entreprennent l'espace dans une intention et de manières différentes.

Mais l'espace — demeure-t-il le même? N'est-ce pas cet espace qui a reçu sa première détermination de Galilée et de Newton? L'espace — cette extension uniforme, dont aucun endroit n'est privilégié, équivalente dans toutes ses directions, mais non perceptible par les sens?

L'espace — qui entre-temps provoque, dans une mesure croissante, toujours plus opiniâtrement l'homme moderne à sa domination dernière et absolue?

L'art plastique moderne n'obéit-il pas lui aussi à cette provocation, en ceci qu'il se comprend comme débat avec l'espace? Ne se trouve-t-il pas ainsi confirmé dans son caractère *actuel*?

Pourtant, est-ce que l'espace du projet physico-technique (quelle que soit sa possible détermination) peut valoir comme le seul vrai espace? Comparés à lui, tous les espaces autrement ajointés — l'espace de l'art, l'espace de la vie courante avec ses actions et ses déplacements — sont-ils seulement des formes primitives et des transformations subjectivement conditionnées de l'objectivité d'un seul espace cosmique?

Qu'en serait-il, si l'objectivité d'un tel espace cosmique restait irrésistiblement le corrélat de la *subjectivité* d'une conscience parfaitement étrangère aux siècles qui précédèrent les Temps modernes européens?

Même en reconnaissant la diversité de l'expérience spatiale dans les siècles passés, gagnons-nous déjà par là un premier regard sur la propriété de l'espace ? La demande qui s'enquiert de ce qu'est l'espace comme espace n'est pas, par là même, encore posée — et encore moins répondue. Reste indécis en quelle manière l'espace *est*, et même si absolument un être peut lui être attribué.

L'espace — fait-il partie des « Urphänomenen » (« phénomènes originels ») au contact desquels, selon un mot de Goethe, quand les hommes en viennent à les percevoir, une sorte de crainte pouvant aller jusqu'à l'angoisse les submerge ? Car derrière l'espace, à ce qu'il semble, il n'y a plus rien à quoi il puisse être ramené. Devant lui, pas d'esquive menant à autre chose. Ce qui est propre à l'espace, il faut que cela se montre à partir de lui-même. Cela se laisse-t-il encore dire en sa propriété ?

Devant la nécessité d'une telle demande, il nous faut bien avouer :

Tant que nous ne faisons pas l'épreuve de la propriété de l'espace, parler d'un espace de l'art reste obscur. La manière dont l'espace porte et traverse l'œuvre d'art reste d'abord dans l'indécis.

L'espace, à l'intérieur duquel la présence plastique peut être rencontrée comme un objet donné, l'espace qu'enferment les volumes de la figure, l'espace qui persiste entre les volumes — ces trois espaces, dans l'unité de leur entrelacement réciproque, ne sont-ils pas toujours seulement des rejetons du seul espace physico-technique, même si des mensurations arithmétiques n'ont pas à intervenir dans l'avènement de l'œuvre d'art à la figure ?

Une fois accordé que l'art, c'est mettre-en-œuvre la vérité, et que vérité désigne le non-retrait de l'être, ne faut-il pas alors que dans l'œuvre de l'art plastique ce soit également l'espace vrai, celui qui se déclôt en ce qu'il a de plus propre, qui vienne donner la mesure ?

Cependant, comment trouver le propre de l'espace ? Il y a bien une passerelle, à coup sûr étroite et hasardeuse. Risquons l'écoute de la langue.

De quoi parle-t-elle dans le mot d'espace? Là parle l'ouverture d'un espace, l'*espacement*. Cela veut dire : essarter, sarcler, débroussailler. Espacer, cela apporte le libre, l'ouvert, le spacieux, pour un établissement et une demeure de l'homme.

Espacer, c'est à la lettre la dispensation des sites ou des lieux en lesquels les destins de l'homme qui habite prennent tournure, dans l'heur d'un séjour, ou dans le malheur de son retrait, ou même dans l'indifférence à l'égard des deux.

Espacer, c'est la dispensation des sites ou lieux où un dieu paraît, d'où les dieux se sont enfuis, où l'apparition du divin longuement tarde.

Espacer, cela apporte la local*ité* (Ortschaft) qui prépare chaque fois une demeure. Les espaces profanes ne sont jamais que la privation d'un lointain arrière-plan d'espaces consacrés.

Espacement, c'est : mise en liberté des lieux.

Dans « espacer » parle et s'abrite d'un même coup un avoir-lieu. Ce trait propre à l'espacement, il a vite fait de nous échapper. Et s'il est aperçu, il demeure toujours difficile de le définir, du moins tant que l'espace physico-technique passe pour l'espace auquel toute détermination du spatial a, par avance, à se tenir.

Comment s'ouvre l'espace ? Ne donne-t-il pas « emplacement » et cela à son tour sur le double mode d'*admettre* et d'*aménager* ?

D'abord emplacer accorde quelque chose. Il laisse se déployer de l'ouvert qui, entre autres, accorde l'apparition dans la présence de choses auxquelles l'habitation humaine se trouve renvoyée.

Ensuite emplacer prépare pour les choses la possibilité de s'appartenir les unes aux autres, chacune à sa place et à partir de celle-ci.

Dans le dépli duel de cet *emplacement* a lieu ce qui donne lieu. Le caractère de cet avoir-lieu est un tel donner lieu. Pourtant qu'est-ce que le lieu, si sa propriété doit être déterminée au fil conducteur de l'emplacement qui met en liberté ?

Le lieu ouvre chaque fois une contrée, en ce qu'il rassemble les choses sur leur co-appartenance au sein de la contrée.

Dans le lieu joue le rassemblement au sens de l'abritement qui libère les choses en leur contrée.

Et la contrée? La forme plus ancienne du mot, en allemand, est « *Gegnet* » (en français: l'*encontrée*, ou *encontre*). Cela comme la libre vastitude. Par elle, l'ouvert est mis en demeure de laisser s'ouvrir et s'épanouir chaque chose dans le repos qui n'est qu'à elle. Cela veut dire du même coup: prendre en garde le rassemblement des choses en leur co-appartenance.

Alors la question perce: les lieux sont-ils d'abord et seulement le résultat et la suite de l'emplacement? Ou bien l'emplacement reçoit-il sa propriété à partir du règne des lieux rassemblants? Si cela touchait au vrai, alors il nous faudrait chercher le propre de l'espacement dans la fondation (*Gründung*) de localité, et penser la localité comme jeu-ensemble de lieux.

Nous devrions porter attention à ceci: en quelle guise ce jeu reçoit-il à partir de la libre vastitude de la contrée le renvoi à la co-appartenance des choses?

Nous devrions apprendre à reconnaître que les choses elles-mêmes sont les lieux — et ne font pas seulement qu'être à leur place en un lieu.

En ce cas, nous nous verrions contraints à la tâche de

longue haleine de prendre en charge un tenant de question dépaysant: Le lieu ne se trouve pas à l'intérieur d'un espace déjà donné, du genre de l'espace physico-technique. C'est ce dernier qui se déploie seulement à partir du règne des lieux divers d'une contrée.

Le jeu s'entrelaçant de réciprocité entre l'art et l'espace, il nous faudrait le méditer à partir de l'épreuve du lieu et de la contrée.

L'art comme *plastique*: non une mainmise sur l'espace. La sculpture ne serait pas débat avec l'espace.

La sculpture serait alors une incorporation des lieux qui, ouvrant une contrée et la prenant en garde, tiennent rassemblé autour d'eux du libre qui accorde à toute chose séjour et aux hommes habitation au milieu des choses.

Que devient, s'il en est ainsi, le volume des œuvres plastiques qui chaque fois incorporent un lieu? Sans doute ne va-t-il plus délimiter les uns par rapport aux autres des espaces, dans lesquels des surfaces enveloppent un intérieur, faisant paraître en contrepartie un extérieur. Ce qui est nommé du nom de « volume » devrait perdre son nom dont la signification n'est pas plus ancienne que la science technique de la nature des Temps modernes.

Les caractères cherchant-lieu et formant-lieu de l'incorporation plastique resteraient ainsi d'abord sans nom.

Et qu'adviendrait-il du vide de l'espace? Trop souvent il apparaît seulement comme un manque. Le vide passe alors pour le défaut de remplissage d'espaces creux et intercalaires.

Sans doute le vide est-il pourtant jumeau de la propriété du lieu, et pour cette raison non pas un défaut, mais un porter-à-découvert.

A nouveau la langue peut nous faire signe. Dans le verbe « *leeren* » (*vider*) parle le « *Lesen* » (*lire*) au sens originel de « rassembler », le rassembler qui règne dans le lieu.

Vider le verre, cela veut dire : le rassembler, en tant que contenant, dans son être devenu libre.

Vider dans un panier les fruits cueillis, cela veut dire : leur préparer ce lieu.

Le vide n'est pas rien. Il n'est pas non plus un manque.

Dans l'incorporation plastique joue le vide sur le mode d'instituer (*Stiften*) des lieux en les allant chercher et en risquant leur ouverture.

Les remarques précédentes ne portent assurément pas assez loin pour montrer déjà le propre de la sculpture comme genre des arts plastiques en une suffisante clarté.

La sculpture : une incorporation qui porte-à-l'œuvre des lieux, et avec ceux-ci une ouverture de contrées pour une possible habitation des hommes et un possible séjour des choses qui les entourent et les concernent.

La sculpture : incorporation de la vérité de l'être en son œuvre instituante de lieux.

Rien qu'un premier coup d'œil lancé dans la propriété de l'art plastique laisse pressentir que la vérité en tant que non-retrait de l'être n'est pas nécessairement astreinte à l'incorporation.

Goethe dit : « Il n'est pas toujours nécessaire que le vrai s'incorpore ; c'est bien assez qu'il plane alentour comme esprit et provoque l'unisson ; que comme le chant des cloches, sa houle s'étende par les airs, sourire de la sérénité. »

Sur l'art :

Holzwege 1950, Der Ursprung des Kunstwerkes ; erweitert in Reclams-Universalbibliothek Nr. 8446/ 47 1960, trad. franç. *Chemins qui ne mènent nulle part*, Paris, Gallimard, 1962, p. 11-68.

Vorträge und Aufsätze 1954, « Dichterisch wohnet der Mensch », trad. franç. *Essais et Conférences*, Paris, Gallimard, 1958, p. 224-245.

Sur l'espace:

Sein und Zeit 1927 §§ 22-24, Die Räumlichkeit des Daseins, trad. franç. *L'Être et le Temps*, Paris, Gallimard, 1964, p. 130-143.

Vorträge und Aufsätze 1954, Bauen — Wohnen — Denken, trad. franç. *Essais et Conférences*, Paris, Gallimard, 1958, p. 170-193.

Gelassenheit 1959, Aus dem Feldweggespräch über das Denken, trad. franç. *Questions III*, Paris, Gallimard, 1966, p. 183-225.

Traduit par François Fédier et Jean Beaufret.

II

La Fin de la philosophie et le tournant

Titres originaux:

DAS ENDE DER PHILOSOPHIE
UND DIE AUFGABE DES DENKENS

DIE KEHRE

LA FIN DE LA PHILOSOPHIE
ET LA TÂCHE DE LA PENSÉE

« La conférence: "La Fin de la philosophie et la tâche de la pensée" n'avait jusqu'ici paru que sous la forme d'une traduction due à Jean Beaufret et François Fédier, traduction qui se trouve dans le recueil Kierkegaard vivant, *colloque organisé par l'U.N.E.S.C.O., à Paris, du 21 au 23 avril 1964; Gallimard, 1966, p. 165 sq. » (Indication de Heidegger à la fin de* Zur Sache des Denkens, *p. 92).*

Jean Beaufret, s'apprêtant à lire la traduction qui suit, avait présenté la conférence en ces termes:

Le texte de Martin Heidegger, dont je vais avoir l'honneur de lire devant vous la traduction, faite en commun avec François Fédier, a pour titre: La Fin de la philosophie et la tâche de la pensée. *Il n'est pas, dans ce texte, question de Kierkegaard qui, dans* Sein und Zeit, *est pourtant si présent. Kierkegaard est en effet, aux yeux de Heidegger, sinon un philosophe, du moins un maître de la littérature existentielle dont l'apparition, à la fin de la philosophie, est parfois d'autant plus concordante avec la tâche de la pensée. Que Kierkegaard ne soit pas à proprement parler un philosophe, c'est lui-même qui le dit, et nullement par fausse modestie. Écrivain religieux, et même « poète du religieux », il ne veut que décrire la situation religieuse de l'homme, en tant qu'elle est implicite dans la théologie du christianisme, au sens où d'autres écrivains, avec une maîtrise bien à eux, sauront décrire plus tard une situation autre, non plus dans un rapport à la parole sacrée de l'Écriture, mais à la parole philosophique de Marx et au devenir-monde de cette parole philosophique. Que Kierkegaard et Marx aient soutenu la même année 1841, l'un à Copenhague, l'autre à Iéna, leur thèse de doctorat en philosophie est ici plein de sens. Mais plus originelle que le christianisme lui-même et sa théologie est la structure onto-théologique de la métaphysique. Plus incontournable encore que l'apparition de l'homme dans la figure du travailleur est le rapport au monde que recèle en son fond l'apparition de cette figure. Qu'une pensée puisse se définir par la vocation de l'originel et de l'incontournable, c'est peut-être à quoi nous rappelle Martin Heidegger. On peut bien sûr penser que le problème du salut de l'homme, qu'il s'agisse de son salut éternel par la destruction des péchés du monde ou de son salut en ce monde par la destruction d'un monde de l'aliénation, est de plus grande urgence que la* destruction phénoménologique *qui est, lisons-nous dans* Sein und Zeit, *la tâche proprement constructive de la pensée. On peut aussi penser le contraire, en toute discrétion de pensée. Mais la pensée la plus discrètement fidèle au secret même de la pensée, sait d'autant mieux reconnaître une dette, et c'est pourquoi Heidegger, s'il voit en Kierkegaard, en un temps où les penseurs devaient être des philosophes, non pas un philosophe, comme le furent Hegel ou Nietzsche, mais un écrivain religieux, c'est tout aussitôt pour préciser dans* Holzwege: « *Non pas cependant un parmi d'autres, mais le seul qui soit à la mesure du destin de son temps.* »

Que cet hommage nous introduise à la méditation qui nous est ici proposée sous le titre: La Fin de la philosophie et la tâche de la pensée. *Voici maintenant la parole même de Heidegger.*

Jean Beaufret.

LA FIN DE LA PHILOSOPHIE ET LA TÂCHE DE LA PENSÉE

Ce titre nomme la tentative d'une méditation qui demeure en son fond questionnante. Les questions sont autant de chemins vers une réponse possible. Une telle réponse devrait, au cas où réponse il y aurait, consister en une transformation de la pensée, et non pas en une simple énonciation portant sur un sujet déjà donné.

Le texte suivant fait partie d'un contexte plus ample. Il reprend une tentative qui, depuis 1930, n'a jamais cessé d'être renouvelée : celle de donner une figure plus initiale au questionnement institué par *Être et Temps*, c'est-à-dire de soumettre la question entreprise dans *Être et Temps* à une critique immanente. Par là devra s'éclairer en quoi la question proprement *critique*, celle qui cherche à discerner quelle peut bien être l'affaire propre de la pensée, ne peut cesser d'appartenir, en toute nécessité, à la pensée elle-même. En conséquence de quoi la tâche entreprise avec *Être et Temps* pourrait bien avoir à changer de titre.

Deux questions se posent :

1) En quoi la philosophie à l'époque présente est-elle entrée dans son stade terminal ?

2) Quelle tâche, à la fin de la philosophie, demeure réservée à la pensée ?

1. *En quoi la philosophie est-elle, à l'époque présente, entrée dans son stade terminal?*

Philosophie, cela veut dire métaphysique. La métaphysique pense l'étant dans son tout — le monde, l'homme, Dieu — en regardant vers l'être, c'est-à-dire en tenant le regard fixé sur l'articulation de l'étant dans l'être. Elle pense l'étant, comme étant, sur le monde de la représentation dont la tâche est: fonder. Car l'être de l'étant, depuis le début de la philosophie et dans ce début même, s'est manifesté comme *Grund* (ἀρχή, αἴτιον, principe). Le *Grund*, le fond ou fondement, est ce d'où l'étant comme tel, dans son devenir, sa disparition et sa permanence, est ce qu'il est et comme il l'est, en tant que susceptible d'être connu, pris en main et élaboré. En tant qu'il est le fondement, l'être amène l'étant à son séjour dans la présence. Le fondement se manifeste comme l'état de présence de l'étant. La présentation qui lui est propre consiste en ceci qu'elle fait ressortir, dans son état de présence, tout ce qui, à chaque fois et à sa manière, est déjà présent. Le fondement, selon le type que revêt, en son temps, l'état de présence, a son caractère fondatif dans la causation ontique de l'effectué, dans la possibilisation transcendantale de l'objectivité des objets, dans la médiation dialectique du mouvement de l'esprit absolu, du processus historique de la production, dans la volonté de puissance instituant des valeurs.

Le trait distinctif de la pensée métaphysique, celle qui creuse l'étant jusqu'en son fond, repose en ceci qu'une telle pensée, prenant son départ de ce qui est présent, le représente dans son état de présence, et ainsi l'expose, à partir de son fondement, comme étant bien fondé.

Que voulons-nous dire maintenant en parlant de la fin de la philosophie? Nous comprenons trop aisément la fin de quelque chose en un sens purement négatif comme la simple cessation, comme l'arrêt d'un processus, sinon même comme délabrement et impuissance. Tout au contraire, la locution « fin de la philosophie » signifie l'achèvement de la métaphysique. Toutefois, achèvement n'est pas ici perfection au sens où la philosophie, à son stade terminal, aurait dû atteindre son parachèvement. Ce n'est pas seulement l'étalon qui nous manque pour nous permettre d'apprécier la perfection d'une époque de la métaphysique en regard d'une autre époque. Aucun droit ne nous est donné dans l'absolu pour formuler des appréciations de ce genre. La pensée de Platon n'est pas plus parfaite que celle de Parménide. La philosophie de Hegel n'est pas plus parfaite que celle de Kant. Toute époque de la philosophie a sa nécessité à elle. Qu'une philosophie soit comme elle est, il nous faut le reconnaître sans plus. Mais il ne nous revient nullement d'en privilégier une sur une autre, comme au contraire il nous est loisible de le faire quand il ne s'agit que de différentes *Weltanschauungen*.

L'ancienne signification du mot allemand *Ende* (fin) est la même que celle du mot *Ort* (lieu): *Von einem Ende zum anderen* signifie: d'un lieu à l'autre. La fin de la philosophie est lieu — celui auquel le tout de son histoire se rassemble dans sa possibilité la plus extrême. Fin comme achèvement signifie ce rassemblement en un seul lieu.

D'un bout à l'autre de la philosophie, c'est la pensée de Platon qui, en diverses figures, demeure déterminante. La métaphysique est de fond en comble platonisme. Nietzsche lui-même caractérise sa philosophie comme retournement du platonisme. Avec le retournement de la métaphysique, déjà accompli avec Karl Marx, c'est la plus extrême possibilité de la philosophie qui se trouve atteinte. La philosophie est entrée dans son stade terminal. Toute tentative de pensée philosophique ne peut plus aboutir aujourd'hui qu'à un jeu varié de renaissances épigonales. La fin de la philosophie serait donc ainsi, malgré que nous en ayons, cessation de ce mode de pensée? N'allons quand même pas trop vite.

Fin signifie en tant qu'achèvement, rassemblement sur les possibilités les plus extrêmes. Nous pensons ces possibilités d'une manière trop étroite aussi longtemps que nous nous bornons à attendre un déploiement de nouvelles philosophies dans l'ancien style. Ce serait oublier que, dès l'époque de la philosophie grecque, un trait caractéristique de la philosophie vient au jour: à savoir le développement de diverses sciences à l'intérieur de l'horizon ouvert par la philosophie. Le développement des sciences est du même coup leur affranchissement de la philosophie et l'établissement de leur auto-suffisance. Ce phénomène appartient à l'achèvement de la philosophie. Son déploiement aujourd'hui bat son plein dans tous les secteurs de l'étant. Il a l'air de n'être qu'une décomposition de la philosophie, mais en réalité il en est bel et bien l'achèvement.

Qu'il suffise ici de mentionner l'émancipation de la psychologie, de la sociologie, de l'anthropologie devenue culturelle, le rôle de la logique comme logistique et sémantique. La philosophie devient science de l'homme, science fondée sur l'expérience de tout ce qui peut, pour l'homme, devenir l'objet de sa technique, par laquelle il s'installe dans le monde en l'élaborant selon les modes multiples des fabrications qui le façonnent. Tout cela s'accomplit partout sur la base et selon les normes de la mise en exploitation scientifique de tous les secteurs de l'étant.

Il n'est pas besoin d'être prophète pour reconnaître que les sciences modernes dans leur travail d'installation ne vont pas tarder à être déterminées et pilotées par la nouvelle science de base, la cybernétique.

Cette science correspond à la détermination de l'homme

comme être dont l'essence est l'activité en milieu social. Elle est en effet la théorie qui a pour objet la prise en main de la planification possible et de l'organisation du travail humain. La cybernétique transforme le langage en moyen d'échange de messages, et avec lui, les arts en instruments eux-mêmes actionnés à des fins d'information.

La ramification de la philosophie en autant de sciences autonomes, et pourtant toujours de plus en plus résolument intercommunicantes, est l'achèvement légitime de la philosophie. La philosophie prend fin à l'époque présente. Elle a trouvé son lieu dans la prise en vue scientifique de l'humanité agissant en milieu social. Le trait fondamental de cette détermination scientifique est par ailleurs son caractère cybernétique, c'est-à-dire technique. Il est à présumer que le besoin de mettre en question la technique moderne dépérit dans l'exacte mesure où la technique met plus décisivement son empreinte et règne plus exclusivement sur les phénomènes de l'univers et sur la place qu'y occupe l'homme.

Les sciences sont en train d'interpréter selon les règles de la science, c'est-à-dire du point de vue de la technique, tout ce qui dans leur texture rappelle encore qu'elles proviennent de la philosophie. Les catégories auxquelles chaque science demeure assujettie pour la structuration et la délimitation de son champ d'objectivité, elle les comprend comme des instruments qui sont ses hypothèses de travail. Leur vérité n'est pas simplement mesurée à la seule capacité d'effectuation que leur application opère à l'intérieur du progrès de la recherche. La vérité scientifique est strictement superposable à l'efficience de cette effectuation.

Ce que la philosophie, au cours de son histoire, avait tenté çà et là, et chaque fois d'une manière insuffisante, à savoir d'exposer les ontologies des diverses régions de l'étant (nature, histoire, droit, art), ce sont maintenant les sciences qui le prennent en charge comme la tâche qui leur incombe en propre. Leur intérêt se braque sur la théorie des concepts structuraux à chaque fois indispensables pour le champ d'objectivité qui leur est conjugué. « Théorie » signifie maintenant : supposition de catégories auxquelles n'est accordée qu'une fonction cybernétique, toute signification ontologique leur étant déniée. Le caractère opérationnel et la référence au modèle de la pensée représentative et calculante en sont venus à régner en maîtres.

Toutefois, dans la supposition qu'elles ne peuvent pas ne pas faire de leurs catégories régionales, c'est encore de l'être de l'étant que les sciences continuent de parler. Elles se contentent de ne pas le dire. Elles peuvent bien dès lors renier leur origine philosophique ; elles ne peuvent pourtant pas la rejeter. Car ce qui toujours parle dans ce que les sciences ont de scientifique c'est leur origine à partir de la philosophie.

La fin de la philosophie se dessine comme le triomphe de l'équipement d'un monde en tant que soumis aux commandes d'une science technicisée et de l'ordre social qui répond à ce monde. Fin de la philosophie signifie : début de la civilisation mondiale en tant qu'elle prend base dans la pensée de l'Occident européen.

Mais est-ce que la fin de la philosophie au sens de sa ramification en sciences constitue déjà par elle-même l'effectuation la plus achevée de toutes les possibilités dans lesquelles la pensée, celle qui a pris la voie de la philosophie, a été mise ? Ou bien y a-t-il pour la pensée, en dehors de l'*ultime* possibilité que nous venons de caractériser (à savoir la décomposition de la philosophie dans l'essor des sciences technicisées), une possibilité *première* d'où la pensée philosophique devait certes prendre issue, mais dont elle n'était cependant pas en état, comme philosophie, de faire l'épreuve et de tenter l'entreprise ?

S'il en était ainsi, alors il faudrait que dans la philosophie, dans toute son histoire prise du début jusqu'à la fin, une tâche encore soit en réserve pour la pensée, tâche à laquelle ni la philosophie en tant que métaphysique, encore moins les sciences qui en sortent, ne sauraient avoir accès. C'est pourquoi nous posons cette seconde question :

2. *Quelle tâche, à la fin de la philosophie, reste encore réservée à la pensée ?*

La simple évocation d'une telle tâche de la pensée ne peut à coup sûr que déconcerter. Une pensée, qui ne pourrait être ni métaphysique, ni science ?

Une tâche qui, dès le début de la philosophie et du fait même de ce début, serait fermée à la philosophie ? Et qui, à partir de là, s'en serait constamment et toujours plus, dans la suite des temps, maintenue en retrait ?

Une tâche de la pensée, qui, en apparence, impliquerait l'affirmation que la philosophie ne serait pas à la hauteur de ce qui est l'affaire propre de la pensée, et en conséquence ne serait que l'histoire d'une pure et simple décadence ?

N'est-ce pas là le langage d'une présomption qui prétendrait se hisser encore au-dessus de ce qui fut la grandeur des penseurs de la philosophie ?

Tel est le soupçon qui se fait jour. Mais il est facile d'en faire justice. Car toute tentative d'ouvrir un regard vers la tâche, peut-être, de la pensée, se voit renvoyée à prendre garde au tout qu'est l'histoire de la philosophie ; et qui plus est elle se voit même dans la nécessité de penser l'historicité de ce qui procure à la philosophie la possibilité d'une histoire.

Par cela seul, une telle pensée demeure nécessairement bien en deçà de la grandeur des philosophes. Elle est bien moindre que la philosophie. Moindre aussi parce qu'à cette pensée, encore plus résolument que jusqu'ici à la philosophie, aussi bien l'action immédiate que l'action médiate sur le domaine public qui porte l'empreinte de la science technicisée de notre époque industrielle, ne peut qu'être refusée.

Mais avant tout cette pensée, fût-elle seulement possible, demeure bien peu, car sa tâche n'a que le caractère d'une préparation et nullement d'une fondation. Il lui suffit de provoquer l'éveil d'une disponibilité de l'homme pour un possible dont le contour demeure obscur, et l'avènement incertain. Ce qui demeure, pour la pensée, gardé en réserve, savoir s'y engager, voilà ce que la pensée doit d'abord apprendre : en tel apprentissage elle prépare sa propre transformation. Il est ici pensé à la possibilité que la civilisation mondiale telle qu'elle ne fait maintenant que commencer, surmonte un jour la configuration dont elle porte la marque technique, scientifique et industrielle, comme l'unique mesure d'un séjour de l'homme dans le monde — qu'elle la surmonte non pas bien sûr à partir d'elle-même et par ses propres forces, mais à partir de la disponibilité des hommes pour une destination pour laquelle en tout temps un appel, qu'il soit ou non entendu, ne cesse de venir jusqu'à nous, hommes, au cœur d'un partage non encore arrêté. Non moins incertain demeure ceci : la civilisation mondiale sera-t-elle d'ici peu soudainement détruite ? Ou bien va-t-elle se consolider pour une longue durée, sans aucun repos dans ce qui demeure, mais bien plutôt vouée à s'organiser en un changement continuel où le nouveau fait place à toujours plus nouveau ?

La pensée qui n'est que préparation ne veut ni ne peut prédire aucun avenir. Elle tente seulement, face au présent, de faire entendre en un prélude quelque chose qui, du fond des âges, juste au début de la philosophie, a déjà été dit pour celle-ci sans qu'elle l'ait proprement pensé. Qu'il nous suffise pour l'instant, avec la brièveté ici de mise, de faire signe de ce côté. Pour ce faire, c'est à la philosophie même que nous demanderons une indication qu'elle nous offre.

Poser la question de la tâche de la pensée, cela signifie, dans l'horizon de la philosophie, déterminer ce qui concerne la pensée, ce qui pour la pensée ne cesse d'être question, ce qui est le point même de la question. Cela, c'est en allemand, le mot *Sache*: l'affaire en question. Il nomme ce avec quoi, dans l'occurrence présente, la pensée a affaire. Platon disait τὸ πρᾶγμα αὐτό (*Lettre* VII, 341 c 7).

Voici en effet que la philosophie, à son époque la plus récente, a d'elle-même convoqué expressément la pensée *zur Sache selbst.* Disons en français: à son affaire propre. Citons ici deux exemples qui méritent une attention particulière. Cet appel, nous pouvons l'entendre dans la Préface que Hegel a placée en tête de l'ouvrage publié en 1807 sous le titre de *Système de la science, première partie: La Phénoménologie de l'esprit.* Cette préface n'est pas l'Avant-propos à la Phénoménologie, mais au *Système de la science*, au Tout de la philosophie. L'appel *zur Sache selbst* vaut finalement, et cela veut dire quant à l'affaire (*der Sach nach*), en premier lieu, pour la *Science de la logique.*

Dans l'appel *zur Sache selbst*, l'accent porte sur *selbst.* De prime abord l'appel a le sens d'une mise en garde. Tout ce qui ne se rapporte pas comme il convient à l'affaire propre de la philosophie est rejeté. A cela appartiennent les simples exposés sur le but de la philosophie, mais aussi les simples comptes rendus sur les résultats de la pensée philosophique. Pas plus les uns que les autres, réduits à eux-mêmes, ne constituent le tout effectivement réel de la philosophie. Celui-ci se montre d'abord et ne se montre même que dans son devenir. Le tout ainsi pensé advient comme tel dans la présentation qui expose point par point le développement de l'affaire. Dans une telle exposition thème et méthode deviennent identiques. Cette identité, Hegel la nomme: *der Gedanke**. C'est par là que l'affaire de la philosophie ressort « en elle-même » pleinement. Cette affaire cependant dans sa détermination historique est: la subjectivité. Avec *l'ego cogito* de Descartes, dit Hegel, c'est pour la première fois que la philosophie marche en terrain ferme, qu'elle peut être vraiment chez elle. Si avec *l'ego cogito* comme *subjectum* par excellence, c'est le *fundamentum absolutum* qui est atteint, alors cela veut dire: le sujet est l'ὑποκείμενον transposé dans la conscience, il est ce qui est véritablement présent, lui qui, dans la langue traditionnelle de la philosophie, porte le nom par trop indéterminé de substance.

Quand Hegel, dans sa préface (éd. Hoffmeister, p. 19) explique que « le vrai de la philosophie, ce n'est pas comme substance qu'il faut le saisir et l'exprimer, mais tout aussi décidément comme sujet », cela veut dire: l'être de l'étant, l'état de présence de ce qui est présent, est alors seulement patent, et dès lors à sa plénitude, quand cet état de présence comme tel se présentifie pour soi-même dans l'idée absolue. Mais depuis Descartes *idea* veut dire *perceptio*. Le devenir de l'être jusqu'à lui-même a lieu dans la dialectique spéculative. Le mouvement de la pensée, la méthode, telle est donc la *Sache selbst*. L'appel *zur Sache selbst* réclame, dans sa conformité à l'affaire, la *méthode* de la philosophie.

Ce qu'est toutefois l'affaire de la philosophie, voilà qui est arrêté dès le départ. L'affaire de la philosophie comme

* Cf. Heidegger, *Identité et Différence*, *Questions I*, p. 282. Cf. aussi Hegel, *Encyclopädie*, IIIe partie, Das Denken, § 465: « der Gedanke ist die Sache » Leipzig, F. Meiner, 1969 (*N.d.T.*).

métaphysique, est l'être de l'étant, son état de présence dans la figure de la substantialité et de la subjectivité.

Un siècle plus tard, l'appel *zur Sache selbst*, nous l'entendons à nouveau dans l'Essai de Husserl : *La philosophie comme science rigoureuse.* Il parut dans le premier tome de la revue *Logos* en 1910-1911 (p. 289 sqq.). De nouveau, l'appel a d'abord le sens d'une mise en garde. Mais ici elle pointe dans une tout autre direction qu'avec Hegel. Elle vise la psychologie naturaliste qui prétend être la véritable méthode scientifique d'une exploration de la conscience. Car cette méthode barre dès le départ l'accès aux phénomènes de la conscience intentionnelle. Mais l'appel *zur Sache selbst* nous met du même coup en garde contre l'historisme qui se disperse et se perd en discussions sur les différents points de vue de la philosophie et dans l'échelonnement de types de *Weltanschauungen* philosophiques. A ce propos Husserl dit en le soulignant (*op. cit.*, p. 340) : « *Ce n'est pas des philosophies mais des états de chose (Sachen) et des problèmes que doit partir l'impulsion de la recherche.* »

Mais quelle est l'affaire de la recherche philosophique ? Elle est pour Husserl comme pour Hegel et conformément à la même tradition, la subjectivité de la conscience. Les *Méditations cartésiennes* ne furent pas seulement pour Husserl le sujet des conférences qu'il fit à Paris en février 1929, mais leur esprit, depuis l'époque qui suivit immédiatement les *Recherches logiques*, ne cessa d'accompagner jusqu'à la fin le cours passionné de ses recherches philosophiques. Dans son sens négatif tout aussi bien que dans son sens positif, l'appel *zur Sache selbst* est axé sur la consolidation et l'élaboration de la méthode, sur la mise en train qui seule communique à l'affaire *(Sache)* de la philosophie sa possibilité d'être donnée dans les règles. Pour Husserl, le « principe de tous les principes » est avant tout non pas un principe concernant le contenu de la chose mais un précepte méthodologique. Dans son ouvrage de 1913: *Idées pour une phénoménologie pure et une philosophie phénoménologique*, Husserl a consacré en propre tout un paragraphe à la détermination du « principe de tous les principes » (§ 24). Tenant ferme ce principe, dit Husserl (*op. cit.*, p. 44), « aucune théorie imaginable ne peut nous induire en erreur ». Le « principe de tous les principes » s'énonce ainsi:

— « toute intuition originairement donnante [est] *une source de droit pour la connaissance, tout ce qui s'offre à nous dans l'« intuition » de façon originaire* (dans sa réalité vivante pour ainsi dire) [doit] *tout simplement être reçu pour ce qu'il se donne,* mais aussi *seulement à l'intérieur des limites dans lesquelles il se donne comme étant là...* »

Le « principe de tous les principes » contient la thèse du primat de la méthode. C'est ce principe qui décide de l'affaire qui seule peut répondre et satisfaire à la méthode. Le « principe de tous les principes » réclame la subjectivité absolue comme étant l'affaire même de la philosophie. La réduction transcendantale à la subjectivité absolue donne et assure la possibilité de fonder, dans la subjectivité et par elle, l'objectivité de tous les objets (l'être de l'étant), dans ce qu'ont de valable leur structure et leur teneur, c'est-à-dire dans leur constitution. Ainsi la subjectivité transcendantale s'avère comme « le seul étant de valeur absolue » (*Logique formelle et transcendantale*, 1929, p. 240). De même genre que l'être de cet étant de valeur absolue, c'est-à-dire du même genre que l'affaire la plus propre de la philosophie est tout aussi bien la réduction transcendantale comme méthode de la « science universelle » de la constitution de l'être de l'étant.

Ici la méthode ne se contente pas de s'orienter sur l'affaire de la philosophie. Elle ne correspond pas seulement à cette affaire comme la clef correspond à la serrure. Elle est bien plutôt intrinsèque à l'affaire elle-même, parce qu'elle est « cette affaire même ». Si l'on demande : d'où le « principe de tous les principes » tient-il son inébranlable légitimité, alors la réponse doit être : de la subjectivité transcendantale qui a déjà été présupposée comme étant l'affaire même de la philosophie.

Nous avons choisi l'éclaircissement de l'appel : *zur Sache selbst* comme indicateur de direction. Cet appel devait nous mettre sur le chemin qui conduit à une détermination de la tâche de la pensée au stade terminal de la philosophie. Où sommes-nous parvenus au juste ? A comprendre que pour l'appel *zur Sache selbst*, c'est d'avance qu'est déjà fixé ce qui concerne la philosophie comme étant son affaire propre. L'affaire propre de la philosophie, du point de vue de Hegel et de Husserl — et pas seulement pour eux — est la subjectivité. Pour l'appel, ce n'est pas l'affaire comme telle qui vient au cœur du débat, mais bien plutôt son exposition, celle par laquelle elle est elle-même l'objet d'une présentation. La dialectique spéculative de Hegel est le mouvement grâce auquel l'affaire comme telle arrive jusqu'à elle-même, arrive dans l'état de présenteté qui lui appartient. La méthode de Husserl tend à porter l'affaire de la philosophie à l'état dans lequel elle est originairement donnée dans son évidence ultime, c'est-à-dire : à l'état où elle se présente comme d'elle-même.

Les deux méthodes sont aussi différentes que possible. Mais l'affaire comme telle, celle qu'elles ont pour but d'exposer en la présentant, est la même, bien quelle soit entreprise de manière différente.

Mais de quel secours peuvent bien nous être ces constatations quant à notre projet de prendre en vue la tâche de la pensée ? Elles ne nous aident en rien aussi longtemps que nous nous en tenons à une simple élucidation de l'appel. Si en revanche nous *questionnons* vers ce qui dans l'appel *zur Sache selbst* demeure impensé, alors il nous devient possible de nous rendre attentifs à autre chose : là où la philosophie a porté son affaire propre au savoir absolu et à l'évidence ultime, là précisément se tient peut-être d'autant plus en retrait autre chose, et quelque chose de tel que le penser ne peut plus être du ressort de la philosophie.

Qu'est-ce donc toutefois qui demeure impensé aussi bien dans l'affaire propre à la philosophie que dans la méthode qui lui est non moins propre ? La dialectique spéculative est une modalité selon laquelle l'affaire de la philosophie, à partir d'elle-même et pour elle-même, entre dans la dimension du paraître et ainsi s'expose en un présent. Un tel paraître advient nécessairement dans une certaine clarté. C'est seulement à travers cette clarté que ce qui apparaît peut se laisser voir, c'est-à-dire, paraître. Mais la clarté a elle-même son repos dans une dimension d'ouverture et de liberté qu'il lui est loisible, en un lieu ou en un autre, en un temps ou en un autre, d'éclairer. La clarté joue dans l'ouvert et c'est là qu'elle lutte avec l'ombre. Là où apparaît quelque chose venant à l'encontre d'autre chose, à moins que les deux ne demeurent en vis-à-vis, et même là où, avec Hegel, ce miroitement de l'un dans l'autre devient spéculatif, là règne déjà l'ouvert d'un site, là une libre contrée est déjà en jeu. C'est seulement la contrée ouverte d'un tel site qui peut procurer, même à la démarche de la pensée spéculative, sa progression à travers ce qu'elle dépasse en le pensant.

Nous nommons en allemand cet état d'ouverture qui seul rend possible à quoi que ce soit d'être donné à voir et de pouvoir être montré : *die Lichtung*. Le mot allemand *Lichtung* est linguistiquement un mot formé pour traduire le français clairière. Il est formé sur le modèle de mots plus anciens tels que *Waldung* et *Feldung*.

Ce qui est *Waldlichtung*, la clairière en forêt, est éprouvé par contraste avec l'épaisseur dense de la forêt, que l'allemand plus ancien nomme *Dickung*. Le substantif *Lichtung* renvoie au verbe *lichten*. L'adjectif *licht* est le même mot que *leicht* (léger). *Etwas lichten* signifie : rendre quelque chose plus léger, le rendre ouvert et libre, par exemple dégager en un lieu la forêt, la désencombrer de ses arbres. L'espace libre qui apparaît ainsi est la *Lichtung*. Ce qui est *licht* au sens de libre et d'ouvert n'a rien de commun ni linguistiquement ni quant à la chose qui est ici en question, avec l'adjectif *licht* qui signifie clair ou lumineux. Il faut y prendre garde pour bien comprendre la différence entre *Lichtung* et *licht*. Néanmoins la possibilité reste maintenue d'une connexion profonde entre les deux. La lumière peut en effet visiter la *Lichtung*, la clairière, en ce qu'elle a d'ouvert, et laisser jouer en elle le clair avec l'obscur. Mais ce n'est jamais la lumière qui d'abord crée l'Ouvert de la *Lichtung* ; c'est au contraire celle-là, la lumière qui présuppose celle-ci, la *Lichtung*. L'Ouvert, cependant n'est pas libre seulement pour la lumière et l'ombre, mais tout aussi bien pour la voix qui retentit et dont l'écho va se perdant, comme pour tout ce qui sonne et qui résonne et dont le son s'en va mourant. La *Lichtung* est clairière pour la présence et pour l'absence.

Il devient, pour la pensée, nécessaire de prendre garde à ce qui vient ici d'être nommé *Lichtung*. En l'occurrence il ne s'agit nullement, comme on pourrait dès l'abord trop aisément le croire, d'extraire de purs vocables, par exemple celui de *Lichtung*, un simple jeu de représentations. Il importe bien plutôt de prendre garde à la chose unique en son genre que nomme fidèlement le mot *Lichtung*. Ce que ce mot nomme dans un contexte qui est maintenant celui de la pensée, à savoir la liberté de l'Ouvert, est, pour rappeler un mot de Goethe, un « Urphänomen ». Il nous faudrait aller jusqu'à dire : une *Ur-Sache*.

Goethe remarque (*Maximes et Réflexions*, n° 993): « Qu'on n'aille rien chercher derrière les phénomènes: ils sont eux-mêmes la doctrine. » Entendons: le phénomène lui-même, dans le cas présent la *Lichtung*, nous place devant la tâche d'apprendre de lui en le questionnant, c'est-à-dire de nous laisser dire, à partir de lui, quelque chose.

Dans ce contexte la pensée, un jour peut-être, pourrait ne plus broncher devant elle-même, mais se demander enfin si la libre clairière de l'Ouvert ne serait pas précisément le site où l'ampleur de l'espace et les horizons du temps ainsi que tout ce qui, en eux, se présente et s'absente, sont contenus et recueillis.

De la même manière que la pensée spéculative et dialectique, l'intuition originaire et son évidence demeurent confiées au règne d'abord de l'Ouvert et de sa clairière. Évident est ce qui s'offre d'emblée à la vue. *Evidentia* est le mot par lequel Cicéron traduit, c'est-à-dire transporte dans son monde romain, le grec ἐνάργεια. 'Ενάργεια, où sonne la même origine que dans le latin *argentum*, signifie ce qui en soi-même et à partir de soi jette une lueur et se met en lumière. Dans le parler des Grecs, nulle trace d'un acte de la vision, du *videre* latin ; il s'agit simplement de ce qui luit et brille. Mais briller n'est possible que si déjà de l'Ouvert est là. Le rayon de lumière n'est pas ce qui d'abord produit l'Ouvert, il ne fait que parcourir en la mesurant la clairière. C'est elle seulement qui peut donner à recevoir, en procurant à l'évidence elle-même la liberté du déploiement au sein duquel il lui est loisible d'avoir mouvement et séjour.

Toute la pensée de la philosophie, celle qui expressément ou non répond à l'appel: *zur Sache selbst*, est dans sa marche, avec sa méthode, déjà confiée à la liberté de l'Ouvert. De l'Ouvert et de sa clairière, la philosophie cependant ne sait rien. La philosophie parle, bien sûr, de la lumière de la raison mais elle ne prend pas garde à la clairière de l'être. Le *lumen naturale*, la lumière de la raison, ne fait que jouer dans l'Ouvert. Elle rencontre certes l'Ouvert de la clairière, elle la constitue cependant si peu qu'elle en a bien plutôt besoin pour pouvoir se répandre sur ce qui est présent dans l'Ouvert. Cela n'est pas seulement vrai pour la méthode de la philosophie, mais aussi et même en premier lieu pour son affaire propre, c'est-à-dire pour l'état de présence de ce qui est présent. Dans quelle mesure, même dans la subjectivité, c'est toujours le sujet, l'ὑποκείμενον, ce qui est déjà là, à savoir le présent dans son état de présence qui est pensé, nous ne pouvons pas ici le montrer en détail. (Voir à ce propos : Heidegger, *Nietzsche*, t. II, p. 429, trad. franç. t. II, p. 344 sqq.)

C'est ici à autre chose que nous prenons garde. Que quoi que ce soit de présent soit, ou non, éprouvé, saisi et exposé comme tel, c'est chaque fois son état de présence, comme avènement dans le séjour de l'Ouvert, qui demeure confié à la dimension déjà ouverte de l'Ouvert. Même ce qui est absent ne peut être tel que déployant une présence dans la liberté de l'Ouvert.

Toute métaphysique, y compris sa contrepartie, le positivisme, parle la langue de Platon. La parole fondamentale de sa pensée, celle qui expose l'être même de l'étant, est εἶδος, ἰδέα, c'est-à-dire l'aspect dans lequel l'étant se montre comme tel. Un tel aspect est cependant une modalité de l'état de présence. Aucun aspect sans lumière. Platon en savait déjà quelque chose. Mais pas de lumière, pas non plus de clarté hors de la clairière de l'Ouvert. Même l'obscur a besoin d'elle. Comment pourrions-nous autrement entrer dans l'obscur de la nuit, y errer au travers ? Cependant, d'un bout à l'autre de la philosophie, l'Ouvert qui règne déjà dans l'être même, dans l'état de présence, reste, comme tel, impensé, bien qu'au début de la philosophie il soit parlé de la clairière de l'Ouvert.

Quels noms l'évoquent en une parole? Et où trouvons-nous cette évocation? Réponse: dans le Poème de Parménide, qui, autant que nous puissions savoir, a été le premier à méditer en propre l'être de l'étant, et qui, aujourd'hui encore, bien qu'aucune oreille ne l'entende, parle cependant dans les sciences en lesquelles la philosophie se résout.

Voici l'appel dont Parménide entend l'exhortation:

Χρεὼ δέ σε πάντα πυθέσθαι
ἠμὲν ᾿Αληθείης εὐκυκλέος ἀτρεμὲς ἦτορ
ἠδὲ βροτῶν δόξας, ταῖς οὐκ ἔνι πίστις ἀληθής
Fragment I, v. 28 *sqq.*

« Mais il te faut, toi, tout apprendre / Tant, de l'Ouvert-sans-retrait, rondeur parfaite, le cœur qui point ne tremble / Que l'avis des mortels où rien n'a fond en l'Ouvert-sans-retrait. »

Dans ce texte est nommée l'᾿Αληθεία, l'état de n'être en nul retrait. Elle est dite « rondeur parfaite » parce que sa tournure répond à la pure rondeur du cercle sur la ligne duquel, en chaque point, commencement et fin coïncident. D'une telle tournure est exclue toute possibilité de détournement, de déguisement et d'occultation. L'homme doué de sens, c'est du cœur sans tremblement de ce dont l'essence est de n'être en nul retrait qu'il lui revient de faire l'épreuve. Mais que dit la parole qui évoque le cœur sans tremblement de ce dont la nature est de se dérober au retrait? Elle la nomme elle-même dans son trait le plus propre; elle nomme la paix du spacieux qui rassemble en lui-même ce qui ensuite procure l'état d'être hors de tout retrait. C'est la clairière de l'Ouvert. Nous demandons: ouvert pour quoi? Nous avons déjà pris garde que le chemin de toute pensée — aussi bien de la pensée spéculative que de la pensée intuitive — requiert l'Ouvert et sa clairière, mesurable par son parcours. Mais c'est là que réside aussi en son repos la possibilité de tout Paraître, celle en un mot qu'advienne le règne même de la présence.

Ce qu'avant tout procure l'état de non-retrait, c'est le chemin sur lequel la pensée marche à la trace de l'unique et s'ouvre à lui : ὅπως ἔστιν... εἶναι : « que présentement se déploie la présence. » La clairière de l'Ouvert procure avant tout la possibilité du chemin vers l'état de présence dont elle amène à lui-même le règne.

L''Αλήθεια, l'état de non-retrait, il nous faut les penser comme l'Ouvert même de la clairière qui laisse advenir l'être et la pensée dans leur présence l'un à l'autre et l'un pour l'autre. Le cœur en paix qu'est la *Lichtung*, clairière de l'Ouvert, tel est l'asile au sein duquel trouve son site l'accord de l'être et la pensée, autrement dit de la présence et de son accueil.

C'est dans cette alliance seulement que prend base toute requête d'une allégeance possible de la pensée. Sans l'expérience préalable de l''Αλήθεια comme *Lichtung*, dire d'une pensée qu'elle fait loi ou non ne rime à rien. D'où la détermination platonicienne de l'état de présence comme ἰδέα reçoit-elle sa légitimité ? Relativement à quoi l'interprétation de la présence comme ἐνέργεια peut-elle faire loi pour Aristote ?

Ces questions dont la philosophie s'abstient si étrangement, nous ne pouvons pas même les poser, aussi longtemps que nous n'avons pas fait l'épreuve de ce dont il a fallu à Parménide faire l'épreuve : l''Αλήθεια, l'état de non-retrait. Le chemin qui conduit jusque-là se sépare de la route sur laquelle les mortels ne peuvent que divaguer au gré de ce qu'ils tiennent pour vrai. L''Αλήθεια n'est rien de mortel, aussi peu que la mort elle-même.

Si je traduis obstinément le mot 'Αλήθεια par état de

non-retrait, ce n'est pas par amour de l'étymologie, mais par souci de ce à quoi il faut avoir affaire pour lui demeurer fidèle en méditant ce qui est nommé: être et pensée. Le non-retrait est pour ainsi dire l'élément au sein duquel aussi bien l'être que la pensée sont l'un pour l'autre et sont le Même. L''Αλήθεια est bien nommée dès le début de la philosophie, mais, dans la suite des temps, elle n'a pas été, en ce qu'elle a de propre, pensée comme telle par la philosophie. Car l'affaire de la philosophie comme métaphysique est, depuis Aristote, de penser l'étant comme tel en mode onto-théologique.

S'il en est ainsi, alors il ne nous est pas non plus permis d'estimer que la philosophie aurait négligé quelque chose, qu'elle l'aurait laissé perdre, et ainsi serait entachée d'un manque fondamental. Faire signe vers ce qui, dans la philosophie, demeure impensé, n'est pas une critique de la philosophie. Si en ce moment une critique était nécessaire, alors elle devrait bien plutôt concerner l'entreprise qui, depuis *Être et Temps*, ne cesse de devenir toujours plus instante: poser, à la fin de la philosophie, la question d'une tâche possible pour la pensée.

Car il est quand même temps maintenant de se demander: pourquoi le grec 'Αλήθεια, n'a-t-il plus ici pour traduction le mot classique, celui de « vérité »? La réponse doit être:

dans la mesure où l'on comprend le mot « vérité » au sens allant de soi qu'il a dans la traduction, et qui est la concordance, elle-même mise en lumière au niveau de l'étant, de la connaissance avec l'étant, et même lorsque la vérité est interprétée comme la certitude du savoir portant sur l'étant, alors l''Αλήθεια, l'état de non-retrait, tel qu'il est porté par l'Ouvert, il n'est pas permis de le faire coïncider avec le concept de vérité. Bien au contraire, c'est l''Αλήθεια, c'est son non-retrait qui seul rend possible qu'il y ait vérité. Car c'est seulement dans l'élément de la *Lichtung*, dans la clairière de l'Ouvert, que la vérité elle-même, aussi bien que l'être et que la pensée, peut être ce qu'elle est. Évidence, certitude de tout degré, tout genre de vérification de ce qui est vérité, se meuvent déjà, *avec* celle-ci, dans le domaine de l'Ouvert.

L''Ἀλήθεια, le non-retrait comme clairière de présence, n'est pas encore la vérité. Est-elle donc moins que la vérité? N'est-elle pas davantage si tant est qu'elle seule rende possible l'adéquation et la certitude, et si aucune présence, aucune présentation, ne peuvent avoir lieu en dehors du domaine où s'ouvre la clairière?

Qu'une telle question demeure confiée comme tâche à la pensée. Mais là il faut que la pensée se recueille jusqu'à se demander même si elle peut seulement poser cette question, aussi longtemps qu'elle pense encore en mode philosophique, c'est-à-dire au sens strict de la métaphysique, qui n'interroge que ce qui est présent en direction de son état de présence.

Quoi qu'il en soit, voici qui est clair: questionner en direction de l''Ἀλήθεια, du non-retrait comme tel, n'est pas se poser la question de la vérité. C'est pourquoi n'était pas à la mesure de ce qui était à penser, et c'est pourquoi dès lors c'était faire fausse route que de nommer « vérité » l''Ἀλήθεια au sens de *Lichtung**. Parler de la « vérité de l'être » a, dans la *Logique* de Hegel, son sens légitime, dans la mesure où vérité signifie ici la certitude du savoir absolu. Mais Hegel ne s'inquiète nullement, pas plus que ne s'inquiétera Husserl, pas plus que jamais ne s'inquiéta

* Comment la tentative de penser un état de choses peut parfois, faisant fausse route, s'écarter de ce qu'un regard décisif a déjà montré, est attesté ici par le texte suivant de *Être et Temps* (1927, p. 219): « La traduction (du mot 'Ἀλήθεια) par le terme de "vérité" et surtout les définitions conceptuelles et théoriques qui en sont données recouvrent le sens de ce que les Grecs plaçaient comme « allant de soi » à la base de leur emploi terminologique d''Ἀλήθεια. »

aucune métaphysique, de l'être en tant qu'être, c'est-à-dire de cette question: dans quelle mesure peut-il y avoir présence comme telle? Présence il n'y a que dans la clairière de l'Ouvert. Avec l''Ἀλήθεια, celle-ci est bien nommée, mais elle n'est pas pensée comme telle.

Le concept courant de la vérité ne signifie pas l'état de non-retrait. Pas même dans la philosophie des Grecs.

On mentionne souvent et avec raison que, déjà chez Homère, le mot ἀληθές ne se dit jamais que des *verba dicendi*, des paroles qui expriment une énonciation, et, dès lors, au sens de la justesse de cette énonciation, de la confiance qu'on peut avoir en elle, mais nullement au sens du non-retrait de la chose. Mais cette indication signifie avant tout seulement que ni les poètes, ni l'usage ordinaire de la langue, pas plus que, de son côté, la philosophie, ne se voient placés devant la tâche de se demander en quel sens la vérité, c'est-à-dire la justesse de l'énonciation, n'est elle-même garantie que dans l'élément qu'est l'Ouvert même de la présence.

Dans l'horizon de ces questions, il nous faut reconnaître que l''Ἀλήθεια au sens du non-retrait de la présence, c'est dès le départ, c'est exclusivement comme exactitude de la représentation et justesse de l'énonciation qu'elle a été éprouvée. Mais dès lors, même la thèse d'une mutation de l'essence de la vérité qui l'aurait conduite du non-retrait au sein de l'Ouvert à la justesse de l'énoncé n'est pas soutenable. Au lieu de cette thèse il convient de dire: l''Ἀλή-θεια, comme ouverture d'un monde de la présence et présentation de l'étant dans la pensée et dans la parole, se manifeste dès le départ sous l'aspect de l'ὁμοίωσις et de l'*adaequatio*, c'est-à-dire dans la perspective d'une conformation entendue comme mise en accord de la représentation et de ce qui lui est présent.

Mais cet état de chose nous rend à nouveau questionnants : d'où vient que pour l'expérience naturelle et le langage courant des hommes, l''Αλήθεια, le non-retrait, apparaisse *seulement* comme justesse de l'énonciation et comme aptitude de la parole à faire foi ? Cela tient-il à ce que le séjour ek-statique de l'homme dans l'Ouvert de la présence n'est tourné que vers ce qui lui est directement présent et vers la présentation qui en est ordinairement faite ? Mais qu'entendre par là, sinon que la présence comme telle et, bien plus encore, l'Ouvert qui la rend possible, demeurent hors de vue ? N'est effectivement éprouvé et pensé que ce que l''Αλήθεια, comme clairière de l'Ouvert, apporte, et nullement ce qu'elle est en elle-même.

Ce qu'elle est en elle-même demeure en retrait. Est-ce là l'effet d'un simple hasard ? N'est-ce que la suite d'une négligence de la part de la pensée humaine ? Ou bien en va-t-il ainsi parce que se retirer, demeurer en retrait, en un mot la Λήθη, appartient à l''Αλήθεια, non comme simple adjonction, pas non plus comme l'ombre appartient à la lumière, mais comme le cœur même de l''Αλήθεια ? Et ce qui règne au sein d'un tel retrait où se reprend l'Ouvert de la présence, ne serait-ce pas alors, et dans quelle vigueur d'abriter et de préserver, cela même d'où advient le déploiement du non-retrait, celui dans lequel seulement du présent peut paraître à son tour avec l'éclat de la présence ?

S'il en était ainsi, alors la *Lichtung*, l'Ouvert en sa clairière ne serait pas seulement l'ouverture d'un monde de la présence, mais la clairière du retrait de la présence, celle d'une sauvegarde elle-même en retrait.

S'il en était ainsi, alors ce serait seulement avec cette question que nous serions sur un chemin conduisant à la tâche de la pensée, quand la philosophie est à bout de course.

Mais quoi ! Tout ce qui, jusqu'ici, vient d'être dit,

n'est-il pas tout au plus mystique sans fondement, ou même mauvaise mythologie — en tout cas irrationalisme funeste et reniement de la raison?

Je demande en retour: que signifient *ratio*, νοῦς, νοεῖν, entendre et entendement? Que signifie fondement, que signifient principe et même « principe de tous les principes »? Pourrons-nous jamais le déterminer d'une manière satisfaisante, si nous nous dispensons de faire, en mode grec, l'épreuve de l''Αλήθεια comme non-retrait au sein de l'Ouvert, pour ensuite la penser, dans un dépassement de l'expérience grecque elle-même, comme la clairière du retrait de l'Ouvert? Aussi longtemps que la raison et le rationnel dans ce qu'ils ont de propre resteront encore hors question, parler d'irrationalisme ne reposera sur rien. La rationalisation technico-scientifique qui régit l'époque présente a beau établir son droit d'une manière chaque jour plus saisissante par une effectivité dont nous pouvons à peine prévoir ce qu'elle peut devenir: cette effectivité ne sait rien de ce qui, plus originellement, ouvre la possibilité même du rationnel et de l'irrationnel. L'effectivité prouve que la rationalisation technico-scientifique est bien en règle. Mais l'apparition, dans son ampleur, de ce qui est, s'épuise-t-elle dans le démontrable? L'insistance sur le démontrable ne barre-t-elle pas le chemin menant à ce qui est?

Peut-être est-il une pensée plus sobre que le déferlement irrépressible de la rationalisation et l'emportement qu'est la cybernétique. C'est plutôt cet emportement qui pourrait bien être le comble de l'irrationnel.

Peut-être est-il une pensée étrangère à la distinction du rationnel et de l'irrationnel, plus dégrisée encore que la technique scientifique, plus dégrisée et dès lors à l'écart, sans effet dans le monde, et pourtant ayant sa nécessité à elle. Si la question se pose en nous de la tâche d'une telle pensée, alors ce n'est pas seulement et en premier lieu cette pensée, c'est aussi la question même qui s'en inquiète, qui vient au cœur de la question. Face à toute la tradition de la philosophie, cela signifie :

tous, autant que nous sommes, nous avons encore besoin d'une éducation à la pensée et, même encore avant cela, nous avons besoin de savoir ce que peut bien vouloir dire, dans le domaine de la pensée, éducation ou non.

Aristote ici nous fait signe au livre IV de sa *Métaphysique* (1006 a sqq.). Nous y lisons :

ἔστι γὰρ ἀπαιδευσία τὸ μὴ γιγνώσκειν τίνων δεῖ ζητεῖν ἀπόδειξιν καὶ τίνων οὐ δεῖ.

« C'est en effet absence d'éducation que de ne pas savoir ouvrir l'œil sur ce point : pour quoi est de saison la recherche d'une preuve, et pour quoi, non. »

Cette parole demande une méditation assidue. Car il n'y est pas encore décidé de quelle manière doit être mis à l'épreuve ce pour quoi aucune preuve n'est de saison, s'il doit pourtant devenir accessible à la pensée. S'agit-il de la médiation dialectique ou de l'intuition originairement donnante, ou d'aucune des deux ? Ici la décision ne peut venir que de l'être propre de ce qui, avant toute autre chose, requiert de nous un libre accès. Mais comment pourrait-il à son tour nous rendre possible la décision, si nous ne l'avons déjà laissé venir jusqu'à nous ? Dans quel cercle sommes-nous ici, et vraiment sans aucune issue ?

Est-ce l'εὔκυκλος Ἀλήθειη, le Sans-retrait, rondeur parfaite, pensé à son tour comme *Lichtung*, comme la clairière de l'Ouvert ?

Mais alors la tâche de la pensée n'aura-t-elle pas pour titre au lieu de *Sein und Zeit*, être et temps :

Lichtung und Anwesenheit (clairière et présence) ?

Mais d'où et comment y a-t-il clairière ? *(gibt es die*

Lichtung?). Qu'avons-nous à entendre dans cet il y a *(es gibt)*?

La tâche de la pensée serait dès lors l'abandon de la pensée en vigueur jusqu'ici pour en venir à déterminer l'affaire propre de la pensée.

Traduit par Jean Beaufret et François Fédier.

LE TOURNANT

La conférence « Die Kehre » est tirée d'un fascicule publié en 1962 aux éditions Günther Neske, à Pfullingen, sous le titre: Die Technik und die Kehre, *Opuscula I. L'ensemble est précédé de l'avertissement suivant:*

« *Sous le titre "Einblick in das, was ist"* (Regard dans ce qui est), *l'auteur fit le premier décembre 1949 au Club de Brême quatre conférences qui, au printemps 1950 (25 et 26 mars), ont été répétées sans changement à Bühlerhöhe. Les titres en étaient: "Das Ding", "Das Gestell", "Die Gefhar", "Die Kehre".*

« *La première conférence a été reprise dans une version augmentée le 6 juin 1950 à l'Académie bavaroise des Beaux-Arts (cf.* Vorträge und Aufsätze, *1954, p. 163 sq.)* [*trad. franç.:*]. Essais et Conférences, *Paris, Gallimard, 1966, p. 194 sq.*]

« *La deuxième conférence a été prononcée le 18 novembre 1955 dans le cycle de conférences organisé par l'Académie de Munich: "Les Arts à l'époque de la technique" sous le titre: "La Question de la technique". Il s'agit également d'une version augmentée (cf.* Vorträge und Aufsätze, *1954, p. 13 sq.*) [*trad. franç.* Essais et Conférences, *p. 9 sq.*]. *Ce texte est à nouveau présenté ici sans changement.*

« *La troisième conférence est encore non publiée.*

« *La quatrième conférence "Die Kehre"* ("*Le Tournant*") *est ici publiée pour la première fois dans sa première version non modifiée.* »

AVERTISSEMENT DES TRADUCTEURS

Nous tenons en tout premier lieu à remercier M. Jean Beaufret de l'aide constante qu'il n'a cessé de nous apporter.

Notre amie, Mme Anna Sillaber-Tomicek, a bien voulu nous faire part de ses remarques au cours de l'élaboration de cette traduction. Nous la remercions ici bien cordialement.

J.L. et C.R.

L'essence du *Gestell*[1] est de rassembler en lui toutes les possibilités de la mise en demeure (*Stellen*). Celle-ci traque (*nachstellt*) d'oubli la vérité de sa propre essence ; cette traque (*Nachstellen*) en effet se dissimule (*verstellt*), en ceci qu'elle se déploie dans la mise à disposition (*Bestellen*) de la totalité de l'étant réduit à être fonds disponible (*Bestand*), qu'elle s'y installe et domine en tant que tel.

Le *Gestell* déploie son essence comme le péril[2]. Mais le péril s'annonce-t-il là déjà *comme* le péril ? Non. Sans doute en tous lieux, risques et périls oppressent les hommes outre mesure à chaque instant. Mais le péril, l'être lui-même mettant en péril la vérité de sa propre essence, demeure voilé et dissimulé. Cette dissimulation est le plus périlleux du péril. En conséquence de cette dissimulation du péril dans la convocation du et au *Gestell*, il semble encore et toujours que la technique est un moyen aux mains de l'homme. Mais en réalité l'essence de l'homme aujourd'hui est assignée (*bestellt*) à prêter la main à l'essence de la technique.

Cela veut-il dire que l'homme serait livré impuissant aux mains de la technique pour le meilleur et pour le pire ? Non. Cela dit le contraire même ; et non pas seulement le contraire, mais essentiellement plus, parce qu'autre qu'un simple contraire.

Si le *Gestell* est un destin de l'essence de l'être lui-même, alors nous osons présumer que le *Gestell*, en tant que l'un, parmi d'autres, des modes de l'être, se métamorphose. Car ce qui a destin (*das Geschickliche*) a pour destin (*Geschick*) de se destiner (*sich schicken*) dans une donation (*Schickung*), à chaque fois unique. Se destiner signifie : se mettre en route, pour s'ajointer à la directive indiquée et qu'attend un autre destin encore voilé. Ce qui a destin s'avance à chaque fois en lui-même vers un instant hors pair, qui le destine à un autre destin, en lequel cependant il ne disparaît ni ne se perd purement et simplement. L'expérience et la méditation font encore trop défaut pour penser l'essence de l'historial (*das Geschickliche*) à partir du destin (*Geschick*), de la donation (*Schickung*) et du se-destiner (*Sichschicken*). Nous sommes encore trop enclins, parce qu'habitués, à nous représenter ce qui a destin à partir de l'avoir-lieu (*Geschehen*) et cet avoir-lieu comme le déroulement d'événements historiquement (*historisch*) constatables. Nous posons l'histoire (*Geschichte*) dans le domaine de l'avoir-lieu (*Geschehen*), au lieu de penser l'histoire d'après sa provenance essentielle : à partir du destin (*Geschick*). Mais le destin est par essence destin de l'être, au sens où l'être se destine lui-même, déploie à chaque fois son essence comme un destin et par là se métamorphose destinalement. Si dans l'être, c'est-à-dire aujourd'hui dans l'essence du *Gestell*, une métamorphose advient, cela ne veut absolument pas dire que la technique, dont l'essence repose dans le *Gestell*, serait mise à l'écart. Elle n'est ni abattue, ni à plus forte raison détruite.

Si l'essence de la technique, le *Gestell* en tant que le péril dans l'être est l'être lui-même, alors la technique ne se laisse jamais maîtriser, ni positivement, ni négativement, pour un faire humain qui ne prendrait appui que sur soi. La technique, dont l'essence est l'être lui-même, ne se laisse jamais surmonter par l'homme. Car cela voudrait dire alors que l'homme serait le maître de l'être.

Cependant : si l'être s'est destiné comme essence de la technique dans le *Gestell*, à l'essence de l'être néanmoins appartient l'essence de l'homme, dans la mesure où l'essence de l'être requiert l'homme en son essence pour demeurer *prise en garde* en tant qu'être, selon sa propre essence, au milieu de l'étant et pour déployer par là son essence *en tant* qu'être : voilà pourquoi l'essence de la technique ne peut être conduite dans la métamorphose de son destin sans l'aide de l'essence de l'homme. Ainsi, la technique ne peut être en cela humainement surmontée (*überwunden*). En revanche l'essence de la technique est libérée (*verwunden*) dans sa vérité encore en retrait. Cette liberté (*Verwinden*) ressemble à celle d'un homme qui « surmonte » (*verwunden*) sa douleur au sens où, loin de s'en défaire et de l'oublier, il l'habite[3]. Mais un destin de l'être, pour l'heure le *Gestell*, se libère en advenant chaque fois à partir de la venue d'un autre destin qui ne se laisse ni calculer à l'avance selon la logique de l'histoire historisante, ni construire métaphysiquement comme conséquence d'une marche de l'histoire. Car ce n'est jamais son caractère historique, fût-il représenté comme ayant lieu dans l'histoire, qui détermine le destin ; bien plutôt : l'avoir-lieu, ainsi que le mode de représentation qui convient à ce qu'il présente appartient déjà et chaque fois destinalement à un destin de l'être.

Pour que l'essence de la technique advienne à sa liberté l'homme est, il est vrai, requis à son tour. Mais l'homme est ici requis en son essence en tant que celle-ci répond à cette libération. C'est pourquoi l'essence de l'homme doit d'abord s'ouvrir à l'essence de la technique, ce qui est radicalement[4] autre que, pour les hommes, acquiescer à la technique et la promouvoir. Mais afin que l'être-homme devienne attentif à l'essence de la technique, afin qu'entre la technique et l'homme se fonde, quant à leur essence, une relation qui leur soit essentielle, l'homme des Temps modernes doit avant tout retrouver son chemin dans toute l'ampleur de l'espace qui lui est essentiel. Cet espace essentiel de l'être-homme ne reçoit la dimension qui l'ajointe que de la connexion (*Ver-Hältnis*)[5] selon laquelle la garde de l'être lui-même est remise en propre à l'essence de l'homme en tant que son être-homme est ce que l'être requiert. S'il en est autrement, c'est-à-dire si l'homme ne s'installe pas d'abord lui-même et en premier lieu dans son espace essentiel et n'y prend pas demeure, l'homme n'est capable de rien d'essentiel à l'intérieur du destin régnant à présent. En cette méditation nous avons égard à une parole de Maître Eckhart en la pensant à partir de son fond. Elle dit : « Ceux qui ne sont pas d'un grand être (*wesen*) n'aboutissent à rien quoi qu'ils œuvrent » (*Reden der Unterscheidung*, n° 4).

Le « grand être » de l'homme, nous le pensons jusque dans son appartenance à l'essence de l'être, en ce que l'être le requiert pour qu'il prenne en garde l'essence de l'être dans sa vérité.

C'est pourquoi il est de première nécessité de méditer avant tout l'*essence* de l'être comme ce qui est digne d'être pensé, et de faire avant tout, lors d'une telle méditation, l'épreuve de la mesure dans laquelle nous sommes appelés à ouvrir d'abord seulement un sentier pour une telle épreuve, et à le mener dans ce qui est jusqu'à maintenant non frayé.

Mais de tout cela nous ne sommes capables que si, *avant* la question apparemment toujours première et apparaissant comme la seule pressante : que devons-nous faire, nous méditons celle-ci: *comment nous faut-il penser?* Car le penser est l'agir en ce qu'il a de plus propre, si agir (*Handeln*) signifie prêter la main (*Hand*) à l'essence de l'être, c'est-à-dire: préparer (bâtir) pour l'essence de l'être au milieu de l'étant le domaine où l'être se porte et porte son essence à la langue. La langue seule est ce qui nous donne voie et passage à toute volonté de penser. Sans la langue, il manque à chaque entreprise (*Tun*) toute dimension dans laquelle elle pourrait s'orienter et œuvrer. La langue en cela n'est jamais d'abord expression de la pensée, du sentir et du vouloir. La langue (*Sprache*) est la dimension initiale à l'intérieur de laquelle l'être-homme peut alors seulement correspondre (*entsprechen*) à l'être et à son exigence et dans le correspondre, appartenir à l'être. *Cette correspondance initiale*, accomplie en propre, *est la pensée*. Pensant, nous apprenons alors seulement ce qu'est habiter dans le domaine où nous advient la libération du destin de l'être, la libération du *Gestell*.

L'essence du *Gestell* est le péril. Comme péril l'être se détourne de son essence vers l'oubli de cette essence, et se tourne ainsi du même coup contre la prise en garde de son essence. Dans le péril règne ce se-tourner encore impensé. C'est pourquoi dans l'essence du péril *s'abrite en retrait* la possibilité d'un tournant, dans lequel l'oubli de l'essence de l'être prend une tournure telle que la vérité de l'essence de l'être, lors de ce tournant (*Kehre*), fait en propre son entrée (*einkehrt*) dans l'étant.

Mais il est à présumer que *ce* tournant, le tournant de l'oubli de l'être, n'advient que si le péril — tournant en son essence encore abritée en retrait — vient d'abord, un moment ou l'autre, lui-même en propre à la lumière, comme le péril qu'il est. Peut-être nous tenons-nous déjà dans l'ombre à l'avance portée de la venue de *ce* tournant. Quand et comment advient-il destinalement, personne ne le sait; il n'est pas non plus nécessaire de le savoir. Un tel savoir serait même pour l'homme ce qu'il y a de pire, si son essence est d'être celui qui attend, celui qui attend l'essence de l'être en le gardant par la pensée. C'est seulement lorsque l'homme en tant que le « berger de l'être » attend la vérité de l'être comme prise en garde de celui-ci, qu'il peut s'attendre à une venue du destin de l'être sans déchoir dans la simple curiosité intellectuelle.

Mais comment est-ce, là-bas, où le péril advient en propre comme péril et où c'est ouvertement qu'il y a péril?

Pour entendre la réponse à cette question, soyons attentifs au signe que nous fait et nous réserve une parole de Hölderlin. Dans la version tardive de l'hymne Patmos (éd. Hellingrath, IV, 227) le poète dit au début:

Mais où est le péril, croît
aussi ce qui sauve.

Si maintenant nous pensons cette parole d'une manière encore plus radicale que le poète en son dict, si nous la pensons jusqu'au plus extrême de sa profondeur, elle dit alors : Où est le péril comme péril, est aussi déjà mûr ce qui sauve. Ce qui sauve ne survient pas d'à côté. Ce qui sauve n'est pas l'à-côté du péril. Le péril est lui-même, s'il est comme péril, ce qui sauve. Le péril est ce qui sauve, dans la mesure où c'est de son essence se retirant dans le tournant qu'il porte avec lui ce qui sauve. Que veut dire *retten* (sauver) ? Cela veut dire : délier, délivrer, libérer, épargner, mettre à l'abri, prendre sous sa garde, garder. Lessing emploie encore le mot *Rettung* (« salvation ») en lui donnant très fortement le sens de justification : mettre dans le droit, mettre dans l'essentiel, y prendre en garde. Ce qui en propre sauve est ce qui prend en garde, la garde.

Mais où est le péril ? Quel est pour lui le lieu ? Dans la mesure où le péril est l'être lui-même, il est partout et nulle part. Il n'a aucun lieu qui lui serait seulement imparti du dehors. Il est lui-même le site sans lieu de toute présence. Le péril est l'époque de l'être déployant son essence comme *Gestell*.

Le péril *est*-il comme péril, advient alors en propre son essence. Mais le péril est la traque en laquelle l'être lui-même dans le mode du *Gestell* traque d'oubli (*mit der Vergessenheit nachsetzt*) la garde de l'être en sa vérité. Dans cette traque ceci se manifeste : l'être déporte (*ent-setzt*) sa vérité dans l'oubli de sorte que l'être refuse son essence. Si c'est ainsi que le péril est le péril comme péril, advient alors en propre la traque en laquelle l'être lui-même traque d'oubli sa vérité. Si ce *traquer d'oubli* advient en propre, alors l'oubli comme tel fait son entrée. Grâce à cette entrée, ainsi arrachée à l'oubli qui laisse échapper, l'oubli n'est plus oubli. En une telle entrée, l'oubli de la garde de l'être n'est plus oubli de l'être ; bien plutôt, faisant ainsi son entrée il se tourne et entre dans la garde de l'être. Lorsque le péril est le péril comme tel, advient avec le tournant de l'oubli la garde de l'être, advient le monde (cf. *Essais et Conférences* : « La Chose »). Que le monde advienne comme monde, que la chose advienne comme chose, telle est la lointaine advenue de l'essence de l'être lui-même.

Le se-refuser de la vérité de l'être qui se traque d'oubli abrite une faveur encore inaccordée : cette traque se tourne et dans un tel tournant l'oubli prend une autre tournure pour devenir gardien de l'essence de l'être, au lieu de la laisser échapper et se perdre dans la dissimulation. Dans l'essence du péril se présente et habite une faveur : à savoir la faveur qu'est le tournant de l'oubli de l'être jusque dans la vérité de l'être comme prise en garde. Dans l'essence du péril, où le péril est comme péril, le tournant est tournant vers la garde, est cette garde elle-même, est ce qui dans l'être est salvateur.

Le tournant advient-il dans le péril, cela ne peut avoir lieu que sans détour. Car il n'y a pas de pareil à l'être à côté de l'être. Il n'est pas effectué (*bewirkt*) par autre chose, il n'effectue (*wirkt*) rien par lui-même. Être ne se déroule et ne se disperse jamais dans un rapport efficient de causalité. La guise dans laquelle l'être lui-même se destine n'est précédée par rien d'efficient comme être et n'est suivie d'aucun effet comme être. C'est droit à partir de sa propre essence qui est d'être en retrait qu'advient l'être à son propre jusque dans son époque. C'est pourquoi il faut faire attention à ceci :

C'est soudainement qu'advient le tournant du péril. Dans le tournant s'éclaircit soudainement la clairière de l'essence de l'être. Cette soudaine éclaircie est l'éclair. Elle se porte d'elle-même dans la clarté qu'en propre elle apporte et importe. Si dans le tournant du péril se produit l'éclair de la vérité de l'être, alors s'éclaircit l'essence de l'être. Alors la vérité de l'essence de l'être comme sa prise en garde fait son entrée.

Vers où advient cette entrée ? Nulle part ailleurs que dans l'être lui-même, qui jusqu'à maintenant déploie son essence à partir de l'oubli de sa prise en garde. Mais cet être lui-même déploie son essence comme essence de la technique. L'essence de la technique est le *Gestell*. L'entrée comme avènement du tournant de l'oubli fait son entrée dans ce qui est présentement l'époque de l'être. Ce qui en propre est n'est en aucun cas tel ou tel étant. Ce qui en propre est, c'est-à-dire qui en propre habite et déploie son essence dans le Est, est uniquement l'être. Seul l'être « est » ; c'est seulement dans l'être et comme être qu'advient ce que nomme le « est » ; cela qui est, c'est l'être à partir de son essence.

« Lancer l'éclair » (*blitzen*) c'est étymologiquement et quant au fond de l'affaire : regarder (*blicken*). Dans le regard et comme regard l'essence entre dans son brillant à elle. Au travers de son brillant le regard abrite en retrait ce qu'il regarde dans le regarder. Mais le regarder garde du même coup dans le brillant l'obscurité, abritée en retrait, de sa provenance en tant que le non éclairci. L'entrée (*Einkehr*) de l'éclair de la prise en garde de l'être est regard dans. La prise en garde de l'être, nous l'avons pensée dans l'advenir-monde du monde (*Welten von Welt*) comme le jeu de miroirs du quadriparti du ciel et de la terre, des mortels et des divins (cf. *Essais et Conférences*, texte cité). Lorsque l'oubli se tourne, lorsque le monde fait son entrée comme garde de l'essence de l'être, jaillit l'éclair du monde là où la chose était hors de toute garde. Cet « hors-garde » s'accomplit sur le mode de la domination du *Gestell*. L'éclair (*Einblitz*) du monde jusque dans le *Gestell* est l'éclair de la prise en garde de l'être, jusque dans l'être en tant qu'hors-garde. L'éclair-dans (*Einblitz*) est dans l'être lui-même avènement. Dans l'avènement dans ce qu'il a de propre, c'est sous le regard de l'être que tout devient ce qu'il est en propre.

Regard dans ce qui est: cette locution nomme à présent l'avènement du tournant dans l'être, le tournant du se-refuser de son essence dans l'advenir de sa garde (*Wahrnis*). Regard dans ce qui est, est l'avènement lui-même, dans lequel la prise en garde se rapporte à l'être hors-garde et n'est là que pour lui. Regard dans ce qui est, — voilà qui nomme la constellation dans l'essence de l'être. Cette constellation est la dimension dans laquelle l'être déploie son essence comme le péril.

D'abord et presque jusque-là, il semblait que « Regard dans ce qui est » ne signifiait qu'un regard que nous autres hommes jetons à partir de nous dans ce qui est. Ce qui est, on le prend habituellement pour l'étant. Car c'est de l'étant qu'est dit le « est ». Mais à présent tout s'est retourné.

Regard ne nomme pas le coup d'œil par lequel nous inspectons l'étant ; regard-dans comme éclair-dans est l'avènement de la constellation du tournant dans l'essence de l'être lui-même, et ce dans l'époque du *Gestell*. Ce qui est, n'est en aucun cas l'étant. Car le « il est » et le « est » ne sont attribués à l'étant que dans la mesure où l'étant est abordé quant à son être. Dans le « est », c'est l'« être » qui vient au langage ; ce qui « est », au sens où il constitue l'être de l'étant, est l'être.

La mise à disposition qu'impose le *Gestell* se pose devant la chose, la laisse, comme chose, dégarnie, hors garde. Ainsi le *Gestell* dissimule la proximité du monde s'approchant dans la chose. Le *Gestell* dissimule même son propre dissimuler, au sens où l'oublier de quelque chose s'oublie soi-même et s'en va dans le sillage de l'oubli. L'avènement de l'oubli ne laisse pas seulement échapper dans le retrait ; bien plus : cet échapper échappe (*enfelt*) lui-même aussi dans le retrait qui du même coup disparaît à son tour.

Et cependant — dans tout dissimuler du *Gestell* s'éclaircit le regard-éclaircie du monde ; il y a éclair de la prise en garde de l'être : à savoir lorsque le *Gestell* s'éclaircit dans son essence comme le péril, c'est-à-dire comme ce qui sauve. Même dans le *Gestell*, en tant qu'il est un destin essentiel de l'être, point une lumière : la lumière de l'éclair de l'être. Le *Gestell*, même voilé, est encore regard et non pas un destin aveugle au sens d'une fatalité totalement masquée.

Regard dans ce qui est — ainsi s'appelle l'éclair de la prise en garde de l'être dans l'être comme hors-garde.

Lorsque le regard advient, alors les hommes sont ceux que l'éclair de l'être a frappés dans leur essence. Les hommes sont dans le regard ceux qu'un tel regard concerne.

C'est seulement lorsque, dans l'avènement du regard, l'essence de l'homme comme ce que regarde le regard, renonce à l'opiniâtreté humaine et se projette loin de soi sous le regard, que l'homme correspond dans son essence à l'appel du regard. C'est dans cette correspondance que l'homme est approprié, en sorte que dans l'élément pris en garde du monde il regarde comme mortel le divin à l'encontre.

Pas autrement ; car le dieu lui-même, s'il est, est un étant, se tient comme étant dans l'être, dans l'essence de celui-ci, qui advient à partir de l'advenir-monde du monde.

C'est seulement lorsque advient le regard et que s'éclaircit comme *Gestell* l'essence de la technique, que nous reconnaissons comment dans la mise à disposition de l'étant comme fonds disponible, la prise en garde de l'être demeure en son refus ; que nous remarquons que le simple vouloir et le simple faire, sur le mode de la mise à disposition, persistent dans l'hors-garde. Ainsi toute pure et simple mise en ordre du monde tel qu'il est représenté dans l'histoire universelle quand elle reste historisante, demeure sans garde et sans sol. Prendre purement et simplement en chasse le futur pour en prévoir et calculer le contour — ce qui revient à faire d'un avenir voilé la simple rallonge d'un présent à peine pensé —, c'est là encore demeurer dans l'optique de la représentation et de ses techniques de calcul. Toutes les tentatives qui font le décompte du réel existant sur le mode morphologique et psychologique, en termes de décadence et de perte, de fatalité et de catastrophe, de déclin, ne sont que des conduites techniques. C'est là opérer avec l'appareillage du dénombrement des symptômes, dont le nombre peut se multiplier à l'infini, sans cesse varier et se renouveler. Ces « analyses de la situation » ne remarquent pas qu'elles ne font que travailler dans le sens et selon le mode du morcellement technique, livrant ainsi à la conscience technicisante la représentation d'un « avoir-lieu », représentation qui s'effectue sur le mode technique et purement historisant, et ainsi lui correspond. Mais aucune représentation historisante de l'histoire comme avoir-lieu ne mène dans le vrai rapport au destin et à sa provenance essentielle dans l'avènement de la prise en garde de l'être.

Tout ce qui n'est que technique n'entre jamais dans l'essence de la technique et ne peut pas même en reconnaître les voies d'accès.

Voilà pourquoi lorsque nous tentons de dire le regard dans ce qui est, nous ne décrivons pas la situation contemporaine. C'est la constellation de l'être qui se dit à nous.

Mais nous n'entendons pas encore, nous dont l'entendre et le voir, sous la domination de la technique, disparaissent à travers la radio et le film. La constellation de l'être est le se-refuser du monde comme mise hors garde de la chose. Se-refuser n'est pas rien ; c'est le plus haut secret de l'être, sous la domination du *Gestell*.

Le dieu vit-il ou reste-t-il mort? N'en décident ni la religiosité des hommes ni, encore moins, les aspirations théologiques de la philosophie et des sciences de la nature. Si dieu est dieu, il advient à partir de la constellation de l'être et à l'intérieur de celle-ci.

Aussi longtemps que nous ne faisons pas par la pensée l'épreuve de ce qui est, nous ne pouvons jamais appartenir à ce qui devient être.

Advient-il, le regard dans ce qui est?

En tant que les regardés, sommes-nous hélés jusque dans le regard essentiel de l'être, au point de ne pouvoir lui échapper? Parvenons-nous dans la merveille (*Wesen*) du tout proche, qui, laissant la chose advenir comme chose, approche dans la chose le monde?

Avons-nous vraiment séjour dans le proche, au point d'appartenir initialement au quadriparti du ciel et de la terre, des mortels et des divins?

Advient-il, le regard dans ce qui est? Correspondons-nous au regard par un regarder qui regarde dans l'essence de la technique, et en lui prend en garde l'être lui-même?

Voyons-nous l'éclair de l'être dans l'essence de la technique? L'éclair, qui vient d'où règne la paix et comme étant la paix elle-même? Le paisible apaise. Qu'apaise-t-il? Il apaise l'être à la mesure (*Wesen*) du monde.

Que le monde advenant comme monde soit le plus proche de toute approche, voilà ce qui s'approche, en ce qu'il rapproche de l'essence de l'homme la prise en garde de l'être et ainsi approprie l'homme à ce qui le regarde.

Traduit par Jean Lauxerois et Claude Roëls.

NOTES DE TRADUCTION

1. *Gestell.* Comme le soupçonne Heidegger, nous tenons le mot *Gestell* pour intraduisible. Donnons-en ici les raisons:

— Le mot, dans la langue courante, signifie: « tréteau, support, échafaudage, assemblage, montage ».

— De même qu'avec Platon le mot οὐσία acquiert un sens proprement philosophique qui le dégage de son sens usuel, de même avec Heidegger le mot *Gestell* peut d'autant moins se limiter à son sens courant qu'il devient mot de la pensée (parole pensante).

— La première phrase du texte dit: « L'essence du *Gestell* est de rassembler en lui toutes les possibilités de la mise en demeure (*Stellen*). » C'est là commenter le *ge* de *Gestell*, en explicitant le *rassemblement* tel qu'il est originellement à l'œuvre, comme dans *Ge*birg, *Ge*müt (cf. *Essais et Conférences*, Paris, Gallimard, 1958, p. 26).

— Il nous a semblé impossible de trouver en français un mot répondant à *Stellen* et donnant toutes les dérivations que Heidegger rattache au verbe *stellen*: Gestell, Nachstellen, nachstellen, verstellen, Bestellen.

— Heidegger donne à entendre ainsi *das Gestell* dans son ambivalence: *das Gestell* signale d'une part l'accomplissement de la métaphysique et recèle d'autre part le passage de la métaphysique à l'« *anderer Anfang* » (l'« autre commencement » (Heidegger). Ainsi, en rendant *Gestell* par « Arraisonnement », la traduction d'*Essais et Conférences* ne marquerait que le premier des deux sens. Or si le

Gestell est bien, selon un mot de Heidegger, l'« oubli total du quadriparti [ou de la tétrade] (*Geviert*) », il est aussi comme le négatif photographique de l'avènement (*Ereignis*), à savoir: « *verdeckender Vorschein des Ereignisses* » (le « pré-paraître recouvrant de l'avènement »), c'est-à-dire: *Enteignis* (cf. *supra* la note sur *Enteignis* dans la traduction du *Protocole d'un séminaire sur la conférence* « Temps et Être », p. 268).

— Pour d'autres précisions concernant le mot *Gestell*, se reporter au texte du séminaire de Fribourg (cf. *infra*, p. 476).

2. Nous traduisons *Gefahr* par « péril » en raison de la parenté étymologique de *Gefahr* et *periculum*.

3. A l'horizon de notre traduction, deux paroles de poètes:

Je connais la douleur; j'ai longtemps habité
Cette grande maison sinistre et solitaire.

(Victor Hugo, *Pierres*. Vers inédits de *Océan-Tas de pierres*, Genève, Milieu du Monde, 1951, p. 235.)

J'habite une douleur.

(René Char, *Fureur et Mystère*, collection de poche « Poésie/ Gallimard », Paris, Gallimard, 1967, p. 178.)

4. Là où nous disons « radicalement », le texte allemand dit *ereignishaft*, c'est-à-dire: « du point de vue de l'être éprouvé comme *Ereignis* ».

5. Là où nous disons « connexion » (sans souligner), le texte allemand dit *Verhältnis*, que l'on peut commenter par *Zusammenhang* (*Einführung in die Metaphysik*, p. 133) et par *gewahrt und nie abgetrennt* (*Holzwege*, p. 310). Par là Heidegger donne au mot *Verhältnis* — aussi incolore que le français « rapport » — une signification tout à fait positive.

III

Phénoménologie et pensée de l'être

MON CHEMIN DE PENSÉE ET LA PHÉNOMÉNOLOGIE*

« Mon chemin de pensée et la phénoménologie *figure, à titre de contribution, dans l'hommage à Hermann Niemeyer publié hors commerce à l'occasion de son quatre-vingtième anniversaire le 16 avril 1963 » (Indication de Heidegger à la fin de* Zur Sache des Denkens, *p. 92).*

Mes études universitaires commencèrent dans l'hiver 1909-1910 à la Faculté de Théologie de Fribourg. Bien que le gros du travail fût consacré à la théologie, il y avait encore place assez large pour la philosophie, qui entrait elle aussi dans nos heures de cours. Voilà comment dès le premier semestre, les deux volumes des *Recherches logiques* de Husserl se trouvaient sur ma table de travail du foyer théologique. Ils appartenaient à la bibliothèque de l'Université ; et l'on pouvait facilement et à souhait renouveler la prolongation du prêt. Le livre était manifestement peu demandé par les étudiants. Comment parvint-il donc jusqu'à ma table de travail, qui lui était pourtant étrangère ?

De quelques indications tirées de revues philosophiques, j'avais appris que le mode de pensée de Husserl était

* Le titre allemand est : *Mein Weg in die Phänomenologie.* La traduction textuelle serait : *Mon chemin dans la phénoménologie.* Mais l'accusatif (*in die*) fait question. Or Heidegger, dans une lettre à Jean Beaufret, a donné les précisions suivantes : ce titre est à entendre ainsi : « Mon chemin de pensée comme épreuve de la phénoménologie » ; ou encore : « La façon dont mon chemin s'ouvre en ouvrant la phénoménologie elle-même. » Selon Heidegger lui-même, le titre « Mon chemin de pensée et la phénoménologie » est *ausgezeichnet (N. d. T.).*

déterminé par Franz Brentano[1]. Sa dissertation *De la signification multiple de l'étant chez Aristote* (1862) était pourtant mon unique appui depuis 1907 dans la maladresse de mes premières tentatives pour accéder à la philosophie. Dans sa trop grande imprécision, voici la question qui me mit en chemin : si l'étant est dit dans une signification multiple, quelle est alors la signification directrice et fondamentale ? Que veut dire être ? Dans la dernière de mes années de lycée, j'étais tombé par hasard sur l'écrit de l'ancien professeur de dogmatique à l'Université de Fribourg, Carl Braig : *De l'Être : esquisse d'ontologie*. Il avait été publié en 1896, à l'époque où l'auteur était encore « professeur extraordinaire » de philosophie à la Faculté de Théologie de Fribourg. Les chapitres les plus importants de son écrit renvoient respectivement à d'assez larges fragments, situés à la fin, de textes d'Aristote, de saint Thomas et de Suarez, et qui plus est, à l'étymologie des mots pour les concepts ontologiques de base.

Des *Recherches logiques* de Husserl, j'attendais une stimulation décisive pour l'intelligence des questions soulevées par la dissertation de Brentano. Mes efforts restaient cependant inutiles parce que — chose que je ne devais apprendre que beaucoup plus tard — je ne menais pas ma recherche comme il aurait fallu. Quoi qu'il en soit, je me sentais si concerné par le livre de Husserl que, dans les années qui suivirent, j'en fis une lecture incessante sans que ma vue fût suffisante quant au domaine qui me retenait captif. Le charme magique qui se dégageait du livre finissait par gagner l'aspect extérieur de la typographie et de la page de titre. Sur cette page que j'ai devant les yeux aujourd'hui encore tout comme autrefois, venait à ma rencontre le nom de l'éditeur Max Niemeyer. Il s'associait à ce nom pour moi étranger de « phénoménologie » qui surgissait dans le sous-titre du second volume. La connaissance que j'avais dans ces années-là de la maison d'édition Max Niemeyer et de son travail était aussi mince que restait limitée et vacillante la compréhension que j'avais du titre « phénoménologie ». Cependant, dans quelle mesure ces deux noms — éditions Niemeyer et phénoménologie — étaient liés de mutuelle appartenance, voilà ce qui allait bientôt se révéler plus nettement.

Au bout de quatre semestres, j'abandonnais les études de théologie pour me consacrer entièrement à la philosophie. J'assistais encore aussi à un cours de théologie dans les années qui suivirent 1911, au cours de dogmatique de Carl Braig précisément. Ce qui m'y décida, fut l'intérêt pour la théologie spéculative : surtout dans la mesure où le professeur en question savait nous rendre présente à chaque heure de cours la manière pénétrante avec laquelle elle pensait. C'est par lui que j'entendis parler pour la première fois, lors de quelques promenades, au cours desquelles il me fut donné de l'accompagner, de l'importance de Schelling et de Hegel pour la théologie spéculative en opposition à la doctrine scolastique. C'est ainsi que la tension entre ontologie et théologie spéculative entra dans l'horizon de ma recherche comme l'armature de la métaphysique.

Provisoirement il est vrai, ce domaine disparaissait à l'arrière-plan de ce que Heinrich Rickert traitait dans ses travaux de séminaire, à savoir les deux écrits de son élève Emil Lask qui dès 1915 tomba comme simple soldat sur le front de Galicie. Rickert dédia au « cher ami » son ouvrage qui parut la même année dans une troisième édition entièrement remaniée : *L'Objet de la connaissance. Introduction à la philosophie transcendantale.* Il appartenait en même temps à la dédicace de témoigner de ce que le maître devait à l'élève. Les deux écrits d'Emil Lask, *La Logique de la philosophie et la doctrine des catégories. Une étude sur la sphère de domination de la forme logique* (1911) et *La*

Doctrine du jugement (1912), attestaient très clairement pour leur part l'influence des *Recherches logiques* de Husserl. Dans ces conditions je fus obligé de me remettre à travailler l'ouvrage de Husserl. En ce travail, l'élan que je venais de reprendre restait insatisfaisant parce que je ne parvenais pas à dépasser une difficulté fondamentale. Elle touchait cette question toute simple : comment la démarche de la pensée qui se nommait « phénoménologie » était-elle à accomplir ? Ce qui me troublait dans cette question résultait du discord que présentait à première vue l'ouvrage de Husserl.

Le premier tome de l'ouvrage paru en 1900 offre la réfutation du psychologisme dans la logique en prouvant que la théorie de la pensée et de la connaissance ne peut être fondée sur la psychologie. Néanmoins le second, paru l'année suivante, trois fois plus épais que le premier, contient en revanche la description des actes essentiels de la conscience dans l'édification de la connaissance, donc bien malgré tout une psychologie. Sinon pourquoi le § 9 de la cinquième Recherche sur « La signification de la délimitation des phénomènes psychiques » établie par Brentano ? Par conséquent, Husserl et sa description phénoménologique des phénomènes de la conscience revient en arrière sur les positions du psychologisme qu'il venait précisément de réfuter. Cependant, dans la mesure où l'on ne peut soupçonner l'ouvrage de Husserl de s'être si grossièrement égaré, qu'est-ce alors que la description phénoménologique des actes de conscience ? En quoi consiste le propre de la phénoménologie, si elle n'est ni une logique ni une psychologie ? Est-ce qu'apparaît ici une discipline philosophique d'un nouveau genre qui aurait même comme telle, rang propre et préséance ?

J'étais perdu dans ces questions, restais désemparé sans trouver de chemin ; à peine même pouvais-je les formuler aussi nettement que je les énonce ici.

Et voilà que l'année 1913 m'apporta une réponse. Chez l'éditeur Max Niemeyer commençaient à paraître les *Annales de philosophie et de recherches phénoménologiques* publiées par Husserl. Le premier volume s'ouvre par le traité de Husserl dont le titre à lui seul annonce ce qui fait l'exceptionnel et la portée de la phénoménologie: *Programme d'une phénoménologie pure et d'une philosophie phénoménologique*[2].

La « phénoménologie pure » est la « science fondamentale » de la philosophie qu'elle marque de son empreinte. Dans cette locution, « pure » signifie « transcendantale ». Mais « transcendantal » suppose la mise en jeu de la « subjectivité » du sujet connaissant, agissant et posant des valeurs. Les deux dénominations « subjectivité » et « transcendantal » indiquent que la phénoménologie, d'un mouvement conscient et résolu, revenait à la tradition de la philosophie des Temps modernes, et ce bien entendu de manière telle que la « subjectivité transcendantale » accédât à la possibilité de recevoir grâce à la phénoménologie une détermination plus originelle et universelle. La phénoménologie gardait les vécus de conscience pour domaine thématique, mais en se livrant désormais à l'exploration — dont le projet était systématiquement défini et qui par là était sûre d'elle-même — de la structure des actes vécus, en même temps qu'à l'exploration des objets vécus dans les actes de conscience, du point de vue de leur objectivité.

Dans ce projet universel d'une philosophie phénoménologique, il était également possible d'assigner désormais leur lieu systématique aux *Recherches logiques*, restées jusque-là en quelque sorte philosophiquement neutres. Elles parurent dans la même année 1913, en seconde édition, chez le même éditeur. La plupart des Recherches avaient été entre-temps, il est vrai, soumises à de profonds remaniements. La sixième Recherche, qui est « la plus importante en ce qui regarde la phénoménologie » (préface à la seconde édition), fut retirée. De même la dissertation *La Philosophie comme science rigoureuse* (1910-1911), que Husserl avait donnée en contribution au premier volume de la revue *Logos* qui venait d'être fondée, devait attendre les *Ideen* pour que soient fondées de manière satisfaisante les thèses de son programme.

Dans la même année 1913 parut chez l'éditeur Max Niemeyer l'importante recherche de Max Scheler: *De la phénoménologie des sentiments sympathiques, de l'amour et de la haine. En appendice: Du fondement à l'admission de l'existence du moi comme étranger.*

Grâce aux publications mentionnées, le travail d'édition de Niemeyer se hissait au tout premier rang des maisons d'édition de philosophie. Il était fréquent à l'époque d'entendre affirmer à l'évidence que la phénoménologie était la naissance d'une nouvelle direction à l'intérieur de la philosophie européenne. Qui aurait songé à nier l'exactitude de cette affirmation?

Mais cette manière purement historique de prendre en compte la phénoménologie n'allait pas au cœur de ce qui s'était produit avec elle, c'est-à-dire dès les *Recherches logiques*. Cela restait non formulé et même aujourd'hui ne se laisse qu'à peine dire comme il faut. Les explications programmatiques et les éclaircissements méthodologiques propres à Husserl renforcèrent plutôt la méprise selon laquelle la phénoménologie prétendait donner à la philosophie une origine qui reniait toute pensée antérieure.

Même après la parution du *Programme d'une phénoménologie pure*, je restais sous l'emprise de la fascination toujours aussi forte qu'exerçaient sur moi les *Recherches logiques*. Cette fascination suscitait une inquiétude répétée qui ignorait elle-même ce qui la motivait, bien qu'elle laissât pressentir qu'elle naissait de l'incapacité à parvenir, par la simple lecture de la littérature philosophique, à accomplir le mode de pensée qui se nommait phénoménologie.

Ce n'est que lentement que se dissipa l'embarras, ce n'est qu'avec peine que cessa la confusion, à partir du moment où je pus personnellement rencontrer Husserl dans son atelier.

Husserl vint à Fribourg comme successeur de Heinrich Rickert qui avait hérité de la chaire de Windelband à Heidelberg. L'enseignement de Husserl se fit sous la forme de l'apprentissage graduel, par l'exercice, du « regard » (*Sehen*)[3] phénoménologique qui cependant réclamait en même temps que l'on refuse d'user sans examens des connaissances philosophiques, mais aussi que l'on renonce à faire intervenir dans le débat l'autorité des grands penseurs. Et pourtant, plus était évident le fruit que je retirais pour l'interprétation d'Aristote de ma familiarité grandissante avec le regard phénoménologique et moins je pouvais me séparer d'Aristote et des autres penseurs grecs. Mais il reste vrai que je ne pouvais encore découvrir sur-le-champ quelles conséquences décisives devait avoir cette manière nouvelle de se tourner vers Aristote.

Quand, à partir de 1919, enseignant à mon tour et étudiant à la fois aux côtés de Husserl, je mis en pratique le regard phénoménologique et mis en même temps à l'épreuve au cours du séminaire une compréhension transformée d'Aristote, je fus à nouveau repris d'intérêt pour les *Recherches logiques*, surtout pour la sixième dans la première édition. La différence dégagée dans ce texte entre intuition sensible et intuition catégorielle révéla à mes yeux toute sa portée pour la détermination de la « signification multiple de l'étant ».

C'est pourquoi nous priions — nous: amis et élèves —

sans cesse notre maître de faire réimprimer la sixième Recherche logique difficilement accessible à l'époque. Ayant gardé entière sa disponibilité à l'égard de la cause de la phénoménologie, l'éditeur Niemeyer fit reparaître la dernière partie des *Recherches logiques* en 1922. Husserl note dans la préface : « Dans l'état actuel des choses, j'ai cédé à la pression des amis du présent ouvrage et j'ai dû me décider à rendre à nouveau accessible sa partie terminale sous sa forme ancienne. » En usant de l'expression « les amis du présent ouvrage », Husserl voulait dire par là que lui-même ne pouvait plus, depuis la publication des *Ideen*, se contenter des *Recherches logiques*. Car plus que jamais son travail passionné et acharné de penseur sur le nouveau lieu de sa fonction universitaire se consacrait à l'édification systématique du projet avancé dans les *Ideen*. Voilà pourquoi Husserl pouvait écrire dans la préface à la sixième Recherche à laquelle il a été fait allusion : « Mon activité d'enseignant à Fribourg a elle aussi fait progresser l'orientation de ce qui me préoccupait vers les généralités directrices[4] et vers le système. »

C'est ainsi que sous les yeux de Husserl, magnanime mais au fond réprobateur[5], indépendamment de mes cours et des travaux dirigés, j'étudiais chaque semaine les *Recherches logiques* avec les étudiants les plus avancés. C'est surtout pour moi-même que la préparation de ce travail était fructueuse. C'est là — au départ plus guidé par un pressentiment que dirigé par un point de vue bien fondé — que j'appris ceci : ce qui pour la phénoménologie des actes de la conscience s'accomplit comme le se manifester du phénomène, est pensé plus originellement encore par Aristote et dans toute la pensée des Grecs, la façon dont ils furent les Grecs, comme 'Αλήθεια, comme l'ouvert sans retrait de la présence, son dévoilement, son se montrer. Ce que les recherches phénoménologiques avaient redécouvert comme le maintien, le port de la pensée, s'avère le trait fondamental de la pensée grecque, pour ne pas dire même de la philosophie comme telle.

Plus je voyais clair en cela, et plus devenait pressante la question: D'où et comment, d'après le principe de la phénoménologie, se détermine ce qu'on doit éprouver comme « la question même » *(die Sache selbst)*? Est-ce la conscience et son objectivité, ou bien est-ce l'être de l'étant dans son non-retrait et dans son retrait?

C'est ainsi que je fus mis sur le chemin de la question de l'être, éclairé par le style phénoménologique, sans cesse maintenu hors repos mais autrement que jusqu'ici par les questions qui naissaient de la dissertation de Brentano. Mais le chemin du questionnement fut plus long que je ne le présumais, il exigea bien des haltes, des détours et des écarts. Ce que tentèrent les premières leçons de Fribourg, puis celles de Marbourg, n'indiquent qu'indirectement le chemin.

« Mon cher collègue — c'est le moment où il vous faut publier. Avez-vous par écrit quelque chose qui s'y prête? » C'est en prononçant ces mots que le doyen de la Faculté de Philosophie de Marbourg entra un jour dans mon bureau. C'était au cours du semestre d'hiver. « Sans doute », répondis-je. Sur quoi le doyen répliqua: « Mais cela doit être rapidement imprimé. La Faculté m'avait en effet *unico loco* proposé comme successeur de Nicolaï Hartmann pour la première chaire de philosophie. Mais entre-temps la proposition avait été refusée par le ministère à Berlin sous prétexte que je n'avais rien publié depuis dix ans.

Il s'agissait donc de livrer à la publication un travail gardé longtemps par-devers moi. L'éditeur Max Niemeyer était prêt, par la médiation de Husserl, à publier sur-le-champ les quinze premiers fascicules de mon travail qui devait paraître dans les *Annales* de Husserl. Deux exemplaires des bons fascicules furent aussitôt envoyés au ministère par la Faculté. Peu de temps après cependant ils furent retournés à la Faculté avec la mention « insuffisant ». Au mois de février de l'année suivante (1927) parut alors le texte complet de *Être et Temps* dans le huitième volume des Annales et en tirage spécial. Là-dessus le ministère revint six mois après sur son jugement négatif et ratifia ma nomination.

C'est à l'occasion de l'étrange publication de *Être et Temps* que j'entrais pour la première fois en relation directe avec l'éditeur Max Niemeyer. Ce qui pendant le premier semestre de mes études supérieures n'était qu'un simple nom sur la page de titre du fascinant livre de Husserl se montrait dès à présent et pour l'avenir dans toute la sollicitude digne de confiance et la noble simplicité de son travail d'édition.

Dans l'été 1928, pendant mon dernier semestre à Marbourg, se préparait le recueil d'hommage pour le soixante-dixième anniversaire de Husserl. Au début de ce semestre mourut soudain Max Scheler, lui qui participait à la publication des *Annales* de Husserl, lui qui avait publié dans le premier et le second tome (1916) son grand travail de recherche: *Le Formalisme en éthique et l'éthique matérielle des valeurs*. Celui-ci mérite d'être considéré aux côtés des *Ideen* de Husserl comme la contribution la plus importante aux *Annales*, contribution qui, grâce à son action à longue portée, plaçait dans une lumière nouvelle l'ampleur de vue et le rôle éminent de la maison d'édition Max Niemeyer.

Le recueil d'hommage à Edmund Husserl parut à point nommé pour son anniversaire en tome complémentaire aux *Annales*. J'eus l'honneur, le 8 avril 1929, de l'offrir au maître fêté dans le cercle de ses élèves et amis.

Dans la décennie suivante toute publication d'importance fut suspendue jusqu'à ce que l'éditeur Niemeyer se risque, durant l'année 1941, à imprimer mon interprétation de l'hymne de Hölderlin *Wie wenn am Feiertage...*, sans en donner l'année de publication. J'avais fait cette conférence en mai de la même année, à l'Université de Leipzig, en leçon publique à titre d'invité. Le propriétaire de la maison d'édition, M. Hermann Niemeyer était venu de Halle assister à cette conférence, et à la fin, nous parlâmes de sa publication.

Lorsque douze ans plus tard je me décidai à faire publier des conférences prononcées auparavant, je choisis à cette intention la maison d'édition Niemeyer. Elle ne marquait plus dans l'intervalle *Halle an der Saale.* Après avoir éprouvé de gros dommages et de multiples difficultés, son propriétaire d'alors, durement frappé par une affliction personnelle, a établi une nouvelle maison d'édition à Tübingen.

Halle an der Saale. Dans cette même ville enseignait, dans les années 90 du siècle dernier à l'Université du lieu, le privat-docent de l'époque: Edmund Husserl. Longtemps après, il nous racontait souvent à Fribourg l'histoire de la naissance des *Recherches logiques.* Il ne manquait jamais en ces occasions de rappeler, avec gratitude et admiration, le nom de la maison d'édition Max Niemeyer, qui, au tournant du siècle, prit sur elle de publier le volumineux ouvrage d'un privat-docent à peine connu, dont la pensée s'engageait dans des chemins inhabituels, et allait de ce fait dérouter la philosophie contemporaine. Ceci eut lieu encore pendant bien des années après la parution du livre, jusqu'à ce que Wilhelm Dilthey reconnaisse son importance. L'éditeur ne pouvait alors pas savoir qu'à l'avenir son nom demeurerait lié à la phénoménologie qui allait bientôt déterminer l'esprit du siècle dans les domaines les plus divers, le plus souvent sans que la chose soit dite.

Et aujourd'hui? Le temps de la philosophie phénoménologique semble passé. On la tient déjà pour quelque chose de dépassé, qui n'est plus caractérisée que d'un point de vue historique à côté d'autres tendances de la philosophie. Mais la phénoménologie dans ce qu'elle a de propre n'est pas une tendance. Elle est pour la pensée la possibilité qui se modifie en temps voulu et qui est par là même la possibilité permanente de la pensée, celle de correspondre à l'exigence de ce qui est à penser. Si c'est ainsi que l'on fait l'épreuve et que l'on prend en garde la phénoménologie, alors elle peut disparaître comme rubrique au profit de la « question » de la pensée (*Sache des Denkens*), dont la manifesteté demeure un secret.

APPENDICE 1969

Dans le sens de la dernière phrase, il est déjà dit dans *Être et Temps* (1927), p. 38 (p. 56-57 de l'édition française, Paris, Gallimard, 1964) :

« L'essentiel de la phénoménologie ne réside pas dans sa *réalisation* comme tendance philosophique. Plus haute que la réalité se tient la *possibilité*. La compréhension de la phénoménologie réside uniquement dans sa saisie comme possibilité[6]. »

Traduit par Jean Lauxerois et Claude Roëls.

NOTES DE TRADUCTION

1. Franz Brentano (1838-1917):
Si Heidegger s'est attaché à méditer la dissertation de Brentano sur Aristote,

c'est-à-dire une œuvre de jeunesse, ce sont au contraire des œuvres et des travaux ultérieurs du même Brentano qui influencèrent à ses débuts Husserl (citons par exemple *La Psychologie du point de vue empirique*). Le terme d'intentionalité dont se servit Husserl lui vint de Brentano qui lui-même le reprenait à la scolastique.

Vingt ans après avoir fait la connaissance de Brentano à Vienne en 1884, Husserl écrivit à son ancien maître : « Je n'ai pas oublié, pour ma part, combien je vous dois de reconnaissance, avec quelle profondeur vous avez agi sur mon évolution philosophique par vos cours et par vos écrits... J'ai commencé par être un disciple de votre philosophie... Lorsque j'ai acquis maturité et indépendance, je n'ai pu lui rester attaché... » (Lettre à Franz Brentano, octobre 1904) (trad. Daniel Christoff, in *Husserl*, Paris, Seghers, 1966, p. 128).

Cf. aussi : *Nachwort zu meinen Ideen zu einer reinen Phänomenologie* (Halle, Niemeyer, 1930). Plus particulièrement, dans la traduction française (parue dans la *Revue de Métaphysique et de Morale*, n° 4, 1957), la page 391 : « Toutefois, si grands que soient le respect et la gratitude que je porte à la mémoire de mon maître génial, et si importante que me paraisse la découverte que représente la transformation du concept scolastique d'intentionalité en un concept descriptif fondamental de la psychologie, qui seule a rendu possible la phénoménologie, il y a lieu cependant de faire déjà une distinction essentielle entre la psychologie pure au sens où je l'entends, contenue implicitement dans la phénoménologie transcendantale, et la psychologie de Brentano. »

2. Pour la traduction de *Ideen* par « Programme », cf. *Méditations cartésiennes*, Paris, Vrin, 1963, p. 130, § 64.

3. Cf. *Ideen*, Halle-sur-Saale, Niemeyer, 1913, § 19, p. 36 (trad. franç par Paul Ricœur, Paris, Gallimard, 1950, p. 66).

4. Cf. *Ideen*, p. 15-16 (trad. p. 27, 28, 29).

5. Cf. *Unterwegs zur Sprache*, Pfullingen, Neske, 1971, p. 90-91 : « Dans ces années-là, comme assistant de Husserl, je lisais régulièrement chaque semaine, avec des Japonais, le premier grand ouvrage de Husserl : les *Recherches logiques*. A cette époque le maître lui-même n'avait plus une idée particulièrement bien haute de son livre paru au tournant du siècle. Quant à moi cependant, j'avais mes raisons pour donner la préférence aux *Recherches logiques* en vue d'une introduction à la phénoménologie. Et le maître souffrait avec magnanimité le choix que j'avais fait. »

6. Cf. la première phrase de l'intervention de Heidegger au Congrès organisé en 1969 à l'occasion du trentième anniversaire de la mort de Husserl : *De la compréhension du temps dans la phénoménologie et dans la pensée de l'être*, ainsi que la note (n° 1) se rapportant à cette phrase (p. 352).

LETTRE À RICHARDSON

> *« Señora it is true the Greeks are dead:*
> *« It is true also that we here are Americans:*
> *That we use the machines: that a sight of the god is unusual. »*
>
> Archibald Mac Leish.

Le texte présenté ici est la traduction d'une lettre que Heidegger adressa, au début du mois d'avril 1962, au P. William J. Richardson, alors que celui-ci achevait à Louvain, sous la direction d'Alphonse de Waelhens, un ouvrage qui parut quelque temps plus tard sous le titre: Heidegger: Through Phenomenology to Thought *(La Haye, Martinus Nijhoff,1963).*

Cette lettre est la réponse de Heidegger à une série de questions que lui avait posées Richardson. Heidegger y explicite avec clarté et concision, en une langue où, pour reprendre une expression de T. S. Eliot, every word is at home*, *aussi bien son rapport à Husserl et à la phénoménologie que l'importance décisive que présente pour sa pensée ce qu'il nomme le* tournant (die Kehre). *Ces précisions sont d'autant plus fondamentales qu'elles concernent des points rarement mis en évidence dans les textes de Heidegger (nous pensons surtout à son rapport à Husserl).*

Mais l'importance des réponses suppose des questions pertinentes. Et sans doute n'est-ce point un hasard si ces questions c'est Richardson qui les a posées. Or le nom même de Richardson n'est guère connu des milieux philosophiques français. Un semblable silence entoure d'ailleurs en France, d'une façon générale, ceux qui aux États-Unis prennent intérêt à l'œuvre de Heidegger (citons par exemple le Pr Stanley R. Hopper, M. Vincent Vycinas ou Mlle Loy M. Vail, auteur d'un livre intitulé Heidegger and the ontological Difference).

* T. S. Eliot, *Four quartets (Little Gidding)*, Londres, Faber édit., 1966, p. 58.

Les raisons pour lesquelles on ignore chez nous ces travaux s'enchevêtrent les unes dans les autres. La raison majeure cependant est peut-être à rechercher du côté de ce préjugé tenace qui tient l'anglais pour une langue radicalement non philosophique et réservée semble-t-il de toute éternité aux hommes d'affaires, aux fervents des sciences humaines et aux hôtesses de l'air. Il est vrai, certes, que la langue anglaise se prête moins bien que la langue allemande, ou même que la langue française, au dire philosophique, ou, avec Heidegger, au dire « remontant en crue » (René Char) la philosophie. Mais, s'il faut plutôt rechercher le meilleur du génie de la langue anglaise du côté de la poésie ou du roman, ce n'est pas une raison pour se priver, sur la base d'un jugement un peu hâtif, de textes et de travaux alliant le sérieux à la compétence.

De ce sérieux et de cette compétence, le livre de Richardson nous offre précisément un assez bon exemple. C'est ainsi que l'on y trouve la liste des leçons, cours et séminaires de Heidegger depuis le semestre d'hiver 1915-1916 jusqu'au semestre d'hiver 1957-1958. Enfin, en regard du texte allemand, figure la traduction anglaise de la lettre de Heidegger.

*Nous avons jugé opportun d'éclairer notre traduction de quelques notes. Au terme de cette présentation, nous tenons à remercier M. Jean Beaufret de l'aide qu'il nous a apportée. Nous faisons nôtre en particulier sa traduction d'*Unverborgenheit ἀλήθεια *par « ouvert sans retrait » (cf.* supra La Fin de la philosophie et la tâche de la pensée, *p. 279) au lieu de « vérité » qui figurait encore dans la traduction du* Poème de Parménide *(Paris, P.U.F., 1955, p. 79).*

Laissons à présent le lecteur aller à la rencontre d'une pensée sur laquelle ne peuvent avoir prise ni la hargne besogneuse des englués de l'érudition, ni la morgue affairée des fascinés de la productivité.

Claude Roëls.

Révérend Père Richardson,

Ce n'est pas sans une certaine hésitation que j'entreprends de répondre aux deux questions essentielles de votre lettre du 1er mars 1962. L'une concerne l'impulsion première qui a déterminé le chemin de ma pensée. L'autre demande que soit précisé le tournant *(Kehre)* dont on a tant parlé.

J'hésite à répondre, car les réponses nécessairement ne restent que des indications. Instruit par une longue expérience, je dois m'attendre à ce que l'on ne prenne pas ces indications pour une injonction à se mettre soi-même à son tour, sur le chemin d'une méditation personnelle de la « question[1] » indiquée. On prendra connaissance de ces indications comme s'il s'agissait d'une opinion que j'aurais exprimée, et on la propagera comme telle. Toute tentative pour rapprocher du mode courant de représentation ce qui a été pensé est elle-même obligée de conformer à ces représentations ce qui est à penser, et ainsi de déformer inévitablement la « question ».

Cette remarque n'est pas la complainte d'un homme mal compris, c'est la constatation d'une difficulté quasi insurmontable de compréhension.

L'une des questions de votre lettre est ainsi conçue: « Comment doit-on réellement comprendre votre première expérience de la question de l'être chez Brentano? »

« Chez Brentano. » Vous pensez au fait suivant: Le premier écrit philosophique, que depuis 1907 je n'ai cessé de travailler à fond, fut la dissertation de Franz Brentano: *De la signification multiple de l'étant chez Aristote* (1862). Brentano met en exergue à son livre la phrase d'Aristote: τὸ ὄν λέγεται πολλαχῶς. Je traduis: « L'étant se manifeste (à savoir conformément à son être) de multiples manières. » Dans cette phrase s'abrite la *question* qui a décidé du chemin de ma pensée: Quelle est la détermination simple et unitaire de l'être qui régit toutes ces multiples significations? Cette question éveille les suivantes: que veut donc dire être? Dans quelle mesure (pourquoi et comment) l'être de l'étant se déploie-t-il selon ces quatre modes qu'Aristote n'a toujours constatés qu'en les laissant indéterminés dans leur provenance commune. Il n'est besoin que de nommer ces quatre modes dans le langage de la tradition philosophique pour que nous soyons frappés dans leur apparition par leur caractère dès l'abord incompatible. L'être comme proprement être[2], l'être comme possibilité et actualité, l'être comme vérité, l'être comme figure que présentent les catégories. Quel sens de l'être parle dans ces quatre acceptions? Comment peuvent-elles entrer en une harmonie compréhensible?

Nous ne pourrons percevoir cette harmonie que lorsqu'on aura préalablement posé et éclairci la question suivante: D'où l'être en tant qu'être (et non simplement l'étant en tant qu'étant) reçoit-il sa détermination?

Cependant une dizaine d'années s'écoulèrent; il fallut en passer par bien des détours et bien des fourvoiements dont le lieu fut l'histoire de la philosophie occidentale, avant que lesdites questions parvinssent à une première clarté. Pour cela, trois « intuitions » *(Einsichten)* ont été décisives, bien qu'insuffisantes encore, certes, pour que fût risquée une explicitation de la question de l'être en tant que question sur le sens de l'être. L'expérience directe de la méthode phénoménologique acquise au cours d'entretiens avec Husserl permit au concept de phénoménologie de se forger, tel qu'il est présenté dans l'introduction à *Être et Temps* (§ 7). Ici, la référence aux paroles fondamentales de la pensée grecque, interprétées dans ce contexte: λόγος (rendre manifeste) et φαίνεσθαι (se montrer) joua un rôle déterminant.

Une étude renouvelée des traités d'Aristote (en particulier du livre IX de la *Métaphysique* et du livre VI de l'*Éthique à Nicomaque*) permit de voir l'ἀληθεύειν comme ouvrir sans retrait et de caractériser la vérité comme l'ouvert sans retrait dont relève tout « se montrer » de l'étant. Assurément pense-t-on trop court, ou même pas du tout, lorsqu'on se satisfait de cette constatation: Heidegger appréhende la vérité comme ouvert sans retrait; comme si avec l'ἀ-λήθεια ce qui est proprement digne d'être pensé n'apparaissait pas dès l'abord d'une manière encore indécise. Par ailleurs, on n'est pas plus avancé quand on propose la traduction non-oubli *(Unvergessenheit)* à la place de « ouvert-sans-retrait » *(Unverborgenheit)*. Car l'« oubli » doit être pensé à la manière des Grecs comme retrait dans le cèlement. Corrélativement le contraire de l'oubli, le souvenir, doit être interprété à la manière des Grecs comme l'effort pour conquérir, atteindre le non-retrait. L'ἀνάμνησις platonicienne des Idées signifie: avoir à nouveau sous les yeux, dé-cèlement, à savoir de l'étant dans son ouverture.

Quand le regard pénètre dans l'ἀλήθεια comme non-retrait, ce qui se laissait reconnaître, c'était le trait fondamental de l'οὐσία, de l'être de l'étant: la présence

(Anwesenheit)[3]. Mais la traduction littérale, pensée à partir de la « question » même, parle seulement quand la « teneur de la question », ici la présence en tant que telle, est portée devant la pensée. La question inquiétante, toujours en éveil, portant sur l'être comme présence (présenteté), en se déployant a pu devenir la question de l'être considéré sous son caractère temporel. Il se révéla aussitôt que le concept traditionnel de temps n'est en aucune manière suffisant, fût-ce seulement pour poser dans son contexte propre la question du caractère temporel de la présence, et encore moins bien sûr pour y répondre. Le temps faisait question de la même façon que l'être. La temporalité telle qu'elle est caractérisée dans *Être et Temps* comme ekstatique-horizontale, n'est absolument pas, au point où elle s'arrête, ce que nous cherchons, à savoir le plus propre du temps dans sa correspondance à la question de l'être.

Avec l'élucidation prospective d'ἀλήθεια et d'οὐσία, s'éclairèrent le sens et la portée du principe de la phénoménologie : « Droit à la question. » Tandis que j'entrais ici dans la phénoménologie, non à partir des documents qu'on pouvait rassembler sur elle, mais pour l'accomplir jusqu'à elle-même, la question de l'être, éveillée par l'écrit de Brentano, n'en demeurait pas moins dans le champ du regard. De là naquit le doute : la « question même » devait-elle être définie comme conscience intentionnelle ou bien même comme je transcendantal. Si toutefois la phénoménologie comme le se laisser montrer de la « question » elle-même doit déterminer la méthode normative de la philosophie et si la question directrice de la philosophie s'est maintenue de tout temps sous les figures les plus diverses, comme la question de l'être de l'étant, alors l'être devait restait la « question même » de la pensée comme « question » première et dernière.

Entre-temps, la « phénoménologie » au sens de Husserl s'était parachevée en une position philosophique déterminée, celle qui se dessinait depuis Descartes, Kant et Fichte. L'historicité de la pensée lui demeurait tout à fait étrangère (voir le traité de Husserl dont on tient trop peu compte : *La Philosophie comme science rigoureuse*, paru en 1910-1911 dans la revue *Logos*, p. 289 sq.).

C'est en contraste avec cette position philosophique que la question de l'être, telle qu'elle est déployée dans *Être et Temps*, prit son profil, et ceci en vertu d'un attachement au principe de la phénoménologie que je continue à croire plus conforme à la « question »[4].

Ce qui se laisse ainsi présenter à grands traits comme une rétrospective qui tendrait toujours à devenir *retractatio* était dans son rapport à l'histoire un donné enchevêtré, à moi-même opaque. Celui-ci demeurait inévitablement prisonnier des représentations et du langage de l'époque, et charriait des interprétations insuffisantes de l'avenir qu'il avait devant lui.

Si dès lors, dans le titre de votre ouvrage *Le Chemin de la phénoménologie à la pensée de l'être*, vous comprenez la phénoménologie au sens où je viens de la définir, comme une position philosophique (celle de Husserl), alors le titre rencontre exactement la « question », dans la mesure où la question de l'être telle que je l'ai posée est tout autre chose que cette position philosophique. Le titre est pleinement justifié, si la dénomination « pensée de l'être » est arrachée à l'ambiguïté en laquelle elle dit tout aussi bien la pensée de la métaphysique — la pensée de l'être de l'étant — que la question de l'être au sens de la pensée de l'être comme tel (la manifesteté de l'être).

Mais si nous comprenons la « phénoménologie » comme : se laisser dire la « question » la plus propre de la pensée, alors le titre devrait être « un chemin *à travers* la phénoménologie jusque dans la pensée de l'être ». Ce génitif dit alors que l'être comme tel *(das Seyn)* se montre du même coup comme ce qui est à penser, ce qui a besoin d'une pensée qui lui réponde.

Avec cette indication, j'effleure déjà la seconde question que vous m'avez posée : elle se formule ainsi : « Si l'on admet *que*, dans votre pensée, est advenu un tournant, *comment* ce tournant est-il alors advenu, ou, en d'autres termes, comment faut-il penser en lui-même un tel événement ? »

Il ne peut être répondu à votre question qu'une fois éclairci ce que dit le mot tournant, ou, pour parler plus nettement, si l'on est prêt à méditer en réponse à ce qui a été déjà dit sur ce sujet au lieu de mettre en circulation une suite d'assertions sans fondement. Du tournant, j'ai pour la première fois parlé textuellement dans la *Lettre sur l'humanisme* (1947, p. 71 sq. ; tirage spécial p. 17). On interprète alors : c'est donc depuis 1947 que s'est accomplie dans la pensée de Heidegger une « inversion », pour ne pas dire, depuis 1945, une « conversion ». On se refuse à penser que l'examen approfondi de la « teneur d'une question » aussi décisive puisse réclamer des années pour accéder à la clarté. Le texte cité plus loin peut attester que la « teneur de la question » pensée sous le nom de tournant aiguillait déjà ma pensée depuis une dizaine d'années antérieurement à 1947. La pensée du tournant est dans ma propre pensée *le* virage. Mais ce virage ne s'effectue pas sur la base de la modification d'un point de vue, ou même de l'abandon de la problématique de *Être et Temps*. La pensée du tournant provient de ce que je suis demeuré fidèle à la « question » qui était à penser dans *Être et Temps*, c'est-à-dire que j'ai questionné dans la perspective indiquée, dès *Être et Temps* (p. 39), sous la rubrique « temps et être ».

Le tournant n'est pas en première ligne une péripétie de

la pensée questionnante ; il appartient à la « teneur même de la question », que dénomment les titres « être et temps », « temps et être ». C'est pourquoi on peut lire dans la *Lettre sur l'humanisme* le passage auquel je faisais allusion : « Ici tout se retourne. » Tout, cela veut dire la « teneur même de la question » de « être et temps », « temps et être ». Le tournant joue au sein de la « question » elle-même. Je ne l'ai pas plus inventé qu'il ne concerne ma seule pensée. Jusqu'à cette heure je n'ai eu connaissance d'aucune tentative qui ait poursuivi par la méditation la « teneur de cette question » et en ait entrepris une discussion critique. Au lieu des bavardages sans fondement et sans fin sur le « tournant », il y aurait plus de sens et de fruit à se laisser induire enfin dans la « teneur de la question » ainsi nommée. Si « on » s'y refuse, « on » est alors tenu de démontrer aussi que la question de l'être qui se déploie dans *Être et Temps* est injustifiée, superflue et promise à l'impasse. A une critique de *Être et Temps* qui s'amorcerait ainsi, il y aurait visiblement besoin qu'« on » donne un sérieux coup de main pour la faire démarrer.

A qui est prêt à voir dans sa simplicité la « teneur de la question », à savoir que dans *Être et Temps* le point de départ à partir du domaine de la subjectivité est déconstruit, que toute problématique anthropologique est écartée, et qu'au contraire seule l'expérience de l'être-le-là *(Da-sein)*[5] à partir du regard constamment tourné vers la question de l'être est décisive, à celui-ci deviendra du même coup manifeste que l'« être » que cherchent à atteindre les questions de *Être et Temps* ne peut pas rester posé par le sujet humain. C'est bien plutôt l'être en tant que présence à partir de son caractère temporel qui s'adresse à l'être-le-là, qui le concerne. En conséquence, dès le départ de la question de l'être dans *Être et Temps*, la pensée elle aussi est appelée à un virage qui fasse répondre son allure au tournant lui-même. Ainsi, la problématique de *Être et Temps* n'est en aucun cas abandonnée. D'où, dans la note préliminaire à la septième édition inchangée de *Être et Temps* (1957) la phrase:

Le « chemin demeure cependant aujourd'hui encore un chemin nécessaire, si c'est à la question de l'être qu'il revient de nous mettre en chemin ».

En revanche, dans la pensée du tournant, la problématique de *Être et Temps* est complétée de manière décisive. Ne peut compléter que celui-là seul qui prend en vue la complétude. Cette complétude apporte aussi, alors seulement, la détermination suffisante de l'être-le-là, c'est-à-dire de l'essence *(Wesen)* de l'homme pensée à partir de la vérité de l'être en tant que tel (cf. *Être et Temps*, § 66). C'est pourquoi le texte d'une première ébauche de la leçon du semestre d'hiver 1937-1938, qui cherche à discuter la nécessité de la question de la vérité dans la perspective de la question de l'être, dit:

« Toujours de nouveau il faut souligner ceci: Dans la question de la vérité posée ici, il n'y va pas seulement d'une modification du concept traditionnel de vérité, ni d'un complément apporté à sa représentation courante, il y va d'une mutation de l'être-homme. Cette mutation n'est pas réclamée par de nouvelles découvertes psychologiques ou biologiques. L'homme n'est pas ici l'objet d'une quelconque anthropologie. L'homme est ici en question dans la plus profonde et la plus vaste perspective, celle qui est proprement fondamentale: l'homme dans son rapport à l'être, c'est-à-dire dans le tournant: l'être *(Seyn)* et sa vérité dans son rapport à l'homme. »

L'« événement » du tournant sur lequel vous m'interrogez *est* l'être *(Seyn)* en tant que tel. Il ne se laisse penser qu'à partir du tournant. Celui-ci n'a en propre aucune manière particulière d'advenir. Bien plutôt, le tournant se détermine entre être et temps, temps et être à partir de la manière dont il y a être, dont il y a temps. Sur ce « il y a » j'ai tenté dans la conférence « Temps et Être » que vous avez vous-même entendue ici le 30 janvier 1962 d'en dire un peu.

Si nous posons à la place de « temps »: clairière du se retirer de la présence, alors l'être se détermine à partir du domaine où se projette le temps. Cela ne se produit toutefois que dans la mesure où la clairière du se retirer fait son usage à elle d'une pensée qui lui corresponde.

Présence (être) appartient à la clairière du se retirer (temps). Clairière du se retirer (temps) apporte avec elle la présence (être).

Ce n'est ni par le mérite de mon questionnement, ni par une décision arbitraire de ma pensée que cet appartenir et que cet apporter reposent dans le faire advenir à soi et s'appellent avènement[6] (cf. *Identité et Différence*, in *Questions I*, Paris, Gallimard, 1972, p. 270 sq.). Que pour les Grecs, ce que sans y penser nous nommons vérité s'appelle 'Α-Λήθεια, et cela tout aussi bien dans la langue poétique et non philosophique que dans la langue philosophique, n'est pas le fait de leur invention ni de leur caprice. C'est la dot la plus sublime qu'ait reçue leur langue, dans laquelle le présent comme tel parvenait au non-retrait et au retrait. Celui qui n'a pas de sens pour prendre en vue le donner d'un tel don réservé aux hommes, pour la destination d'un tel destin, celui-là n'entendra jamais la parole du destin de l'être, aussi peu qu'un aveugle de naissance pourra jamais faire l'expérience de ce que sont lumière et couleur.

La distinction que vous faites entre Heidegger I et Heidegger II est justifiée à la seule condition que l'on prenne garde à ceci: Ce n'est qu'à partir de ce qui est pensé en I qu'est seulement accessible ce qui est à penser en II, mais le I ne devient possible que s'il est contenu en II.

Pourtant tout ce qui relève de la formule prête à malentendu. Conformément au caractère intrinsèquement pluriforme de la « teneur de la question » de *Être et Temps*, tous les mots qui l'expriment — comme tournant, oubli, destin — restent également plurivoques. Seule une pensée pluriforme parvient à une parole qui puisse répondre à la « question » d'une telle teneur.

Toutefois cette pensée pluriforme ne requiert pas tant une nouvelle langue qu'une mutation de notre rapport à l'ancienne.

Je souhaite que votre ouvrage, dont vous portez seul la responsabilité, puisse aider à mettre en route la pensée pluriforme de la « question » toute simple de la pensée, et qui, en raison de sa simplicité, héberge la plénitude.

Fribourg-en-Brisgau, début avril 1962.

Traduit par Jean Lauxerois et Claude Roëls.

NOTES DE TRADUCTION

1. *Sache*: Les exigences de la traduction en français nous ont amenés à traduire *Sache* (πρᾶγμα, affaire) par « question » en écrivant le mot entre guillemets. On ne confondra donc pas « question » *(Sache)* et question, écrit sans guillemets, qui traduit naturellement *Frage*. Dans *Identität und Differenz* (Neske, Pfulligen, 1957), au tout début de la conférence « Die Onto-Theo-Logische Verfassung der Metaphysik » (p. 31), Heidegger précise en quel sens il faut essayer d'entendre *Sache* (Cf. *Questions I*, Paris, Gallimard, 1972, p. 277). De même, il écrit dans la conférence « Zeit und Sein », à laquelle il est fait allusion dans la lettre à Richardson:

« Sein — eine Sache, vermütlich *die* Sache des Denkens
Zeit — eine Sache, vermütlich *die* Sache des Denkens. »

(Zur Sache des Denkens, Tübingen, Niemeyer, 1969, p. 4. Dans ce volume, p. 196.)

Ayant ainsi retenu le mot « question » pour traduire *Sache*, nous avons rendu l'allemand *Sachverhalt* par « teneur de la question ».

2. *Sein als Eigenschaft*: être comme proprement être. Heidegger pense ici à l'ὄν καθ' αὐτό par opposition à l'ὄν κατὰ συμβεβηκός.

3. *Anwesenheit* et *Gegenwart*: Il convient d'avoir présent à l'esprit que, pour Heidegger, *Gegenwart* en dit encore plus que son synonyme *Anwesenheit*. C'est pourquoi, afin de rendre la gradation: *Anwesen* → *Anwesenheit* → *Gegenwart*, nous avons traduit *Anwesenheit* par présence et *Gegenwart* par présenteté. (Cf. le texte: « La Fin de la philosophie et la tâche de la pensée » traduit par J. Beaufret et F. Fédier *infra* (p. 293). Texte allemand: *Zur Sache des Denkens*, Tübingen, Niemeyer, 1969, p. 71).

Ce que nous avons traduit par la locution: le présent, c'est l'allemand *das Anwesende*.

4. *Prinzip der Phänomenologie*: « Die eigentliche Maxime der Phänomenologie ist nicht das "Prinzip aller Prinzipien", sondern die Maxime: "Zur Sache selbst" », disait Heidegger au Congrès organisé en 1969 par l'Académie catholique de Fribourg à l'occasion du trentième anniversaire de la mort de Husserl (*Phänomenologie — lebendig oder tot?*, Badenia Verlag, Karlsruhe, p. 47). Nous avons traduit dans son ensemble cette intervention de Heidegger à ce Congrès (cf. ci-après).

Nous renvoyons également au texte déjà cité: « La Fin de la philosophie et la tâche de la pensée » (p. 279).

5. *Da-Sein* et *Dasein*: *Dasein* (d'un seul tenant) n'est employé qu'une seule fois par Heidegger dans ce texte. *Dasein* a d'ailleurs en l'occurrence une portée philosophique si restreinte qu'il n'a même pas été traduit pour éviter toute ambiguïté.

Tout autre est l'importance de *Da-sein* (avec trait d'union). Nous avons rendu *Da-sein* par: être-le-là, et non par être-là, délibérément écarté en raison de l'interprétation existentialiste (sartrienne) qui le connote et le marque. En effet, *Da-sein* n'a précisément rien à voir avec le sens que lui donne Sartre. Comme l'a précisé Heidegger lui-même, dans le contexte du IIIe Séminaire du Thor (1969), dans *Da-sein*, il ne faut pas entendre *Da-sein* en portant l'inflexion sur le *Da* et comprendre ainsi le *Da-sein* comme l'être-là existentiel, mais au contraire déplacer l'accent en direction de *Sein*, c'est-à-dire entendre Da-*sein*, Da-*sein* renvoyant alors à ce que Heidegger nomme *die Lichtung-Sein* (cf. Heidegger, *Lettre sur l'humanisme* in *Questions III*, Paris, Gallimard, 1966, p. 155-157).

6. *Ereignis*: L'on trouvera à propos de *Ereignis* cette note de Heidegger à la page 260 de *Unterwegs zur Sprache* (Pfullingen, Neske, 1958).

« Vu qu'aujourd'hui, même ce qui n'est qu'à peine ou qu'à demi pensé est aussitôt pris en chasse pour être livré à la publication, sous quelque forme que ce soit, beaucoup estimeront sans doute qu'est bien peu digne de foi l'affirmation que l'auteur use depuis plus de vingt-cinq ans, dans ses manuscrits, du mot *Ereignis* pour la "question" pensée ici. Cette "question", bien que toute simple en soi, reste dès l'abord difficile à penser, car la pensée doit au préalable perdre une habitude: celle de donner dans le travers de l'opinion qui veut que l'"être" soit pensé ici comme *Ereignis*. L'*Ereignis* est pourtant par essence tout autre chose, parce que plus riche que toute détermination métaphysique possible de l'être. C'est au contraire à partir de l'*Ereignis* que l'être se laisse penser quant à la provenance de ce qu'il est. »

En d'autres termes, *Ereignis* ne nomme pas, comme le disait M. Beaufret dans sa communication à la Consultation de Syracuse (États-Unis) sur « ontology as utterance » (30 septembre-3 octobre 1970), la « thèse de Heidegger sur l'être », mais le « non-dit de la parole philosophique comme parole de l'être ».

Nous renvoyons aussi à propos de *Ereignis* à *Identität und Differenz* (Pfullingen, Neske, 1957, p. 28-32) et surtout au texte de l'importante Conférence « Zeit und Sein » *(Zur Sache des Denkens*, Tübingen, Niemeyer, 1969, p. 20 à 25. Dans ce volume p. 218 à 225).

Notons simplement que:

— Le mot dit tout autre chose que *Vorgang*. Si le sens courant de *Ereignis* est événement (*sich ereignen*: se produire), le sens que Heidegger lui donne ne peut évidemment s'y résumer (cf. « Zeit und Sein », in *Zur Sache des Denkens*, Tübingen, Niemeyer, 1969, p. 22. Dans ce volume p. 221).

— On se met sur la voie en suivant Heidegger qui rapproche *Ereignis* de l'ancien mot *Eräugnis*. *Eräugnis* dit la manière dont l'être nous regarde *(anblickt)*, nous qui sommes sous son regard. Dans l'*Ereignis* repose l'être qui nous *er-äugnet*, c'est-à-dire que « nous sommes trop dans l'œillade de l'être », comme dit M. Beaufret, pour voir ce qu'il est (cf. Aristote, *Mét.*, 997 *b* 9-11).

— Mais comme *ereignen* se rattache à *eigen* (propre), l'*Ereignis* est aussi ce qui nous rend le plus *eigen*, ce qui donc nous fait advenir (*Ereignis:* « avènement ») à notre être le plus propre.

DE LA COMPRÉHENSION DU TEMPS DANS LA PHÉNOMÉNOLOGIE ET DANS LA PENSÉE DE LA QUESTION DE L'ÊTRE

(cf. supra, note 4)

*Ce texte est l'intervention de Heidegger à l'occasion du Congrès organisé en 1969 par l'Académie catholique de Fribourg afin de commémorer le trentième anniversaire de la mort de Husserl (*Phänomenologie — lebendig oder tot? *Badenia Verlag, Karlsruhe, p. 47).*

Dans *Être et Temps* se trouve en propre ceci : nous devons entendre et accomplir la phénoménologie non dans sa réalité mais dans sa possibilité[1]. La maxime fondamentale de la phénoménologie n'est pas le « principe des principes[2] », mais la maxime : « Droit à la question. » Mais si nous pensons phénoménologiquement cette maxime, la question devient alors : quelle est la « question » de la philosophie ? Est-ce la conscience ? Reste à se demander : Sur quel chemin en suis-je venu à une réponse à cette question ? Ai-je pu en décider simplement à partir de moi-même, dans une intuition égologique qui me serait propre, ou bien, est-ce qu'à cette méditation n'appartient pas nécessairement un rapport non pas simplement historisant *(historischer)*, mais bien historial *(geschichtlicher)* à l'histoire ? Car l'histoire de la pensée n'est pas seulement une confusion de diverses opinions dépassées, mais elle abrite pour nous l'exigence de poser toujours à nouveau la même question, la question de l'être de l'étant. De là naît la question plus vaste, celle qui pour moi s'affirme de plein droit comme phénoménologique : si déjà la métaphysique, tout au long de son histoire, parle de l'être *de l'étant* qu'elle décline dans ses différents cas en idea, energeia, actualitas, monade, objectivité, esprit absolu, savoir absolu, volonté de puissance, d'où se détermine alors l'essence de *être*?

La première impulsion vers cette question me vint pendant une étude d'Aristote qui m'a occupé de longues années, avec d'abord comme fil conducteur la dissertation de Franz Brentano : *De la signification multiple de l'étant chez Aristote* (1862). La question qui me préoccupait de plus en plus était la suivante : quelle est l'unité déterminante dans cette multiplicité de significations ? Que veut dire « être » ? L'autre impulsion pour le déploiement de la « question de l'être » vint d'avoir vu que les Grecs pensent l'être en connexion avec l'aletheia, l'ouvert sans retrait, comme présence. En reprenant en pensée cette pensée, et ce désormais d'un regard exercé phénoménologiquement, la question fit un pas de plus : Dans la mesure où, dans présence *(Anwesenheit)*, présenteté *(Gegenwart)*, s'annonce un caractère du temps, le sens de l'être[3] ne doit-il pas alors recevoir sa détermination du temps ? Cependant il devenait clair que la détermination du temps dans la philosophie depuis Aristote s'était effectuée à partir de l'être comme présence. Ce qui dans le temps est, c'est à chaque fois le maintenant, le passé toutefois est le ne plus du maintenant, l'avenir son ne pas encore. Le concept traditionnel du temps se montra insuffisant pour entreprendre l'élucidation du rapport de l'être et du temps. Ma question du temps a été déterminée à partir de la question de l'être[4]. Elle s'avançait dans une direction qui est toujours demeurée étrangère aux recherches de Husserl sur la conscience interne du temps.

Traduit par Jean Lauxerois et Claude Roëls.

NOTES DE TRADUCTION

1. Cf. Heidegger, *Sein und Zeit* (Tübingen, avant à Halle-sur-Saale, Niemeyer, 1927, 1re éd., 1960, 9e éd.), p. 38: « Höher als die Wirklichkeit steht die Möglichkeit. Das Verständnis der Phänomenologie liegt einzig im Ergreifen ihrer als Möglichkeit. » La traduction française (L'*Être et* le *Temps*, Paris, Gallimard édit., 1964, p. 56 et 57) est ici l'exemple même du contresens: « Au-dessus de la réalité, il y a la *possibilité*. Comprendre la phénoménologie veut dire: saisir ses possibilités. » Or il ne s'agit nullement en ce qui concerne la phénoménologie de « saisir ses possibilités », mais de remonter en deçà de Husserl, à une possibilité plus fondamentale que ce que celui-ci avait nommé phénoménologie.

Cf. également Husserl, *Ideen*, Halle-sur-Saale, Niemeyer, 1913, § 79, p. 159 (trad. franç. par Paul Ricœur, Paris, Gallimard, 1950, p. 269).

2. Le « Principe des principes » est énoncé par Husserl au § 24 des *Ideen* (trad. franç., p. 78).

3 C'est précisément la question de *Sein und Zeit* (avant-propos, p. 1).

4 Non pas, comme pour Aristote, à partir de l'être déjà entendu comme présence, mais à partir de la *question* de l'être.

IV

Les séminaires

LES SÉMINAIRES DU THOR

Après la conférence prononcée à l'Université d'Aix le 20 mars 1958: « Hegel et les Grecs », Heidegger fit à nouveau à trois reprises, répondant à l'invitation de René Char, le voyage de Provence. C'est ainsi qu'eurent lieu, en 1966, 1968 et 1969 les trois séminaires du Thor.

SÉMINAIRE DU THOR

1966

(Rédacteur: Jean BEAUFRET)

Le séminaire de 1966 (huit ans après la conférence d'Aix: « Hegel et les Grecs ») se compose de sept entretiens. Les deux premiers ont porté sur Parménide et les cinq suivants sur Héraclite. A Vezin, Fédier et Beaufret s'étaient joints deux jeunes amis venus d'Italie, Ginevra Bompiani et Giorgio Agamben. Aucun protocole, à l'époque, n'a été rédigé. En rassemblant les notes que gardent les participants, nous pouvons cependant donner le compte rendu de trois entretiens qui eurent lieu, à propos d'Héraclite, le 5 septembre dans un jardin du Thor, le 9 au Rebanqué et le 10 aux Busclats. Les trois textes de Char cités en exergue ont pour référence, les deux premiers, Commune Présence *(Paris, Gallimard, 1964, p. 72 et 179), le troisième étant le titre même du recueil édité par G.L.M. en 1954.*

I

ENTRETIEN DU 5 SEPTEMBRE 1966

Le Thor s'exaltait sur la lyre de ses pierres. Le mont Ventoux, miroir des aigles, était en vue.

Après deux entretiens portant sur le Poème de Parménide, la recherche devient celle d'un fil conducteur pour une lecture des Fragments d'Héraclite. La question décisive est ici: sur quelle parole d'Héraclite faut-il avant tout orienter l'interprétation? Nous sommes en effet en présence de paroles multiples : *logos*, *phusis*, *monde*, *combat*, *feu*, *un*, etc. Partant d'une indication d'Aristote (*Rhet* . III, chap. v), nous pouvons tenir, avec la tradition, le fragment I de l'édition Diels-Kranz, pour le début même de l'écrit d'Héraclite, celui que, selon Diogène Laërce, il aurait déposé à Éphèse dans le temps d'Artémis — (les autres Fragments sont classés dans Diels-Kranz selon l'ordre alphabétique des auteurs qui les ont cités, d'Aëtius à Théophraste, sauf le fragment 2, rapporté par Sextus Empiricus, et que celui-ci rattache presque immédiatement au fragment 1 : « ayant auparavant un peu avancé, il ajoute... »).

Nous prendrons donc comme fil conducteur le *logos* dont il est question dès le début du fragment 1 : τοῦ δὲ λόγου τοῦδ' ἐόντος ἀεὶ ἀξύνετοι γίνονται ἄνθρωποι...

Nous rencontrons tout aussitôt une première difficulté.

Dès l'Antiquité Aristote (même référence que plus haut) avait en effet remarqué que le mot ἀεί peut aussi bien se rapporter à ce qui le précède qu'à ce qui le suit. Est-ce en effet le λόγος qui est dit : ἐὼν ἀεί ? Ou est-il dit des hommes qu'ils *ne cessent* d'en demeurer inscients ? Heidegger ici, contrairement à Burnet et à Diels mais comme Kranz, préfère rapporter ἀεί à ce qui le suit. Mais la raison de ce choix n'est pas seulement celle que donne Kranz, à savoir que ce sont les adverbes suivants (καὶ πρόσθεν... καὶ τὸ πρῶτον) qui décideraient du sens de ἀεί. Elle est que Heidegger lit ἐόντος, non comme une épithète de λόγου mais à la lettre et comme le génitif de ἐόν : l'étant dans son être. Dans sa lecture parataxique plutôt que syntaxique, τοῦ δὲ λόγου τοῦ δ' ἐόντος sont posés comme *exactement symétriques*, ce qui implique d'autre part la disjonction du quatrième mot de la phrase : τοῦδε en τοῦ δέ.

Nous ne lirons donc pas :

Or du λόγος, en tant que perpétuellement (ἀεί) vrai, ils sont sans entente les hommes

Pas non plus :

Or du λόγος, celui qui est vrai, ils sont toujours (ἀεί) sans nulle entente, les hommes

Mais :

Or du λόγος, *de l'étant dans son être, ils n'ont jamais aucune entente, les hommes.*

Ce qui est dit ici serait donc la mêmeté de λόγος et ἐόν, au sens où Parménide dit, lui aussi, dans son Poème :

Le Même, en vérité, est à la fois penser et être.

C'est du moins à partir de cette lecture que se laisse entendre ce que Heidegger disait en 1956 dans le *Principe de Raison* (p. 177 de l'édition allemande) à savoir que « dans le grec λόγος parle une appartenance à l'être de ce qui est dit dans ce nom » — autrement dit que (p. 179) « λόγος nomme l'être » ou que « être, entre autres noms du matin de la philosophie occidentale, fait signe vers λόγος » (p. 182).

Lisons maintenant tout le fragment 1 :

Or du λόγος, *de l'étant dans son être, ils ne cessent d'être hors d'entente, les hommes, tant avant même d'avoir ouï que dès qu'ils ont ouvert l'oreille ; tandis qu'en vérité tout a lieu selon le* λόγος *que je vais dire, c'est à des inexperts qu'ils ressemblent, quand ils s'essayent à des propos et à des œuvres telles qu'ici je les expose, moi qui divise chaque chose en suivant la nature et la disant telle qu'elle est. Mais, à tous les autres hommes, échappe ce que, même éveillés, ils produisent au jour, comme se retire dans l'oubli ce qui leur fut présent dans leur sommeil.*

Le fragment 1 qui fait du λόγος, parmi les paroles fondamentales, la plus fondamentale de toutes, est corroboré sur ce point par le fragment 72, tel que le rapporte Marc-Aurèle :

Ce à quoi ils sont le plus assemblés..., voilà qu'ils en diffèrent, et par là tout ce que du matin au soir ils rencontrent leur apparaît dans un jour étranger.

Le texte contient en apparence un paradoxe. Les choses auxquelles quotidiennement on se heurte ne sont-elles pas au contraire des choses familières ? En quoi se montreraient-elles donc dans un jour étranger ? En ce que les hommes, quand ils diffèrent du λόγος ne voient plus qu'un côté de ce qu'ils rencontrent, à la mesure duquel la chose rencontrée est pour ainsi dire dépaysée d'elle-même.

Le fragment nous dit ainsi les hommes en tant qu'ils s'écartent de l'être pour tomber de lui sur l'étant. C'est ce que *Sein und Zeit* a en vue quand il fait du *déclin* une telle tombée ou retombée. Ce que dit Héraclite n'a cependant aucun rapport avec la chute originelle mais appartient à la Différence elle-même pour laquelle les hommes sont plus originellement rassemblés. L'interprétation du déclin comme chute originelle est au contraire l'exclusion de la Différence. Mais la Différence étant maintenue, même le platonisme, avec le discrédit qu'il jette sur ce qui seulement apparaît, reste encore à venir. Les ξένα d'Héraclite ne sont pas du *moindrement étant*, mais l'étant lui-même tel qu'il se présente *étrangèrement* à ceux qui s'écartent de la Différence. Héraclite n'est pas encore *xénophobe* au sens de Platon.

Si maintenant nous revenons du fragment 72 au fragment 1, nous pouvons dire aussi que tout ce qui, dans celui-ci, est dit des « inexperts » est également corroboré par le fragment 2 où ils sont à nouveau nommés ἀξύνετοι : ceux qui « ne vont pas avec ». Mais avec quoi ? Avec le λόγος dont ils sont disjoints. De tels dis-joints sont les dif-férants du fragment 72. C'est donc bien λόγος qui, pour la lecture des Fragments d'Héraclite (ces Fragments étant moins des fragments que des citations d'un texte aujourd'hui disparu), doit nous être fil conducteur.

(Les remarques précédentes éclairent les réserves que, quelques mois après le séminaire du Thor, fera Heidegger au cours de l'*Heraklit-Seminar* qui eut lieu, dirigé par Eugen Fink, à l'Université de Fribourg pendant le semestre d'hiver 1966-1967. Le texte en a été publié en 1970 aux éditions Klostermann, et traduit en français par Patrick Lévy et Jean Launay, éditions Gallimard, 1973. Cf. en particulier (texte p. 179, trad. p. 157): « Votre chemin (celui d'Eugen Fink) dans l'interprétation d'Héraclite part du feu pour aller au λόγος, le chemin que je suis... part du λόγος pour aller au feu. » Cf. aussi texte 117, 217, trad. 102, 187.)

II

ENTRETIEN DU REBANQUÉ, LE 8 SEPTEMBRE 1966

Dors dans le creux de ma main,
Olivier, en terre nouvelle;
C'est sûr, la journée sera belle
Malgré l'entame du matin.

A la limite des oliviers qui, devant nous, se pressent sur la pente jusqu'à la plaine où, au loin, encore invisible, coule le Rhône, nous entreprenons de relire le fragment 2. Derrière nous s'immobilise un massif delphique. C'est le paysage du Rebanqué. Qui en trouve le chemin est l'hôte des dieux.

... (pourquoi il sied de suivre le ξυνόν, c'est-à-dire le κοινόν):

Mais du λόγος, *lui qui est le* ξυνόν, *ils en vivent, ceux qui font le nombre, en tant que chacun a son avis à lui.*

Cette fois nous apprenons quelque chose de plus sur le λόγος dont, par le fragment 1, nous savions cependant le nom et la mêmeté avec l'étant. Le λόγος est maintenant le ξυνόν. Le commentaire de Sextus Empiricus nous dit d'autre part: ξυνόν c'est-à-dire κοινόν. Mais c'est là précisément toute la question.

A l'arrière-plan du ξυνόν que nomme Héraclite il faut, dit Heidegger, entendre, fût-ce en dépit de la grammaire, ξυνιέναι, aller ensemble, venir les uns aux autres, alors que le κοινόν n'est que le καθόλου, le général tel qu'il appartient identiquement à plusieurs, comme il appartient aussi bien aux grenouilles qu'aux chiens d'être des animaux. Nous pouvons dire que le ξυνόν est la détermination des ὄντα comme ξυνιόντα, tandis que le κοινόν est la détermination du ξυνόν du point de vue de la pensée, experte à distinguer les généralités des particularités accessoires.

Pour Héraclite au contraire la « convention », la coappartenance qu'est le ζυνόν n'est ni le général ni le générique. Mais alors quel mode d'appartenance a-t-il en vue? Celle de ce qui, essentiellement, *diffère*: τὸ διαφερόμενον. Seul celui-ci peut *conférer*, au sens latin de *se porter, se tourner vers* un même côté pour appartenir ainsi à la « convention »: en grec συμφέρεσθαι, dans la mêmeté de διά et de σύν. Exemple: jour et nuit. Il n'y a pas de jour « à part soi » ni de nuit « à part soi », mais c'est la coappartenance du jour et de la nuit qui est leur être même. Si je dis seulement: *jour*, je ne sais rien encore de l'être du jour. Pour penser le jour, il faut le penser jusqu'à la nuit et inversement. La nuit *est* le jour comme ayant décliné *(Die Nacht* ist *der untergegangene Tag).* Laisser s'appartenir le jour et la nuit, c'est cela l'être aussi bien que le λόγος.

C'est précisément ce que n'avait pas su discerner Hésiode qui, du jour et de la nuit, n'avait vu que l'alternance, puisqu'il nous dit dans la *Théogonie* (vers 751):

Au grand jamais
la maison ne les contient tous les deux à la fois.

Pour Héraclite, c'est précisément le contraire. La maison de l'être est celle du jour-nuit pris ensemble. Il nous dit dès lors au fragment 57:

Maître de la plupart, Hésiode, ils le tiennent pour un puits de science, lui qui n'a pas su s'y reconnaître en ce qui regarde le jour et la nuit: en vérité il y a un.

Si nous revenons de là au fragment 72, cela veut dire: quotidiennement l'homme vit en rapport avec le jour et la nuit. Mais, comme Hésiode, il ne s'avise que de leur alternance ou de leur change *(Wechsel)*. Il ne voit pas que cette prétendue alternance (change) est plus secrètement leur être même. Ce qui *est* vraiment n'est ni l'un ni l'autre, mais la coappartenance des deux, le milieu inapparent de l'un et de l'autre. Mais comme les ἀξύνετοι, ceux qui ignorent le ξυνόν, dif-fèrent de ce à quoi ils se rapportent essentiellement, tout leur apparaît dans une clarté dépaysante. Le λόγος ne cesse de donner une mesure qui n'est pas accueillie. D'où:

Tandis que le λόγος est, en ce qui est présent, sa présence même et à ce titre, pour chacun, déterminant de la mesure, ils en vivent, les plus nombreux, de telle sorte que chacun a son avis à lui. Ils en vivent sans savoir de quoi ils parlent. Ils disent *est* sans savoir ce qu'est: *est.*

Telle est l'ἰδία φρόνησις, pour laquelle avoir soif, c'est seulement avoir soif, faim, seulement faim, le jour n'étant plus que le jour et la nuit seulement nuit. A cela s'oppose le ξυνόν qu'Héraclite, plus hardiment encore que nous quand nous le rapportions à ξυνιέναι, entend comme: ξὺν νόῳ λέγειν (fragment 114), *dire en communauté avec le* νόος, le *sens* :

Ceux *dont la parole est avec le* νόος, *il leur faut devenir forts en s'en tenant au* ξυνὸν πάντων, *à ce vers quoi tout con-vient* — et non tituber en tous sens au vent des opinions, comme il arrive à ceux qui, au lieu de penser, se bornent à glaner des informations (ἱστορεῖν, fragments 35).

Nous terminerons par deux remarques :

1° Dans tout ce dont le λόγος donne la mesure, il s'agit bien d'un διά, mais celui-ci n'est jamais déterminé *dialectiquement*, c'est-à-dire comme opposition de contraires. Le διαφερόμενον d'Héraclite est bien plutôt déploiement de contrastes et repose dans l'inapparence du λόγος. Expliquons-nous :

Les contraires s'excluent tandis que les contrastes se complètent en se faisant ressortir mutuellement au sens où :

L'onde lutte avec les cailloux
Et la lumière avec l'ombre.

De même, dit Eschyle, *ombre et clarté sont à parts contrastantes*. La prise en vue des contraires suppose la *proposition*, au niveau de laquelle ils apparaissent grâce au jeu de la négation. L'étude de la proposition est l'affaire propre de la logique qui est l'art de protéger le λόγος de la contradiction comme contrariété poussée à son comble, à moins que, renversant son projet, la logique devenue dialectique ne fasse de la contradiction la « source vive », dit Marx, de la vérité elle-même. Le propre de la dialectique est de jouer l'un contre l'autre les deux termes d'une relation en vue de provoquer un retournement de la situation préalablement définie au niveau de ses termes. Par exemple, pour Hegel, le jour est *thèse*, la nuit *antithèse* et tel est le tremplin pour une *synthèse* du jour et de la nuit, au sens où la contrariété de l'*être* et du *rien* se solde par l'apparition du *devenir* qui naît dialectiquement de leur conflit.

Avec Héraclite c'est bien plutôt l'inverse. Au lieu d'accoupler méthodiquement les contraires en jouant l'un contre l'autre les deux termes d'une relation, il dit le διαφερόμενον *comme* συμφερόμενον: « le dieu? — jour-nuit! » C'est là le sens même de la φύσις. En d'autres termes, Héraclite dit l'appartenance à une présence unique de tout ce qui s'écarte d'un autre pour, d'autant plus intimement, lui faire face au sens où, sur le *Chemin de pays (der Feldweg)*, « la bourrasque d'hiver et le jour des moissons se rencontrent, l'alerte mobile du printemps et la quiétude mourante de l'automne se rejoignent, l'humeur joueuse de la jeunesse et la sagesse de l'âge croisent leurs regards, tandis que tout se rassérène en un accord unique dont, sans mot dire, le chemin transporte, allant et revenant, l'écho ».

2° La pensée de l'homme, son νοεῖν, appartient elle-même au λόγος et se détermine à partir de là comme ὁμολογεῖν (frag. 50). C'est, dit Heidegger, ce que j'avais essayé de montrer en 1942, dans un séminaire pour débutants, à l'occasion d'un commentaire du fragment 7. On le traduit ordinairement ainsi:

Si tout l'étant se changeait en fumée,
Ce sont les nez qui s'y reconnaîtraient.

C'est là méconnaître le sens du verbe γίνεσθαι qui dit ici plutôt l'entrée de quelque chose dans la présence que sa transformation en autre chose. Traduisons donc:

Si l'étant se montrait partout comme fumée
Les nez seraient alors experts au diagnostic.

On ne peut dire avec plus d'humour que le pouvoir de

connaître est déterminé par l'apparaître de l'étant. C'est là que se laisse voir pleinement la proximité d'Héraclite et de Parménide. Le fragment 7, tel que nous venons de l'entendre, est en quelque sorte la version héraclitéenne du fragment 3 du Poème de Parménide:

Le Même, en vérité, est à la fois penser et être.

Pour nous résumer:

1° Pas de dialectique dans Héraclite — même si sa parole est: *der Ansatz dafür*, la mise en train en ce sens, étant, à la lettre, l'*entame du matin.*

2° Toute pensée est « en grâce de l'être » loin que celui-ci soit seulement l'objet de la pensée.

III

AUX BUSCLATS, LE 9 SEPTEMBRE 1966

A la santé du serpent.

Nous voici aujourd'hui à la lisière des lavandes, dans la maison du poète. C'est déjà la veille du départ, mais Héraclite demeure avec nous puisque nous allons lire ensemble le fragment 30:

Ce κόσμος *que voici, en tant qu'il est le même et pour tout et pour tous, aucun des dieux pas plus qu'aucun des hommes ne l'a produit, lui qui déjà toujours était et qui est et sera, feu sans cesse vivant s'allumant en mesure, s'éteignant en mesure.*

Une difficulté déjà nous avait arrêtés: comment comprendre l'adverbe ἀεί que nous avons traduit par *déjà toujours*. S'agit-il d'un « monde éternel » au sens d'Aristote et de la scolastique? Le sens est-il *aeternitas*? Ou *sempiternitas*? Nous pensons à Braque: « le perpétuel contre l'éternel. » Et plus loin: « le perpétuel et son bruit de source ». L'adverbe paraît cependant ne porter que sur l'imparfait ἦν répondant seulement à *n'a produit*. Il signifie alors que ce monde-ci n'a pas été produit vu que de tout temps il était déjà là. Le sens serait donc à chercher plutôt du côté de l'éternel, le sempiternel n'étant dit qu'ensuite par le présent suivi du futur et surtout par le second ἀεί, celui de ἀείζωον, sans cesse vivant. Mais ici l'éternité ne domine pas le temps dont il n'est d'ailleurs pas explicitement question et dit simplement que, si loin que l'on puisse remonter vers l'arrière, *ce* « monde » était déjà là. A quoi fait écho, symétriquement à est, sera (cf. *Heraklit*, p. 93, 112).

Nous avons dit: le monde. Cela évoque tout aussitôt l'idée d'un grand Tout, celui dont l'effort pour le déterminer donnera lieu, bien plus tard, à la « cosmologie » kantienne, avec les antinomies qu'elle développe, puis aux explorations des « cosmonautes ». Est-ce bien pourtant de cela que parle Héraclite?

1° Le verbe κοσμέω auquel répond κόσμος signifie: mettre en ordre. Non pas sans doute au sens d'un simple alignement, mais selon que les choses se répondent au sein d'une « commune présence » comme se répondent, nous l'avons vu, le jour et la nuit. Κόσμος dès lors ne dit pas une chose plus grande que les autres et à l'intérieur de laquelle toutes trouveraient place, mais une manière d'être. Diels avait bien eu raison de remarquer dans sa présentation en 1897 du Poème de Parménide: *Nicht« Welt » heisst* κόσμος *bei den Philosophen des 5. Jahrh. von Heraklit an* (p. 66)*.

* Ce n'est pas « monde » que signifie κόσμος, chez les philosophes du Ve siècle à partir d'Héraclite.

2° Κόσμος est également ce que dit l'allemand *Zier*: ce qui brille, le Radieux. C'est originellement le même mot que Zeus. Ce qu'il évoque, c'est la lumière du ciel. C'est en ce sens que les Crétois nommaient Κόσμοι ceux qui brillent à la tête de l'État.

3° Il y a encore un troisième sens, familier à Homère, celui de parure. Familier aussi à Pindare quand il nomme par exemple la « victoire d'or ». La parure, comme l'or, n'est pas là pour briller seulement par elle-même, mais pour faire briller celui qui la porte et sur qui elle brille.

C'est l'unité secrète de ce triple sens qui donne le sens héraclitéen du « monde » — sens qu'il garde encore, à travers le latin, en français, si le contraire du monde n'est pas, comme on se l'imagine naïvement, quelqu'« autre monde », mais ce que dit l'adjectif: *immonde*.

— Parlant ainsi, remarque le poète, et à partir d'une telle richesse qu'il dit pourtant en un seul nom, Héraclite est bien de la race des poètes.

— Il est tel, répond Heidegger, parce que le rapport fondamental de la langue grecque à la nature consiste à la laisser s'ouvrir en ce qu'elle a de radieux et non, comme le veulent les modernes, à en rendre les phénomènes aisément calculables. Ainsi nomme-t-elle le κόσμος, plus ancien que les dieux et les hommes qui lui sont référés, aucun d'entre eux jamais n'ayant pu le créer.

C'est également par là que s'éclaire en quelque façon en quoi le κόσμος est *feu* (πῦρ). Le feu, à son tour, révèle un triple sens, étant à la fois flamme qui monte, ardeur qui couve, lumière qui resplendit, avec toute la richesse des contrastes que cette plurivocité comporte. Nous autres modernes, en sectateurs de la logique, nous croyons au contraire qu'une parole n'est sensée que si elle n'a qu'un sens. Tandis que, pour Héraclite, cette richesse plurielle, c'est cela, le κόσμος. Jamais il n'apparaît comme une chose isolée mais c'est à travers tout qu'il étincelle insaisissablement. Nous l'entendons ainsi à la lecture du fragment 124 : au prix du κόσμος, tel qu'il est pleinement ce qu'il est comme feu, même *le plus bel agencement ressemble à un amas de détritus au hasard dispersés*. C'est dire que l'*ajointement inapparent* du κόσμος *l'emporte sur tout agencement visible*, fût-il le plus beau qui se puisse (frag. 54).

Et voici maintenant le plus extrême contraste. A la différence du « monde » d'Héraclite, à la mesure duquel la plénitude de la nature s'offre à l'habitant de ce monde, règne aujourd'hui un monde où la question est principalement : comment me faut-il me représenter la nature dans la série de ses phénomènes pour que je sois à même de faire, à propos de tout, des prévisions certaines ? La réponse à cette question est qu'il faut donc se la représenter comme un ensemble de masses ponctuelles dont les mouvements réciproques soient mathématiquement calculables. Déjà Descartes dit au morceau de cire qu'il a sous les yeux : « Tu n'es pas autre chose qu'un quelque chose d'étendu, de flexible et de muable », à partir de quoi je prétends savoir de toi tout ce que j'ai à en savoir. Dans un tel monde, remarque l'un de nous, il y a place pour tout, y compris pour la poésie, à condition bien sûr qu'elle soit marginalisée comme il se doit. Au sérieux du savoir moderne répond une interprétation récréative de la poésie.

— Mais enfin, demande le poète, quelle est donc l'origine de la métamorphose ? De quel « sperme » a-t-elle bien pu prendre naissance ? Et au nom de quoi se perpétue l'interdit qui frappe de mutisme le dialogue des *Attenants*, celui où, d'une voix plus secrète,

Les prairies me disent ruisseau
*Et les ruisseaux prairie** ?

— Il n'est, répond le philosophe, pas plus impensable qu'invivable que l'homme ne soit plus là pour répondre à ce qui apparaît, mais pour la seule domination de ce qui lui fut d'abord apparition. Ainsi, dans l'appauvrissement du monde, un botaniste ne voit plus, devant la floraison, qu'une consécution de processus chimiques. Descartes n'y est à vrai dire pour rien et ce qu'il voit en éclair se prépare de bien avant lui. Descartes le premier a vu l'éclair. C'est cela le décisif: qu'il soit vu. Pourquoi la chose a lieu ainsi, à vrai dire nous n'en savons rien au sens où le savoir est la définition d'une loi scientifique. J'ai cru pouvoir nommer à ce propos le « destin de l'être » tel que l'inaugura, à l'aurore de *notre* monde, la pensée grecque. Les Grecs aussi bien que nous sont sous ce destin. Saurons-nous un jour le penser comme tel au lieu de nous représenter l'histoire comme une succession d'événements? C'est la tâche de la pensée à qui la poésie est « péril salutaire ». Car la poésie a su ne pas déserter le site de l'éclosion native, tandis que le devenir-philosophie de la pensée — comme aussi bien du monde — est la voie sur laquelle nous sommes aujourd'hui, pour reprendre une parole de Sophocle, « privés de site », si « riches en mérites », dit Hölderlin, que nous paradions.

* Les *Attenants* que nomme Char (*La Parole en archipel*, Gallimard, 1962, p. 119), Hölderlin les savait comme tels, disant intraduisiblement:

Es brauchet aber Stiche der Fels
Und Furchen die Erd'...

Non sans à-peu-près:

Mais il lui faut, à la roche, des entailles
Et à la terre des sillons...

Roche et entailles, terre et sillons sont des *Attenants* au sens de Char.

Et prenant congé de l'hôte amical qui le salue comme un ami, Heidegger clôt le séminaire en nous disant fraternellement à tous : « L'essentiel demeure, comme ici, de continuer sur le même chemin, sans se soucier d'aucune publicité autour. »

SÉMINAIRE DU THOR

1968

Le texte étudié au cours du séminaire était la Differenzschrift *de Hegel* (Differenz des Fichteschen und Schellingschen Systems der Philosophie *(1801). Traduction française :* Différence des systèmes philosophiques de Fichte et de Schelling, *in :* Premières publications, *traducteur Marcel Méry, Gap, Ophrys, 1952 et 1970, 3e édition*).

PROTOCOLE DE LA SÉANCE DU 30 AOÛT

Cette séance est la première du séminaire. Aussi Heidegger commence-t-il par une remarque générale sur le travail de séminaire. Il ne peut y avoir là d'autorité, car on travaille en commun. On travaille afin de parvenir à la *Sache selbst* qui est en question. En conséquence l'autorité, c'est la chose elle-même. Il s'agit, dans le contact du texte étudié, de toucher — et d'être touché par — la chose elle-même. Donc le texte n'est jamais qu'un moyen, et non une fin.

Dans notre cas, il s'agit de Hegel : il faut donc entrer en débat avec Hegel, que Hegel nous *parle*. Le laisser parler, lui, et non pas maquiller de notre savoir ce que Hegel a à dire. Ainsi, et ainsi seulement peut-on contrer le danger de l'interprétation personnelle.

C'est pourquoi, dans un vrai séminaire, le maître est celui qui en apprend le plus. Pour cela il ne faut pas qu'il enseigne aux autres ce qu'est le texte, il faut qu'il se mette à l'écoute du texte.

La loi du séminaire, c'est de questionner sans relâche. Les élèves doivent soutenir par leurs questions les questions du maître. Ne jamais rien *croire*, tout a besoin d'épreuve. Ainsi l'on voit que le travail n'est pas mesurable à la quantité.

Heidegger rappelle qu'à Marburg, sa façon de travailler suscitait la méfiance. En tout un semestre, disaient au début les étudiants, on n'est même pas sortis du *Sophiste* de Platon... Pour notre séminaire, poursuit Heidegger, nous ne pouvons pas être sûrs de dépasser quelques lignes du texte. Mais il y a quelque chose de sûr, c'est que si cela est acquis, nous pourrons alors lire tout le livre de Hegel. Cela, dit-il, c'est « das Geheimniss des Seminars » (le secret du Séminaire).

Puis il passe à la description rapide de l'ambiance au moment de la naissance de la *Differenzschrift*. Cela s'est passé pendant le temps francfortois de Hegel (Hegel est resté à Francfort jusqu'en janvier 1799). Hölderlin était alors à proximité, à Bad Homburg, et les deux amis se voyaient. Cette proximité toutefois fait question. Car le poète, dès cette époque, et malgré toutes les apparences de dialectique que peuvent présenter ses *Essais*, a déjà traversé et brisé l'idéalisme spéculatif — alors que Hegel est en train de le constituer. Ceci, remarque Heidegger, pourrait être une question pour les jours qui viennent.

Quelle est l'occasion de l'écrit ? C'est le livre d'un contemporain, Reinhold. Reinhold, né à Vienne ; études chez les Jésuites, passe à la philosophie, penche pour le protestantisme. C'est un homme gai et brave. Lorsqu'il est nommé à Kiel, Fichte hérite de la chaire. Hegel le maltraite bien trop.

Peu après la parution, le 3 septembre 1801, Schelling écrit à Fichte: « Ainsi, ces jours seulement, un livre est paru, venant d'une tête vraiment très sérieuse... »

Ainsi ayant tracé l'extérieur, il faut maintenant « sauter jusque dans la chose elle-même ». Pour cela Heidegger part d'une notation de Hegel: « une chaussette déchirée, c'est mieux qu'une chaussette reprisée... » et demande pourquoi il en est ainsi? Suit un moment d'hésitation, car les auditeurs connaissent une autre version de cette même phrase. Heidegger explique que la phrase, telle qu'elle vient d'être citée, a été corrigée par le typographe en celle que l'on connaît. Revenons donc à la notation de Hegel, en nous demandant comment il a pu écrire cela. Car il est bien clair que c'est plutôt le contraire qui semble vrai. D'un point de vue donc seulement formel, on peut déjà dire que le sens commun est renversé, et placé sur sa tête.

Pour comprendre, dit Heidegger, il faut voir phénoménologiquement. Il invite donc au premier exercice de « jardin d'enfant » phénoménologique. Dé-chirer, zer-reissen, c'est tirer-en-deux, défaire = faire deux. Soit une chaussette — mais attention, non pas *comme* chaussette. En effet, la chaussette « en bon état », si je l'ai à mon pied, précisément je ne la vise pas *comme* chaussette. Alors que, si elle vient à être déchirée, voilà que LA Chaussette transparaît avec plus de force à travers la « chaussette en morceaux ».

Autrement dit: ce qui manque, dans la chaussette déchirée, c'est l'UNITÉ de la chaussette. Mais ce manque est paradoxalement positif au plus haut point, car cette Unité, dans la déchirure, est *présente* en tant qu'unité *perdue*. C'est de là qu'on part — non sans que Heidegger ait insisté pour que l'« analyse » effectuée soit « nachvollzogen » (« réalisée », au sens de Cézanne) et non simplement conceptualisée — pour aborder le texte de Hegel.

Page 12, l. 6 sqq. : « *Entzweiung* (souligné par Hegel),

l'éclatement-en-deux, est la source du *besoin de la philosophie.* » Cette phrase, afin de souligner que Hegel part du déchirement comme du primairement expérimentable et expérimenté, est mise en rapport avec la phrase de p. 13, l. 30 sqq. : « Les oppositions, qui sans cela étaient significatives sous la forme de: Esprit et Matière, corps et âme, croyance et entendement, liberté et nécessité, etc., et sous bien des modes encore dans des sphères plus restreintes... » jusqu'au passage à l'opposition radicale de « la subjectivité absolue à l'objectivité absolue ».

Ce que dit cette phrase, c'est, négativement, que tous les essais pour supprimer la *Zerrissenheit* doivent être abandonnés — en tant que la *Zerrissenheit* est ce qui demeure au fond, et ce qui doit demeurer. Pourquoi? Réponse: parce que, ainsi qu'on l'a vu plus haut, c'est seulement dans la *Zerrissenheit* que peut apparaître, comme absente, l'Unité. « In der Zerrissenheit — formule Heidegger — waltet immer Einheit, oder notwendige Vereinigung, d.h. *lebendige* Einheit ». (Dans le déchirement règne toujours l'unité, ou réunification nécessaire, c'est-à-dire unité *vivante*).

Avec cette idée centrale de « *lebendige Einheit* » on peut lire la phrase de la page 14, l. 9, dont Heidegger dit qu'elle commande tout: « Wenn die Macht der Vereinigung... » Cette phrase commente celle de la page 12 sur l'éclatement-en-deux comme source du besoin de la philosophie. On y remarque par conséquent:

1. Que l'Ent-zweiung est bien dans le mouvement de « Ent- », c'est-à-dire un départ où quelque chose *quitte* quelque chose. L'Ent-zweiung, c'est donc deux qui se *séparent* en deux.

2. Que cette Ent-zweiung a lieu par défaut de Vereinigung.

A ce propos, remarque sur la traduction de Vereinigung: « unification » ne va pas. Comment comprendre, alors?

D'abord en remarquant que « die Macht der Vereinigung », c'est, en développé, un signalement de l'Absolu. A ce propos Heidegger rappelle que depuis le début la pensée pense dans la dimension de l'*unité*.

Il pose la question de savoir pourquoi. Cette question sera reprise plus tard.

Puis on revient à la Vereinigung, pour signaler sa différence d'avec l'unification. Dans la Vereinigung, pour autant qu'elle est l'œuvre de l'Absolu, les oppositions *ne disparaissent pas*. Il y a unité des opposés qui demeurent en tant qu'opposés. Mais alors, qu'est-ce que cette Vereinigung? C'est la puissance qui maintient les opposés *les uns pour les autres*: dans cette maintenance, ce qui n'a plus lieu c'est l'autonomie, ou séparatisme des opposés chacun pour soi (qui caractérise l'Ent-zweiung).

Ceci permet de lire la phrase précédente (p. 14, l. 12 sqq.), où apparaît l'idée de « notwendige Entzweiung », nécessaire en effet si toute position est nécessairement contre-position, et donc créatrice de dualité.

De la comparaison des deux phrases, on entre dans la pensée de Hegel: tout se joue dans l'adversité d'une activité thétique, et par conséquent antithétique, et d'une force capable de maintenir l'unité des deux — grâce à la *position* de l'unité, qui à son tour engendre l'op-posé, qui doit être aussi « vereinigt », et ainsi de suite...

Mais s'agit-il d'un « ainsi de suite »? Ici apparaît le dernier thème abordé aujourd'hui: celui de l'*Infini*.

Comprendre que « infini » peut vouloir dire: « à l'infini », autrement dit le « sans fin » du fini. Mais alors on a ce que Hegel appelle la mauvaise infinité. S'y oppose la bonne infinité, où infini veut dire: in-fini, *i.e.* Aufhebung des endlichen. La bonne infinité est celle où l'on *quitte* le fini. Cet infini-là n'est plus le défaut de fin, mais la Macht der Vereinigung elle-même.

PROTOCOLE DE LA SÉANCE
DU 31 AOÛT

Heidegger rappelle d'abord le sens de la phrase de Hegel : « Un bas déchiré vaut mieux qu'un bas reprisé ». Mais la suite dit : « Il n'en est pas ainsi pour la conscience de soi (Selbstbewusstsein) »*.

Pour comprendre cette dernière phrase, il faut se souvenir du double sens du mot « Selbstbewusstsein » chez Hegel. Le mot désigne d'une part la conscience commune dans son rapport non-thématique aux objets, d'autre part le problème de l'*ego cogito* tel qu'il est depuis Descartes au centre de la pensée moderne. Hegel veut dire : la pensée commune ne pense pas qu'un bas déchiré vaille mieux qu'un bas reprisé. Cependant, si l'on entend le « Selbstbewusstsein » au sens de la pensée réflexive-dialectique, il faut comprendre : la pensée réflexive-dialectique rassemble en une unité plus haute la pensée du sens commun et la vérité de cette pensée (sa thématisation philosophique).

Deux questions sont alors posées :

1. Si l'« Entzweiung » (scission, éclatement, déchirement en deux) est la source du besoin de la philosophie, si la philosophie apparaît comme solution quand la vie est devenue déchirante, *quelle est la dynamique de l'Entzweiung* ?

2. Si la philosophie n'est pas un rapiècement et si le déchirement est nécessaire, *peut-on parler d'unité avant le déchirement* ?

Pour la réponse à la deuxième question, Heidegger

* *Selbstbewusstsein* n'aurait pas ici le sens philosophique de conscience de soi, mais le sens ordinaire qu'il a dans la langue : suffisance ou prétention : « Anders denkt die alltägliche Erfahrung », disait Heidegger.

renvoie au 1er chapitre de la *Physique* d'Aristote. Qui veut entrer dans la philosophie doit passer par ce livre, qui peut remplacer des bibliothèques entières d'ouvrages philosophiques.

La réponse à la première question se trouve facilitée par un renvoi à la phrase de Hegel qui réfère la scission à son exemple le plus simple et le plus essentiel : le rapport du sujet et de l'objet : « Die Gegensätze, die sonst unter der Form von Geist und Materie, Seele und Leib, Glauben und Verstand, Freiheit und Notwendigkeit usw. und in eingeschränkten Sphären noch in mancherlei Arten bedeutend waren und alle Gewichte menschlicher Interessen an sich anhenkten, sind im Fortgang der Bildung in die Form der Gegensätze von Vernunft und Sinnlichkeit, Intelligenz und Natur, für den allgemeinen Begriff : von *absoluter Subjektivität* und *absoluter Objectivität* übergegangen » (p. 13 bas ; c'est nous qui soulignons). « Les oppositions, par exemple entre l'esprit et la matière, l'âme et le corps, la foi et l'entendement, la liberté et la nécessité, etc., et toutes sortes d'autres encore en des sphères plus restreintes, jadis importantes, auxquelles les hommes s'intéressaient pardessus tout, sont passées avec le progrès de la culture sous la forme des oppositions entre raison et sensibilité, intelligence et nature, c'est-à-dire par rapport au concept universel, sous la forme de la subjectivité absolue et de l'objectivité absolue » (trad. Marcel Méry, *Hegel, Premières publications,* Gap, Éditions Ophrys, 3e éd. 1970, p. 87).

Comment en vient-on à cette séparation, à cette scission du sujet et de l'objet ? Comment l'un fait-il sa percée par rapport à l'autre ? Cette question présuppose une antécédence où la scission n'avait pas encore eu lieu. Cette antécédence est, pour Hegel, le monde grec.

Quel est donc le moment dynamique de la scission

sujet-objet? C'est la recherche de la certitude absolue. Cette recherche, qui naît d'une interprétation de la vérité comme certitude, apparaît historiquement avec la première *Méditation* de Descartes. Avec Descartes l'homme en tant qu'*ego cogito* devient l'ὑποκείμενον éminent, le « subjectum » (au sens médiéval) — le *fondamentum inconcussum.* Du même coup la Nature n'apparaît plus que comme Objet pour le Sujet.

En prélude historique à cet avènement, on peut constater que la recherche d'une certitude apparaît d'abord dans le domaine de la foi, comme recherche de la certitude du salut (Luther), puis dans celui de la physique, comme recherche de la certitude *mathématique* de la nature (Galilée) — recherche préparée de loin, sur le terrain du langage, par la séparation nominaliste des mots et des choses (Guillaume d'Occam). Le formalisme occamien, en évacuant le concept de réalité, rend possible l'idée d'une clef mathématique du monde.

D'où la question: Est-il possible de saisir dans un concept, dans une nécessité, l'unité de la certitude mathématique et de la certitude du salut?

Heidegger répond que c'est l'*assurance* (maîtrisabilité, disponibilité, sécurité) à chaque fois recherchée qui rassemble ces deux choses apparemment indépendantes. Ce qui est visé par la recherche de la certitude mathématique, c'est l'assurance de l'homme dans la nature, dans le *sensible* ; par la recherche de la certitude du salut, l'assurance de l'homme dans le monde *supra-sensible.*

L'origine de la scission est ainsi la mutation de la vérité en certitude, à laquelle correspond la préséance donnée à l'étant-homme au sens de l'*ego cogito,* son avènement au rang de *sujet.* Dès lors la nature devient *objet* (ob-jectum), l'objet n'étant rien d'autre que « ce qui m'est projeté à moi » (das mir Entgegengeworfene). Quand l'Ego devient le

Subjectum absolu, tout le reste lui devient objectum, par exemple sous forme de perception (tel est le point de départ du « Gegenstand » kantien). L'important est que la distinction sujet-objet joue entièrement dans la dimension de la subjectivité. Cette dimension est chez Hegel caractérisée par l'expression : *Bewusstsein.* La « conscience » est la sphère de la subjectivité. La conscience, c'est-à-dire le Bewusstsein comme « alles Zusammensehen », co-agere. Tous les termes essentiels de Hegel, dans le texte étudié, sont en relation avec le Bewusstsein.

Les paragraphes consacrés à Descartes dans *Être et Temps* constituent la première tentative pour sortir de la prison de la conscience, ou plutôt pour n'y plus rentrer. Il ne s'agit pas du tout de restaurer le réalisme contre l'idéalisme, car le réalisme en se bornant à assurer qu'un monde existe pour le sujet demeure tributaire du cartésianisme. Il s'agit plutôt de parvenir à penser le sens *grec* de l'ἐγώ.

Revenant du Bewusstsein à l'Entzweiung, Heidegger cite à nouveau la phrase de Hegel : « Wenn die Macht der Vereinigung aus dem Leben der Menschen verschwindet und die Gegensätze ihre lebendige Beziehung und Wechselwirkung verloren haben und Selbstständigkeit gewinnen, entsteht das Bedürfniss der Philosophie* » (p. 14).

Deux mots ici demandent à être éclaircis : *Bedürfniss* et *Philosophie.* Que veut dire la locution : « Bedürfniss der Philosophie » ? Nous sommes grammaticalement en présence d'un génitif. Ce génitif est ordinairement compris comme un génitif objectif : quand la puissance d'unification disparaît de la vie des hommes, ceux-ci éprouvent le besoin de philosopher. Mais que veut dire « besoin » ? Le mot a un

* Lorsque la puissance d'unification disparaît de la vie des hommes, et que les oppositions, ayant perdu leur vivante relation et leur action réciproque, ont acquis leur indépendance, alors naît le besoin de la philosophie (trad. p. 88).

sens négatif. Avoir besoin de quelque chose, c'est éprouver à la fois l'absence, le manque et la nécessité de cette chose ; c'est être « nécessiteux », être dans la détresse (« Noth ») par rapport à quelque chose. Mais le mot a aussi un sens positif : avoir besoin de quelque chose, c'est se mettre en train vers quelque chose, se donner du mal, de la peine pour se le procurer (« sich um etwas bemühen »).

Faut-il donc comprendre que quelque chose est en peine de philosophie, ou au contraire serait-ce la philosophie qui a besoin de quelque chose ? S'agit-il d'un génitif subjectif, ou d'un génitif objectif ? Il s'agit, dit Heidegger, d'un *génitif subjectif*. Hegel veut montrer ce dont la philosophie a besoin pour être une vraie philosophie.

De quoi la philosophie a-t-elle besoin ? Depuis sa naissance, depuis l'ἕν πάντα d'Héraclite et l'ἕν de Parménide, la philosophie pense, non la multitude, mais la multiplicité dans la mesure où elle est rassemblée. La philosophie a besoin du ἕν. C'est pourquoi la philosophie peut et doit suppléer la puissance d'unification (Macht der Vereinigung). Dans la locution : Bedürfniss der Philosophie, le génitif est donc *à la fois subjectif et objectif*. C'est seulement si on comprend ce dont la philosophie a besoin — l'unité absolue et totale — c'est seulement alors que l'on comprend pourquoi apparaît le besoin de philosophie.

Il y a besoin d'unité, parce que l'unité n'est jamais donnée immédiatement ; sans quoi tout serait englouti dans « la nuit (schellingienne) où toutes les vaches sont noires ». L'unité se restaure constamment au sein de la plus haute scission. C'est pourquoi Hegel écrit : « ... die notwendige Entzweiung ist ein Faktor des Lebens, das ewig entgegensetzend sich bildet, und die Totalität ist in der höchsten Lebendigkeit nur durch Wiederherstellung aus der höchsten Trennung möglich » (p. 14, en haut). « La scission nécessaire est un facteur de la vie qui ne prend sa figure que de l'opposition perpétuelle, et la totalité ne se déploie dans sa plus haute vitalité que par restauration à partir de la plus extrême séparation » (traduc. franç. modifiée, p. 87).

Ceci établi, Heidegger rappelle le sens hégélien du mot *Wissenschaft*. Hegel emploie le mot au sens de Fichte. Le « Système de la Science », que constituent ensemble la *Phénoménologie* et la *Logique*, est système de la philosophie. « Wissenschaft » est le nom pour la philosophie devenue savoir absolu, savoir du sujet qui se sait lui-même comme « fundamentum inconcussum ».

Il arrivera à Husserl d'hésiter entre le sens habituel du mot et son sens hégélien, comme on peut le voir dans la *Krisis*.

Puis Heidegger pose quelques questions. Si le besoin de la philosophie est ce dont la philosophie a besoin pour être philosophie, qu'est-ce que la philosophie ? Son essence a été entrevue à partir d'une remémoration de l'ἕν d'Héraclite et Parménide : la philosophie est une tentative d'unification. Cependant l'écoute de la tradition de la philosophie, c'est-à-dire de la métaphysique, nous enseigne que la philosophie traite de l'être de l'étant. Quel est donc le rapport du ἕν avec l'être de l'étant ? le rapport de l'ἕν et de l'οὐσία ? Puisque l'être n'est pas un mot vide, une monnaie d'échange, mais qu'il est toujours appréhendé concrètement comme présence, comme venir-en-présence (Anwesenheit), quel rapport entretiennent donc l'Anwesenheit et l'Einheit ?

La difficulté de cette question, dit Jean Beaufret, apparaît avec une netteté très grande si l'on se réfère à la philosophie d'Aristote. Chez Aristote, ce πολλαχῶς λεγόμενον qu'est l'être apparaît sous quatre visages :

1. selon les catégories
2. selon le rapport δύναμις-ἐνέργεια
3. selon le rapport οὐσία-συμβεβηκός

4. comme ἀληθές et ψεῦδος.

Quelle est l'unité de cette contrée pourtant une qu'est l'être? Aristote ne le dit pas.

Heidegger reprend l'exemple d'Aristote, en se limitant au troisième visage de l'être. Quel est le rapport de συμβεβηκός et de l'entrée en présence?

Pour répondre à cette question il faut d'abord tenter de ne pas penser le συμβεβηκός à partir de l'interprétation scolastique de l'opposition substance-accident, telle qu'elle se traduit dans une théorie grammaticale, pour laquelle l'accident n'est à la substance que ce qu'est dans une phrase l'attribut par rapport au sujet.

Si on prend une rose, on distingue (en la voyant) les συμβεβήκοτα nécessaires et casuels. On voit, à partir de l'être-rose, c'est-à-dire de l'entrée en présence de la rose, que l'essentiel n'est pas la couleur, mais la multiplicité des pétales. Compris à partir de l'entrée-en-présence de la rose, le συμβεβηκός est d'une certaine manière compris à partir du passé: les pétales de la rose sont *toujours-déjà* arrivés avec la présence de la rose (sens du parfait grec).

Mais ceci est vu seulement grâce à cet autre rassemblement qu'est le *Logos*. Le *Logos* se projette toujours en direction des choses qui apparaissent dans leur rassemblement *à elles*. Pour la pensée *grecque*, l'entrée-en-présence de l'homme est ouverture pour l'entrée-en-présence adverse du Monde.

Mais où a lieu la rencontre entre ce qui entre en présence et l'étant dont le mode de présence est de s'ouvrir pour accueillir cette présence? Où, sinon dans l'ἀλήθεια? C'est pourquoi ἀλήθεια ne peut être traduit par « Vérité ».

PROTOCOLE DE LA SÉANCE DU DIMANCHE 1ER SEPTEMBRE

La séance a pris pour une bonne part la forme d'un « Sonntagsseminar » — dont il n'y a pas à rendre spécialement compte.

Heidegger ayant mis en relief pour nous la figure de son maître Husserl à travers des anecdotes qui montrent quelle était la passion qui entraînait l'auteur des *Recherches logiques*, disons en résumé:

Pour Husserl il y avait une chose qui n'existait pas, c'était le sens profond de l'histoire comme Tradition (comme ce qui nous délivre), au sens où Platon est là, où Aristote est là et nous parle, et nous est présent, et doit nous être présent.

Et ceci nous ramène en présence de Hegel.

Dans un premier temps, Heidegger nous avait placés devant la locution « Bedürfniss der Philosophie ». La question était alors de comprendre ce génitif comme génitif objectif et comme génitif subjectif, le génitif subjectif pouvant apparaître comme prépondérant. Hier* c'est sur le mot « philosophie » qu'il a fait porter tout l'examen. Pour comprendre, en un sens précis cette fois, le mot « philosophie », nous devons anticiper et considérer cette phrase de la page 25 qui, en un sens, contient tout: « Die Philosophie als eine durch Reflexion produzierte Totalität des Wissens wird ein System, ein organisches Ganzes von Begriffen, dessen höchstes Gesetz nicht der Verstand, sondern die Vernunft ist**. »

* Prononcé le 2 septembre.

** La philosophie, en tant que totalité du savoir produite par la réflexion, devient un système, un tout organique de concepts, dont la loi suprême est non l'entendement, mais la raison (trad, p. 97).

Dans cette phrase, où le mot « Grund » brille par son absence, tous les mots comptent et appellent un commentaire. Mots à expliquer: Réflexion, Production, Totalité, Savoir, Système, Organique, Concept, Loi, Entendement, Raison.

Mot central: *Système*. C'est le décalque du grec où parlent

1° σύν, das Zusammen, le Rassemblement. C'est la « Macht der Vereinigung ».

2° τίθημι, setzen, poser — c'est-à-dire la position, déterminée par Kant, de l'être comme objectivité.

En pensant cette notion de système nous pouvons mesurer toute la distance qui sépare Hegel de Kant. C'est dans la *Methodenlehre* que Kant parle de système. Pourtant il n'y a de système possible qu'à partir de Fichte, et cette possibilité Hegel l'achève lui-même, puisque Schelling retombe à la fin de sa vie en dehors du système, en sorte que rien d'autre en philosophie n'est système au sens rigoureux du terme que ceux-là.

Qu'il n'y ait pas à proprement parler de système chez Kant (et encore moins chez Aristote et saint Thomas), c'est ce que nous expérimentons quand nous méditons ce passage de la *Critique de la raison pure*:

« La nécessité inconditionnée, comme support ultime de toutes choses, dont nous sommes incoerciblement en besoin, voilà le véritable *abîme* pour la raison humaine. Même l'éternité, aussi effrayante et sublime qu'ait pu la décrire un Haller, est loin de produire sur le Gemüth la sensation du vertige: en effet elle ne *fait* que mesurer la durée des choses, (mais) elle ne les porte pas. On ne saurait s'en défendre, mais on ne saurait non plus supporter la pensée qu'un être que nous nous représentons d'emblée comme le plus haut de tous les êtres possibles se dise en quelque façon à lui-même: Je suis, d'éternité en éternité;

hors de moi rien n'est, si ce n'est ce qui est, de par ma seule volonté, quelque chose ; *mais d'où suis-je donc?* Ici tout sombre en dessous de nous et la plus grande perfection comme la plus petite flotte à la dérive sans que rien ne la retienne plus devant la raison spéculative, à qui cela ne coûte rien de faire disparaître sans rencontrer le moindre obstacle la première aussi bien que la seconde. » (Trad. franç. modifiée, Tremesaygues et Pacaud, Paris, P.U.F., 1965, p. 436-437 [A 613, B 641]).

Ce texte, où Dieu apparaît pour ainsi dire abyssal à lui-même, est tiré du chapitre: « Impossibilité d'une preuve cosmologique. » L'impossibilité en question apparaît du même coup comme celle du système lui-même, si nous interrogeons un peu ce texte.

Il commence par nommer le système dans la périphrase: « nécessité inconditionnée comme support ultime de toutes choses, dont nous sommes incoerciblement en besoin », et le désigne comme le véritable abîme — Abgrund — pour la raison humaine. L'abîme du système tient à ce que la raison spéculative telle que la conçoit Kant ne trouve rien à fixer au niveau de ce qui est essentiel à la production du système comme base ultime de tout. Car pour la raison spéculative ce n'est justement là jamais qu'une « idée » (au sens de la *Critique de la raison pure*, où « idée » s'oppose à « intuition » et à « concept »). Spéculativement ce n'est qu'une idée de la raison, et c'est en cela que c'est insondable, ab-gründig. Aussi pouvons-nous dire que c'est dans ce texte que nous trouvons formellement la renonciation de Kant à un système spéculatif.

Or c'est justement ici que — si nous laissons parler l'histoire — tout se renverse, et ceci du vivant même de Kant qui, dans sa vieillesse, a assisté avec effroi à ce qui commençait à poindre avec Fichte. On peut dire que Fichte et Hegel sont en quête d'un *Grund* là où pour Kant il ne pouvait y avoir qu'*Abgrund*. En trente ans tout va donc s'inverser, au point que, dans son Discours de Berlin, Hegel parle, peut-on dire, d'une façon diamétralement opposée au texte de la *Critique de la raison pure* que nous venons de lire. Pour en arriver là, les jalons qu'on peut brièvement fixer sont :

1° *Fichte*, en ce qu'il connaît, lui, la réponse à la question sans réponse de Kant : « Mais d'où suis-je donc ? » Cette réponse est Je = Je.

2° le Hegel de la *Differenzschrift* — et c'est ce que nous avons commencé à saisir sur le vif en faisant porter notre examen sur la difficile phrase de la page 17 : « Die Form, die das Bedürfniss der Philosophie erhalten würde, wenn es als Voraussetzung ausgesprochen werden sollte, gibt den Übergang vom Bedürfnisse der Philosophie zum *Instrument der Philosophie, der Reflexion* als Vernunft. » « La forme que prendrait le besoin de la philosophie, s'il devait s'exprimer comme présupposition, fait la transition du besoin de la philosophie à l'instrument de l'activité philosophique, la réflexion en tant que raison » (trad. franç. p. 90).

Cette phrase nous place devant la *réflexion comme raison*. Noter d'abord que chez Hegel le mot réflexion change de sens. Il désigne ici la future pensée dialectique. Plus tard Hegel réservera ce mot à l'entendement seul et caractérisera comme « *Reflexionsphilosophie* » les autres philosophies que la sienne.

Si nous interrogeons cette phrase, nous y voyons que la raison comme spéculative, dont Kant éprouvait la finitude et l'incapacité, apparaît d'emblée comme pleinement capable d'être l'instrument de l'activité philosophique, c'est-à-dire de l'activité productrice du système. La spéculation devient autonome. Cela révèle une puissance de la spéculation qui était impossible pour Kant. Mais tout le problème est d'expliquer la phrase. C'est pourquoi la tâche fixée pour aujourd'hui (2 septembre) va consister à spécifier la réflexion en général, puis à distinguer la réflexion comme entendement, enfin à distinguer la réflexion en tant que raison.

PROTOCOLE DE LA SÉANCE DU 2 SEPTEMBRE

Heidegger ouvre le travail du 2 septembre en redisant que la disposition propre au *séminaire* évite le questionnement simplement historique et se retient de prendre le texte comme un tremplin vers des questions qui seraient « nôtres ».

La deuxième question posée la dernière fois, mais restée sans développement, est alors reprise: « Peut-on parler d'unité avant le déchirement? » La première question (de la dynamique de l'Entzweiung) avait été traitée d'une manière philosophique-historique. La deuxième question exige de nous maintenant une approche pré-philosophique. Mais pour poser cette question à partir de notre lecture de Hegel, Heidegger prend à nouveau appui sur la phrase de la page 14: « Wenn die Macht der Vereinigung usw... » La question est alors:

Quand la puissance de l'unification disparaît, qu'est-ce qui, dans ce type d'expérience, est co-éprouvé avec la disparition de l'unité? C'est l'unité elle-même. Car non seulement on peut, mais on doit parler de l'unité avant le déchirement. Pourtant, répondre: « l'unité », c'est répondre théorétiquement. Or la question exige de nous une approche pré-philosophique. Heidegger invite à une telle préparation, plus proprement phénoménologique.

Soit l'exemple : « la nuit tombe, il ne fait plus jour », et dans ce climat particulier où la nuit succède brutalement au jour, de manière à ce que l'exemple nous dirige en l'expérience d'un rapport d'opposition très fort. *Où* se joue donc le passage du jour en la nuit, « dans quoi » a-t-il lieu ? Quelle est l'unité dont ce passage est l'éclatement en deux ? Qu'est-ce qui est le Même, en lequel le jour passe à la nuit ? Dans une telle expérience les hommes sont, non thématiquement, en relation avec quelque chose qui n'est ni jour ni nuit.

Quoi ? Monde, lumière, espace, temps, etc., les réponses, trop générales, témoignent alors d'un embarras phénoménologique. L'exemple parut trop lourd. Cet autre alors : un pot qui éclate en morceaux. Pour que l'on voie des morceaux (en tant que tels), il faut un rapport à l'unité. Si l'on pense que cette unité s'appelle ἕν depuis Héraclite, et que l'Un est depuis cette origine l'autre nom de l'Être, alors on se trouve renvoyé à la compréhension de l'être dont parle *Être et Temps*.

A ce propos Heidegger rappelle la nature des critiques qui suivirent la publication de *Être et Temps*. Heidegger fut accusé d'avoir tiré « Sein » de « ist » et distillé alors sa « philosophie » sur cette « abstraction ». A quoi il répond encore aujourd'hui que : « das Sein ist keine Abstraktion von "ist", sondern "ist" kann ich nur sagen in der Offenbarkeit des Seins. »*

On en revient à la *Zerrissenheit* comprise à partir du *zer-rissen* du *Riss* ; son expérience n'est possible que dans un certain « retour sur » l'unité : tellement que chez Hegel cela *doit* être là. Et, de fait, page 16 : « Im Kampfe des Verstandes mit der Vernunft kommt jenem eine Stärke nur insoweit zu, als diese auf sich selbst Verzicht tut. » « Dans

* L'être n'est pas une abstraction tirée du « est » ; bien au contraire, je ne puis dire « est » qu'au sein d'une dimension ouverte ou être.

la lutte entre l'entendement et la raison, l'un ne reçoit du renfort que dans la mesure où l'autre renonce à elle-même » (trad. franç. p. 89). Si l'on comprend la Raison au sens kantien (= pouvoir des principes, pouvoir de l'Unité) la Raison renonce au profit de l'Entendement, la puissance de l'unité recule au profit de l'Entendement, dont la particularité est la fixation des opposés. Elle n'est pas partie, mais elle est à l'arrière-plan. En sur-interprétant on pourrait dire que la raison, en tant que pouvoir de l'unité, autrement dit le *Vernehmen des Seins* (Entente de l'Être) cède le pas à la mise en ordre de l'étant, en sorte que c'est la différence ontologique qui est en jeu dans ce recul de la Raison derrière la production de l'Entendement.

Revenant ainsi à la page 16, on en poursuit la lecture: « Das Bedürfniss der Philosophie *kann* als ihre *Voraussetzung* ausgedrückt werden, wenn der Philosophie, die mit sich selbst anfängt, eine Art von Vorhof gemacht werden soll. » « Le besoin de la philosophie *peut* être exprimé comme sa *présupposition,* si la philosophie, qui commence par elle-même, peut comporter une sorte de parvis. » Et deux lignes plus loin: « Das, was man Voraussetzung der Philosophie nennt, ist nichts anders als das *ausgesprochne Bedürfniss.* » « Ce que l'on nomme présupposition de la philosophie n'est autre que le besoin exprimé en discours » (trad. franç. modifiée p. 89). Heidegger demande ce que veut dire ici « ausgesprochne »? L'expression, dans la phrase suivante: « hiedurch für die Reflexion gesetzt », indique que la vraie traduction pour « ausgesprochne » serait: « exprimé en discours, et non pas accompli en philosophie ». Le besoin est énoncé en discours et non satisfait.

A partir de là, la Raison s'adresse à la réflexion qui exprime en discours le besoin de la philosophie, pour lui montrer quelle figure fait alors la philosophie. L'ensemble de cette page 16 va apparaître *nécessaire*, comme un échafaudage ou un moyen pour passer du besoin de la philosophie (en tant que « discours-sur ») à l'instrument de la philosophie. La présentation à l'entendement par la raison de la tâche de la philosophie, que celui-ci ne peut accomplir, va révéler le manque de l'instrument — et ainsi le passage vers lui.

Plus lentement : La présupposition se dédouble, signe que c'est une réflexion de l'entendement qui fixe les opposés. Ceux-ci sont maintenant d'une part l'Absolu lui-même, d'autre part l'univers des scissions. La deuxième présupposition dit que la sortie de la conscience hors de la totalité *aurait* la forme des scissions en être et non-être, en concept et être, en finitude et infinitude. *Begriff* est pris ici comme « représentation de quelque chose en général », et « Sein » comme « objectivité ». De quelle unité dans ces exemples l'Entzweiung est-elle l'Entzweiung ? Pour l'être et le non-être, du devenir ; pour le concept et l'être, de l'Absolu ; pour le fini et l'infini, de la Vie.

Pour l'Entendement la synthèse absolue est ce qu'il ne peut saisir ni fixer ; c'est pour lui l'informe, opposé à ses déterminations. Pour la raison, parlant à l'entendement du point de vue de la scission, la philosophie apparaît pourtant (c'est ce qu'indique le premier « aber » : « Die Aufgabe der Philosophie besteht *aber* darin... ») comme unification de ces deux présuppositions — qui, comme va l'indiquer le deuxième « aber » (dans la phrase : « Es ist *aber* ungeschickt... »), ne sont pas séparées par la raison. Cette synthèse absolue est la dernière chose que l'entendement, inquiété par la raison, mais dans *son* horizon, peut apercevoir ; c'est là pour lui le « devoir », dont il peut (seulement) « parler ».

Qu'a-t-on gagné, en résumé, au cours de cette page ? Est apparu le manque d'*instrument* pour la tâche de la philosophie, en même temps que, avec les deux présuppositions et leur unification, se montre ce qui fera le thème de la spéculation. Ce que l'entendement est incapable de comprendre : comment les limitations au sein de la raison, anéanties parce que rapportées à l'absolu, sont par là même *produites* dans ce rapport « anéantissant » lui-même. C'est pourquoi Heidegger renvoie ici à cette phrase de la page 33 : « Das Bedürfniss der Philosophie kann sich darin befriedigen, zum Prinzip der Vernichtung aller fixierten Entgegensetzung und zu der Beziehung des Beschränkten auf das Absolute durchgedrungen zu sein… » « Le besoin de la philosophie peut se satisfaire jusqu'à l'apaisement d'avoir pénétré jusqu'au principe de l'anéantissement de toute opposition et au rapport du limité à l'absolu » (trad. franç. modifiée p. 104).

Il y a « apaisement », c'est-à-dire d'abord « paix », parce que les *fixations* seulement disparaissent, tandis que les *oppositions* apparaissent dans leur vivant.

Enfin, dans la lecture du texte et de la traduction de la page 17, qui clôt la séance, deux remarques portant sur les termes sont faites par Heidegger :

— l'une porte sur le début du deuxième alinéa de « La réflexion comme instrument de la philosophie » et vise l'expression : « die *isolierte* Reflexion », qui serait mieux entendue comme : « die *isolierende* Reflexion. »

— l'autre porte sur le « Bestehen » qui clôt ce même alinéa : terme constamment repris par Hegel, mais sans analyse, comme si on venait se heurter à quelque limite à l'intérieur de la pensée hégélienne.

PROTOCOLE DE LA SÉANCE DU 4 SEPTEMBRE

Heidegger ouvre la séance par une remarque concernant le mot *concept* rencontré page 16 auprès du mot *être*: « Begriff und Sein. » Il en éclaire le sens à partir de celui de la *Vorstellung* kantienne qui est double, à savoir:

— la représentation particulière (l'intuition — par exemple de ce livre)

— la représentation en général (le concept) — par exemple du livre en tant que tel,

en précisant que c'est de cette dernière qu'il s'agit ici, représentation de tous les objets, de l'objet en tant qu'objet.

Nous sommes ensuite reconduits à ce sur quoi notre attention avait été attirée au début de la séance précédente: une interprétation du texte non seulement historique, mais encore embrayant sur la question de l'être. Heidegger demande alors si précisément l'on peut dire que la question de l'être est la question de la métaphysique? La réponse est que, si la métaphysique questionne bien en direction de l'être de l'étant (« Qu'est-ce que l'étant par où il est? »), elle ne questionne pas sur l'être lui-même. Lorsque l'on pose une question, le point de départ et l'élan de la question résident en ce à partir de quoi je questionne en direction de... Mais cela c'est sur un exemple qu'il nous faut le voir, de manière phénoménologique.

A partir d'un questionnement sur la couleur des feuilles de cet arbre, que je vois dans le jardin, nous nous demandons alors quel est le point de départ qui donne son élan à la question. Plus avant, ne considérant plus la couleur de cet arbre-ci, mais la couleur en tant que couleur, Heidegger demande: « Qu'est-ce qui est propre à toute couleur? » Il souligne en quoi un tel questionnement, où la chose est saisie *comme elle est*, se différencie de celui de Husserl, qui cherche à éclaircir la constitution de l'objet dans la conscience en analysant ce que veut dire phénoménologiquement un donné sensible, autrement dit en phénoménologisant l'analyse kantienne des anticipations de la perception. Ne procédant à aucune réduction à la conscience, mais prenant en vue la chose même, nous sommes amenés à répondre : « Toute couleur en tant que couleur s'étale. » Prêtant alors, par contre-épreuve, attention au son, il apparaît que celui-ci est dans l'espace de deux manières : d'une part il vient d'un endroit ; d'autre part il traverse et mesure l'espace. Mais le son en tant que tel n'est pas *étalé* dans l'espace, il n'est étalé que dans le temps.

Heidegger revient alors à sa première question, qui est celle de la *provenance* et de la *direction* de la métaphysique. La métaphysique part de l'étant, s'élève jusqu'à l'être, pour revenir à l'étant en tant qu'étant et l'éclairer dans la lumière de l'être. Pour expliquer ce retour à l'étant, on propose de prendre l'exemple d'un questionnement à partir de la nature au sens le plus large, où l'on demanderait : « Qu'est-ce que la nature ? » Ce qu'elle est ne sera pas fixé par une réponse séparée de la nature. L'« energeia » n'est pas hors de, ni derrière ce qui est, tel un démon ; elle est *dans* la chose. Tout le problème étant de comprendre ce rapport.

Mais lorsque l'on parle ainsi de la métaphysique, c'est en tant qu'elle interroge sur l'être dans la mesure où il détermine l'étant comme étant. Or en un autre sens, la question de l'être est *autre*. Elle n'interroge pas l'être en tant qu'il détermine l'étant comme étant : elle interroge l'être en tant qu'être.

Si la différence ontologique qui apparaît ici est le plus grand danger pour la pensée, c'est qu'elle représente *toujours* l'être dans l'horizon de la métaphysique comme un étant ; alors la question sur l'étant en tant qu'étant, c'est-à-dire la question métaphysique, a un autre sens que la question de l'être comme être. Ce que l'on peut exprimer négativement en disant que la question de l'être en tant qu'être n'est pas une mise à la puissance 2 de l'être de l'étant.

Se pose alors le problème de formuler la question de l'être en rapport avec Hegel. On ne peut le faire qu'à partir du texte même de Hegel, à partir de l'endroit où, sinon la réponse, du moins la problématique de cette réponse est formulée, donc à partir de l'endroit qui essaie de dire grâce à quoi le besoin de la philosophie (c'est-à-dire ses questions sur l'étant) trouve son apaisement. L'apaisement du besoin contenant ainsi la réponse à la question sur l'être de l'étant. C'est à la page 33 du texte que nous lisons : « Das Bedürfniss der Philosophie kann sich darin befriedigen... durchgedrungen zu sein. » La philosophie, c'est-à-dire la métaphysique, atteint donc la réponse à ses questions lorsque l'Absolu est saisi en tant qu'Absolu. Cette tâche est évoquée page 17 : « Das Absolute soll reflektiert, gesetzt werden. »

Au sens le plus courant du mot « réflexion », nous entendons dans ce mot le *re-flexere* latin. Le propre de la réflexion est de se réfléchir. Vers où ? Vers l'*Ego*. L'essence du « cogitare » est saisie chez Descartes dans la formule : *cogito me cogitare*. Elle fait apparaître le cogito comme « me cogitare », et l'ego en tant que cogitans un cogitatum = objet. Ce qui, dans le langage kantien de la déduction transcendantale est formulé ainsi : « Le *Je pense* doit pouvoir accompagner toutes mes représentations. » Le titre du § 17 de la même section est : « Le principe suprême de l'unité synthétique de l'aperception est le principe suprême de tout l'usage de l'entendement » : tout « cogitare » est par conséquent un « ego cogito me cogitare ».

Ce que Kant dit de l'aperception transcendantale vise l'essence finie de l'homme, et ce rapport de la pensée à l'unité est seulement saisi par Hegel. Ce principe d'unification au niveau de l'entendement fini est absolutisé de sorte que Hegel porte la puissance d'unification à la puissance absolue : ce qui est fini chez l'homme devient l'Absolu infini.

A ce propos Heidegger rappelle qu'il ne faut pas entendre l'infini comme le « sans-fin » de l'entendement, mais comme liquidation du fini. Il signale d'autre part que le premier pas dans cette élévation est accompli avec la phrase de Fichte : « Le Moi se pose lui-même. » Dans la mesure où le Moi se pose en tant que se posant, il pose en même temps le non-Moi comme identité. Mais quand le principe est : Je me pose en tant que me-posant, et ainsi pose le non-Moi, quel est le principe suprême ? Ce principe-là, ou le principe d'Identité ? Du principe de Fichte ou du principe d'Identité, lequel a la préséance sur l'autre ? Est-ce que la Logique formelle est le fondement de la Logique transcendantale, ou est-ce que la Logique transcendantale est le fondement de la Logique formelle ?

Dans le problème de l'aperception transcendantale à son sommet chez Kant, ce qui donne la mesure, c'est le rapport à l'unité. Cette question, qui chez Kant est au niveau de l'entendement fini, traversera tout l'idéalisme transcendantal. La différence entre la Logique formelle et la Logique transcendantale et leur rapport, c'est la différence et le rapport entre un principe habituel et un principe spéculatif.

Revenant à la phrase de Hegel : « L'Absolu doit être réfléchi, il doit être posé », Heidegger rappelle que la Réflexion est le fléchissement en retour vers soi, qui est le véritable pensant dans la mesure où il réfléchit. De là vient le sens général de penser pour réfléchir : réfléchir, c'est penser sur un sujet, penser une pensée. La réflexion se place ainsi médiatement entre celui qui pense et ce qu'il pense : la conscience devient conscience-de-soi. Et Heidegger clôt la séance en attirant notre attention sur le fait que Hegel ne dit pas : « Il faut réfléchir sur l'Absolu », mais bien : « Il faut que l'Absolu soit réfléchi. »

PROTOCOCOLE DE LA SÉANCE DU 5 SEPTEMBRE

La question qui a dominé le séminaire du 5 septembre fut celle du *danger de la différence ontologique*. « Le danger est que, dans l'horizon de la métaphysique, la différence amène à représenter l'être comme un étant. Cependant, quand Aristote définit l'être comme ἐνέργεια, ou Platon comme εἶδος, l'ἐνέργεια et l'εἶδος ne sont pas des étants. La métaphysique résiste à définir l'être comme un étant, quelque tentée qu'elle soit de le faire. » D'où les deux étapes du séminaire, pour répondre à la question :

1. Que veut dire « différence ontologique » ?
2. Quelle expérience fondamentale détermine Aristote à éprouver l'étant (dans son être) comme ἐνέργεια, Platon comme εἶδος, Kant comme Gegenstand ?

Que veut dire « différence ontologique » ?

On peut l'entendre de deux façons : *a)* De prime abord l'expression « différence ontologique » est construite comme la locution : « l'arbre vert » ; ontologique est alors l'adjectif du substantif différence. C'est, de ce premier point de vue, la différence elle-même entre l'être et l'étant qui est « ontologique », comme on dit de la feuille qu'elle est verte. *(b)* Mais, et c'est l'autre façon de comprendre, ne serait-ce pas la différence elle-même entre l'être et l'étant qui porte et rend possible l'ontologie comme discipline fondamentale de la métaphysique ?

Cette deuxième compréhension est justifiée par le fait que toute métaphysique se meut bien dans la différence (tout le monde le souligne, notamment chez saint Thomas), mais qu'aucune métaphysique ne reconnaît cette différence où elle se meut comme différence.

La question devient alors : quelle est la relation entre la différence entre l'être et l'étant et l'ontologie ? Cette question est-elle perceptible à la métaphysique, attendu que celle-ci, comme ontologie, repose sur la différence elle-même ? La différence, qui rend possible la métaphysique en tant que métaphysique, peut-elle être prise en considération par la discipline de fond de la métaphysique, à savoir l'ontologie ? En termes logiques : la conséquence peut-elle prendre en vue le principe ? Non. Je peux, à partir du fondement, déterminer une conséquence, mais l'inverse est impossible. L'horizon dans lequel il est question de la différence ontologique ne peut ressortir, comme thème explicite, à l'ontologie.

Prenons un exemple : Dans Aristote, et pour lui, la différence ontologique renverrait au couple θεῖον-ἐνέργεια. Mais τὸ θεῖον ne peut être un terme de la différence. Il est dit : τὸ τιμιώτατον ὄν, l'étant le plus haut en dignité. Τὸ θεῖον est donc explicitement une détermination ontique. Des deux termes — τὸ θεῖον-ἡ ἐνέργεια — celui-ci, ἡ ἐνέργεια, seul fait référence à la différence ontologique. C'est lui qui dit l'être (το εἶναι) et c'est sur la compréhension d'εἶναι comme ἐνέργεια que repose l'ontologie d'Aristote.

Pour comprendre la mésinterprétation (entre autres) d'Aristote, selon laquelle τὸ θεῖον est un terme de la différence sur laquelle reposerait l'ontologie, il faut faire un saut au-delà de l'entrelacement des questions, un saut dans la théologie médiévale. Dieu y est posé comme *Summum Ens*, et *Summum Ens* interprété comme *actus purus essendi*. Comment cette interprétation est-elle possible ? Comment ce rapport de *Summum Ens* à *Actus purus* se relie-t-il au rapport aristotélicien de τὸ θεῖον et ἐνέργεια ? Pourquoi ἐνέργεια devient-elle *actualitas* ? Parce que ἔργον et ἐνέργεια sont entendus par les Romains à partir de AGERE, « faire » en un sens ontique. Le nom pour ce « faire » ontique est CREATIO. *Summum ens* devient, sur ce fond, CREATOR, et tout ENS est ENS CREATUM (ou INCREATUM). L'ontologie ayant d'une part réduit l'ἐνέργεια à la détermination ontique de l'*actualitas*, et fait d'autre part avec saint Thomas du *Summum Ens* l'*Ipsum esse*, supprime ipso facto toute possibilité de question sur l'être. Toute la philosophie moderne est grevée de cette marque ontique qu'elle tire de l'ontologie chrétienne du Moyen Age. Réinstaller la philosophie en elle-même est la dégrever de son élément chrétien, dans un souci du Grec, non pour lui-même, mais en tant qu'origine de la philosophie.

Qu'est-ce alors qui est proprement fondamental pour l'ontologie dans l'ἐνέργεια ? De quoi l'ἐνέργεια est-elle référence à la différence ontologique ? Par quelle expérience fondamentale Aristote arrive-t-il à l'ἐνέργεια ?

Une expérience fondamentale est la manière dont l'étant est éprouvé. Ainsi Kant éprouve l'étant comme nature, au sens de Newton. Et la nature ici est ce qui est, parce que la vérité est, dans l'orbe cartésien, certitude.

L'expérience de l'étant dans son être comme ἐνέργεια situe Aristote par rapport à Platon. Qu'est-ce par exemple qu'une chaise pour Platon ? un μὴ ὄν, un « més-étant » (par distinction avec οὐκ ὄν, non-être absolument). Mais quel est le caractère ontologique de ce μὴ ὄν ? Ce mode d'être déficient, Platon le nomme εἴδωλον, idole, en le distinguant d'εἶδος tout en l'en rapprochant à la fois. Εἶδος est ce qui se montre, ce qu'on voit. L'εἴδωλον, sans quoi pourtant je n'atteindrais pas l'εἶδος de la table, indique que l'εἶδος de la table est *brouillé* (ici par le bois), non par le bois en tant que bois, mais par le bois *dont est faite* la table. L'expérience fondamentale à partir de laquelle Platon détermine l'ὄν comme εἶδος, expérience de l'ὄντως ὄν, est celle de la pure présence dont le caractère est de se montrer à découvert.

L'expérience de fond d'Aristote se détermine par rapport à celle de Platon. L'interprétation courante est d'affirmer que Platon confine la réalité dans les Idées, là-haut, et qu'Aristote les ramène sur terre et les enfonce pour ainsi dire dans les choses. Idéalisme et Réalisme. Or ce qui change ici est que l'εἶδος devient μορφὴ d'un τὸδε τι en mouvement et repos. Aristote saisit les étants comme κινούμενα et non comme μὴ ὄντα, et cela sur le fond, par conséquent, de l'expérience de la κίνησις. *Cf. Physique* Γ 201 *a* 10-11 ἡ τοῦ δυνάμει ὄντος ἐντελέχεια, ᾗ τοιοῦτον, κίνησίς ἐστιν.

Parce que la κίνησις est elle-même définie comme ἐνέργεια ou plutôt ἐντελέχεια), l'ἐνέργεια apparaît dans Aristote comme la plus haute détermination de l'être lui-même.

PROTOCOLE DE LA SÉANCE DU 6 SEPTEMBRE

Après la lecture du protocole de la séance du 5 septembre, Heidegger rappelle que la traduction latine d'ἐνέργεια par *actus* a préparé l'interprétation du faire comme

« creatio », dont la source est bien entendu le récit de la genèse.

La séance proprement dite s'ouvre sur cette idée que toute métaphysique repose sur une expérience fondamentale de l'étant, qui est chaque fois propre à un penseur: par exemple chez Kant l'expérience fondamentale est celle de l'étant comme « Nature ». *Erfahrung* (l'expérience) — maître mot de la Critique — n'a aucunement en effet le sens vague de: ce que l'on ressent; l'expérience est chez Kant l'expérience au sens scientifique, c'est-à-dire celle de la science par excellence qui est, depuis le début des temps modernes jusqu'à nos jours, la physique mathématique. Le caractère déterminant de la physique mathématique à l'intérieur de la science moderne en général se marque par exemple aujourd'hui en ceci, que la biologie devient une biophysique, et que c'est seulement en tant que biophysique que la biologie contemporaine peut prévoir et préparer la maîtrise de la γένεσις de l'homme. Dans les sciences sociales s'effectue la même transformation: l'anthropologie devient une anthropophysique, où le traitement mathématico-statistique des données constitue la méthode essentielle. Plus généralement on voit apparaître que la cybernétique est le carrefour de la science actuelle. Il faut que nous ayons cela en vue, si nous voulons comprendre dans sa véritable dimension, et non comme simple objet d'érudition, le texte de Hegel que nous avons devant nous.

L'expérience fondamentale de l'étant pour une pensée détermine l'étant qui donne la mesure. « Nature » chez Kant, cet étant est pour Hegel « der Geist », l'esprit au sens de la conscience absolue. On rappelle à ce propos que c'est avec Descartes que la philosophie, selon les propres mots de Hegel, a foulé la première fois cette terre ferme (festes Land) qu'est la « conscience ». La différence entre Descartes et Hegel est que cette terre, Descartes ne fait qu'y mettre le pied, tandis que Hegel la mesure de part en part. Descartes découvre cette terre dans les *Meditationes de prima philosophia*, Hegel l'arpente tout au long du *Système de la Science*, c'est-à-dire aussi bien dans la *Phénoménologie de l'Esprit* que dans les trois parties de la *Logique*: logique de l'être (Sein), logique de l'essence (Wesen) comme vérité de l'être, et logique du concept (Begriff) comme vérité de l'essence, où l'être est inclus. Dans cet arpentage, dans cette géo-métrie hégélienne qui mesure dans sa totalité la terre de la conscience, il ne s'agit pas bien entendu d'une mesure mathématique ; la mesure est métaphysique et totale, c'est-à-dire « absolue ».

On quittera définitivement l'image mathématique quand on se demandera quelle méthode détermine la mesure absolue du pays de la conscience. Cette méthode est la dialectique qui s'accomplit dans le pouvoir de la Raison (Vernunft). C'est dans la *Différence des systèmes philosophiques de Fichte et de Schelling* qu'apparaît pour la première fois ce qui est pour Hegel sa tâche unique: déterminer la relation de la raison à l'absolu. On lit ici la phrase suivante (p. 35):

« Am reinsten gibt sich die weder synthetisch noch analytisch zu nennende Methode des Systems, wenn sie als eine Entwicklung der Vernunft selbst erscheint, welche die Emanation ihrer Erscheinung als eine Duplizität nicht in sich immer wieder zurückruft — hiemit vernichtete sie dieselbe nur —, sondern sich in ihr zu einer durch jene Duplizität bedingte Identität konstruiert, diese relative Identität wieder sich entgegensetzt, so dass das System bis zur vollendeten objektiven Totalität fortgeht, sie mit der entgegenstehenden subjektiven zur unendlichen Weltanschauung vereinigt, deren Expansion sich damit zugleich in die reichste und einfachste Identität kontrahiert hat. » « La méthode du système, méthode qu'il ne faut appeler ni analytique, ni synthétique, se manifeste de la façon la plus pure lorsqu'elle apparaît comme un développement de la raison elle-même qui, au lieu de rappeler toujours au-dedans de soi l'émanation de sa manifestation comme dualité — elle ne ferait ainsi que l'anéantir —, s'y construit en identité conditionnée par cette dualité, s'oppose de nouveau cette identité relative ; ainsi le système progresse jusqu'à l'achèvement de la totalité objective, l'unissant à la totalité subjective qui lui fait face, pour aboutir à une intuition infinie du monde, dont l'expansion s'est par là du même coup contractée dans l'identité la plus riche et la plus simple » (trad. franç. modifiée, p. 105).

On inaugure l'explication de cette phrase (à propos de laquelle Heidegger fait remarquer que le but du séminaire pourrait s'exprimer ainsi : rendre possible la lecture de *tous* les textes hégéliens à travers la compréhension de *cette* phrase fondamentale) par celle de l'expression centrale : « unendliche Weltanschauung. »

— Que veut dire « Welt » dans « Weltanschauung » ? Welt veut dire, comme déjà dans les antinomies kantiennes, l'étant dans sa totalité.

— Que veut dire « Anschauung » ? En partant ici aussi du vocabulaire kantien, comme il faut le faire pour Hegel aussi bien que pour Fichte et Schelling, on doit comprendre Anschauung comme la représentation du singulier en tant que singulier, et cela par opposition au concept qui est, lui, la représentation de quelque chose en général.

— Que veut donc dire maintenant « Weltanschauung » ? Weltanschauung signifie : l'intuition de l'étant dans sa totalité, et puisque intuition il y a, cette totalité est quelque chose de singulier, d'unique.

— Et que veut dire maintenant : « unendliche Weltanschauung » ? Que veut dire intuition infinie ? Le fini se caractérise pour Hegel par la fixation. Fixer c'est poser, au sens de poser à part quelque chose, et par conséquent le poser dans l'opposition. La position détache quelque chose de posé *contre* quelque chose d'autre. Ainsi pour la finitude toute détermination, toute chose déterminée est entourée de non-déterminé, de néant. *Omnis determinatio negatio est.* Si tel est le fini, l'infini (das Un-endliche: l'in-fini) est alors cette position qui au contraire ne fait pas disparaître les opposés, mais les conserve dans leur opposition au sein de leur « Vereinigung ».

Cependant, dans la mesure où cette Vereinigung se trouve par là même à son tour posée, elle entre en tant que telle en opposition avec une autre unité, et ces deux unités exigent à nouveau leur propre Vereinigung: telle est la loi fondamentale et interne de la dialectique.

La question qui vient aussitôt à l'esprit est alors de savoir si et comment le mouvement dialectique lui-même peut éviter de retomber sous la domination du fini, sous la forme de la fausse infinité, de l'end-losigkeit? Diverses réponses, en particulier celle de la circularité, viennent buter sur la difficulté plutôt que la résoudre. Il est tout aussi vain d'invoquer extérieurement la massivité de l'Absolu. Et il ne s'agit pas de chercher sur quel butoir la fausse infinité viendrait par chance à s'arrêter. Cherchons plutôt quelle identité échappe d'avance à cette difficulté: c'est celle que Hegel nomme dans son texte: « die unentzweiteste Identität » (p. 34).

Pourquoi est-elle dite « unentzweiteste »? parce que cette unité est celle qui ignore originellement l'Entzweiung. Un-entzweit est plus précis que Un-endlich. Un-entzweit nomme, pour y échapper, les deux termes *à la fois* de l'opposition fixée. Ce qui est exprimé ainsi est un « Setzen » qui n'est plus la simple opposition des opposés, ni la simple unité elle-même posée des opposés, en opposition à laquelle une nouvelle opposition surgit, qui demande une nouvelle unité, mais une unité telle qu'elle a en soi toutes les oppositions. Tel est en définitive le sens de l'expression spéculative centrale : « unendlich Weltanschauung. »

Si, à partir de cette phrase maintenant éclaircie, nous nous tournons vers celle de la page 14 (« Wenn die Macht der Vereinigung, etc. »), la richesse et la précision de son contenu nous apparaissent enfin.

Ainsi l'Absolu est « die unentzweiteste Identität », l'identité la plus indivise. Si le thème de la philosophie doit être l'Absolu et son mouvement la dialectique, l'Absolu doit donc être en vue à chaque pas de la dialectique, mais en tant que non-encore déployé. La tâche de la raison n'est rien d'autre que son déploiement, c'est-à-dire l'union de toutes les oppositions dans la lumière de l'Identité la plus indivise, qui n'est plus d'aucune façon une identité relative. C'est pourquoi Hegel écrit quelque part que le seul intérêt de la raison est de « aufheben » les opposés qui sont devenus fixes.

La dernière partie de la séance est consacrée à l'explication du terme « aufheben ». *Aufheben* veut dire :

1° « Mettre une chose sur », par exemple mettre un livre sur la table pour le voir. L'acte fondamental de la dialectique, c'est en effet d'abord de faire apparaître les oppositions, de voir les opposés. « Aufheben » en ce premier sens serait le « tollere » latin, au simple sens de prendre (« Tolle, lege »).

2° Aufheben veut dire, l'opposition des deux opposés ainsi prise en vue, les élever à leur unité. Celle-ci est comme un arc qui va plus haut que les deux opposés face à face, et en ce sens Aufheben serait le latin « elevare ».

3° Aufheben veut dire garder, conserver, mettre en lieu sûr (par exemple, « ein Geschenk gut aufheben »). Cette conservation s'accomplit dans l'identité absolue où les opposés sont conservés, loin de disparaître comme le faisaient les vaches dans la nuit de l'identité schellingienne.

Jean Beaufret remarque alors qu'aucun de ces trois sens toujours présents à la fois dans « aufheben » n'a le moindre caractère négatif, et que dès lors traduire tout uniment Aufhebung par « suppression » ou « abolition » est bien souvent un contresens. La portée historique de cette remarque se découvre alors à propos de la fameuse phrase de Kant : « Ich musste also das Wissen aufheben, um zum Glauben Platz zu bekommen. » Cela veut dire, non pas « abolir » le savoir, mais bien le faire apparaître, en l'élevant à son unité (possibilité de l'expérience), dans ses limites (ou encore à sa place), ce qui est tout le sens de la délimitation critique qui doit être comprise positivement. C'est précisément cette mise en place du savoir théorique qui laisse apparaître celle de la Raison pratique.

PROTOCOLE DE LA SÉANCE DU 8 SEPTEMBRE

Cette séance est la dernière. Heidegger remarque que le séminaire n'est pas arrivé là où il voulait le faire arriver. Ce n'est là cependant ni un regret, ni un reproche pour personne. Le but était de faire apparaître dans leur réalité les deux termes de l'opposition qui sépare l'expérience fondamentale de la métaphysique et la question sur le sens de l'être qui est apparue pour la première fois dans *Être et Temps*.

Cette remarque faite, on en revient aux rubriques sous lesquelles Hegel exprime la façon dont la Raison saisit l'Absolu. Ces rubriques sont : Réflexion — Construction — Production — Contraction. La première question posée est de savoir dans quel domaine s'accomplissent tous ces moments de la saisie de l'Absolu par la Raison. Ce domaine est « das Bewusstsein » — la conscience.

1er moment : die Reflexion. Comment Hegel comprend-il la « réflexion » ? Pour répondre, on revient à la phrase de la page 17 : « Das Absolute soll reflektiert... werden. » Prêtons ici attention au langage de Hegel, qui ne dit pas : « Il faut réfléchir *sur* l'Absolu », mais « L'Absolu doit être réfléchi ». « Etwas reflektieren » est différent de « über etwas reflektieren ». Je puis par exemple réfléchir sur ce livre, soit sur sa reliure, soit même sur la difficulté de le lire, etc. Chaque fois le livre apparaît « in einer Hinsicht » — sous un certain angle. Au « réfléchir-sur... » appartient donc un horizon bien déterminé, celui *dans lequel* je réfléchis sur le livre. Mais que signifie maintenant « reflektieren » tout seul ? Il n'y a plus là de perspective, dans laquelle d'avance je saisis la chose, il n'y a plus de Vor-griff déterminé. « Das Absolute soll reflektiert werden », cela est donc dit en dehors de toute « perspective ». Toute perspective dans laquelle l'Absolu est visé manque en effet l'Absolu, parce que toute perspective en tant que telle est finie. L'Absolu, au contraire, est « die un-entzweiteste Identität », c'est-à-dire l'unité qui est le dernier fond de toutes les oppositions possibles. Qu'il doit être réfléchi signifie donc qu'il doit être réfléchi à partir de lui-même, à partir de l'unité la plus simple et la plus accomplie. Ce qui signifie encore qu'il doit se montrer pour la conscience, c'est-à-dire se réfléchir pour elle. Sich spiegeln, (se réfléchir), appliqué à l'Absolu, veut dire que « es sich selbst zur Erscheinung bringt » (il se porte à l'apparaître). Diese Art von « Spiegeln » berechtigt dass das Erfassen der Vernunft « spekulativ » ist (cette sorte de « réflexion » donne le droit de concevoir le travail de la raison comme spéculatif). Chez Leibniz (que quelqu'un évoque à ce moment), il en va autrement: c'est alors la Raison humaine qui est un miroir.

Ainsi donc l'Absolu apparaît pour la raison, pour la conscience — c'est là ce que signifie « être réfléchi » pour l'Absolu. Mais comment est-ce que la Raison « capte » (auffängt, und nicht empfängt, car il n'y a pas là de « réceptivité »), le phénomène de l'Absolu? De quelle manière la Raison fait-elle apparaître pour elle l'Absolu? Quel est le rapport de la Raison à l'unité? C'est-à-dire aussi bien à l'être? Le trait fondamental de l'idéalisme dans son rapport à l'être est la « Setzung », la « Positio ».

Mais que veut dire « poser »? « Ich setze einen Baum », cela veut dire je plante un arbre. Si celui-ci trouve ensuite sa croissance à partir de lui-même, c'est cependant moi d'abord qui l'ai planté. S'agit-il de planter l'Absolu comme un arbre? Non, bien entendu, parce qu'il est *déjà* « posé », il est « donné », c'est ce que je trouve comme déjà là d'avance. Mais alors que veut dire « setzen » pour caractériser le saisissement de l'Absolu?

Que l'Absolu apparaisse pour la conscience ne veut pas dire que l'Absolu fasse irruption dans la conscience comme dans une cage. Il apparaît pour la conscience en relation déjà avec le trait fondamental de la conscience: « poser. » Mais la question revient: quelle sorte de « poser »? Question importante d'abord pour l'interprétation de la pensée *grecque*. En grec poser se dit θέσις, et apparaît dans ἀποθήκη, dont le sens est le même que ἀποφάνσις eine Sache von sich her, wie sie ist, d.h. anwest, stehen lassen (ἀποφάνσις: laisser être une chose telle qu'elle est, c'est-à-dire telle qu'elle vient en présence). Mais la « position » moderne est autre; le latin *repraesentatio* en est la meilleure interprétation. « Re- » chez les modernes (« *Re*-praesentatio) renvoie à l'*Ego cogito*. « Re- » ici = « auf mich zurück ». C'est le « Je » qui laisse se tenir devant lui quelque chose, ce qui signifie aussi que celle-ci est devenue « objet ». Tout cela, qui est très clair, est cependant recouvert par les prétentions idéalistes.

La question de la « représentation » ainsi soulevée est alors l'occasion d'une sorte d'exercice d'entraînement phénoménologique, où tout devient tout d'un coup trop difficile parce que trop simple, et où chacun se surprend à être d'une « maladresse » extrême. Longue et profitable dérive, dont les moments furent les suivants :

— Repraesentatio = Vorstellung. Par exemple : le Louvre à Paris. Pour nous en ce moment c'est une « représentation ». Où est-elle ? Dans la tête ? Comment éviter alors de dire, encore plus scientifiquement : dans le cerveau ? Mais l'autopsie du cerveau ne révèle pas de « représentations ».

— On dit alors que c'est une image. La question devient alors : quand nous nous représentons le Louvre, est-ce une image que nous nous représentons ? Non : c'est le Louvre. *Toujours* (et même dans la « Vergegenwärtigung », même lorsqu'on se rapporte à quelque chose simplement en y pensant), je suis en relation avec les choses elles-mêmes, comme je suis en relation maintenant avec ce livre-ci, que je regarde et que je manie. Cependant, malgré cette immédiateté, il y a des différences, dont la phénoménologie doit suivre le tracé. Bien que le Louvre ne soit pas pour moi maintenant une image, je ne peux pourtant pas y entrer par la porte, tandis que je peux ouvrir le livre qui est ici sur cette table. Dans la mesure où le livre est là, il faut donc dire que c'est lui qui se présente à moi. La « Vorstellung » ici signifie que le livre lui-même « stellt sich mir vor ». Par opposition à la « Vergegenwärtigung » cette situation est celle de la « Wahrnehmung » (perception).

— Qu'est-ce qui est essentiel dans la perception ? Quelqu'un dit : l'αἴσθησις, et s'attire cette réponse que

« avec les Grecs l'enfer a déjà commencé, précisément avec la distinction d'αἴσθησις et de νόησις ». L'essentiel est la notion de « Leibhaftigkeit »: in der Wahrnehmung ist das Anwesende « leibhaftig » (dans la perception ce qui entre en présence affecte en chair et en os mon propre corps). Réponse qui est encore une nouvelle question: Qu'est-ce que c'est que ce « Leib », d'où se tire l'adjectif « leibhaftig »? La traduction française dit: « La chair ». Mais la chair, c'est ce que je suis moi, c'est ma chair, mon corps, mein Leib. Est-ce que je m'étends dans ma chair jusqu'au Louvre? Non, et c'est précisément pourquoi le Louvre est simplement l'objet d'une simple « Vergegenwärtigung » (laquelle du reste inclut toujours la possibilité, mais non accomplie, de perception « leibhat »). C'est donc bien le « Leib » qui caractérise la perception. Ce Leib est quelque chose comme la portée du corps humain (hier soir la lune était plus proche que le Louvre).

— Le mot « corps » qui vient de surgir risque de nouveau de tout compromettre. Il faut saisir la différence entre « Leib » et « Körper ». Par exemple quand on se place sur une balance, on ne mesure pas son « Leib », mais seulement le poids de son « corps ». Ou encore: la limite du « Leib » n'est pas la limite du « corps ». La limite du corps est la peau. La limite du « Leib » est plus difficile à déterminer. Ce n'est pas « Welt », mais ce n'est peut-être pas davantage « Um-welt ».

Il n'y a de « Welt » que là où il y a langue, c'est-à-dire compréhension de l'être. De là quelques réflexions sur les travaux de Karl von Frisch, qui s'efforce de déterminer ce que *voit* l'abeille. Ce que veut dire « voir » est ici en cause, si l'on admet que, malgré une tradition française bien établie, les vaches ne voient jamais passer de trains.

Tout le monde constate alors qu'on s'est éloigné passablement de Hegel. Mais Heidegger rappelle que: « phenomenologische Übung ist mehr wichtig als Hegellesung » (s'exercer à la phénoménologie est plus important que lire Hegel). Ce qui n'empêche point de revenir à Hegel.

Et de ressaisir ainsi ce qui a été dit jusqu'ici:

1° Das Absolute soll für den Menschen — das Bewusstsein-erscheinen.

2° La conscience humaine a pour trait fondamental chez les Modernes d'être un « Setzen ».

3° « Setzen » (ou « Positio ») est plurivoque. A la différence de « setzen » au sens de « planter un arbre », il y a la θέσις au sens de « vor sich stehend haben ».

De là on peut comprendre le deuxième moment de la saisie de l'Absolu par la Raison: la « Construction ».

2. *L'Absolu doit être « construit »* pour la conscience. Cette construction est encore appelée « *production* ». Prenons garde à ces deux termes.

Quand Marx dit: « L'homme se produit lui-même, etc. » ça veut dire: « L'homme est une fabrique. Il se fabrique lui-même, comme il fabrique ses chaussures. » Mais chez Hegel, que veut dire « Production »? Non pas que l'homme fabrique l'Absolu. La production est la forme d'accomplissement de la réflexion. Im Erscheinenlassen wird das Absolute dem Bewusstsein vor-geführt, her-gestellt = dans le faire apparaître, l'Absolu est présenté à la conscience, il est produit. Il ne s'agit pas de la fabrication mais du « faire apparaître ».

Construction, de son côté, renvoie à l'architecture. Diese vorstellende Vernunft des Absoluten (im Sinne des Vorführens) ist eine construierende Vernunft (im Sinne der Architektur): cette raison représentative de l'Absolu (au sens où elle le présente) est une raison qui construit (au sens de l'architecture). Cette pensée remonte à Kant (*Kritik der r. V.* B 358*)*. Vernunft ist Erkenntnis aus Prinzipien, ist ihrer Natur nach architektonisch. Das heisst: Sie betrachtet alle Erkenntnisse als gehörig zu einem möglichen System (La raison est connaissance à partir de principes, et selon sa nature est architectonique, c'est-à-dire qu'elle considère toutes les connaissances possibles comme appartenant à un système possible).

En rassemblant: La Raison « reflektiert » l'Absolu. Dieses reflektieren ist ein sich-vor-führen, d.i. eine pro-duktion. Diese pro-duktion ist eine konstruktion, wobei konstruieren heisst: Zusammengehörige im Sich-zeigen des Absoluten als zusammengehörig zusammenbauen (zusammenstellen) (cette réflexion est un se produire, c'est-à-dire une production. Cette production est une construction où construire signifie: ce qui convient ensemble, le mettre ensemble comme tel dans le se montrer de l'Absolu: construire systématiquement). (Sur le systématique, voir encore Kant: A 645, B 673.)

3. *Dernier moment: la « Contraction »*. C'est maintenant très facile à comprendre. Cum-trahere = zusammenziehen. La Contraction est le « Zuzammenziehen » de tous les opposés à l'unité la plus haute de l'Absolu.

Par ces déterminations successives se trouve maintenant éclairée la *Reflexion der Vernunft*, qui est l'objet de la page 17. On relit le premier alinéa du paragraphe intitulé « Reflexion als Instrument des Philosophierens » jusqu'à: « so ist dies ein Widerspruch » et en insistant sur ces derniers mots. La Raison se contredit elle-même; elle s'interdit ce qu'elle veut elle-même. L'origine de cette « contradiction » est que jedes Produzieren hat den Charakter der θέσις, der σύνθεσις, so ist die ganze Tätigkeit der Vernunft « tätig » setzende, etwas beschränktes: tout produire ayant le caractère d'une θέσις (position), d'une σύνθεσις (composition), alors l'activité de la raison est, dans son ensemble, comme posante, sujette à la limitation. C'est pourquoi Hegel dit prudemment : das Absolute *soll* reflektiert werden*.

Il faut lever cette contradiction, sans quoi l'Absolu serait non pas « posé » mais supprimé (nicht gesetz, sondern aufgehoben). Dans ce passage de la page 17 « aufheben » n'a pas le sens positif que nous lui avons reconnu tout à l'heure, s'agissant du trait caractéristique de la dialectique hégélienne. « Aufgehoben » ici (p. 17) signifie, sinon que l'Absolu serait « supprimé », du moins que l'accès n'en serait pas autorisé.

La fin de la phrase attire particulièrement l'attention, par l'introduction de l'« inconscient » (das Bewusstlose). L'inconscient fait penser aussitôt à Freud. Mais la différence est extrême, et non seulement du fait que Freud dit « das Unbewusste » et non « das Bewusstlose ». La différence est que l'« Unbewusst » freudien ne tombe pas « im Bewusstsein », tandis que chez Hegel la différence du « Bewusst » et du « Bewusstlos » tombe dans le « Bewusstsein » : « ... das *im Bewusstsein konstruierte* Absolute als bewusstes und bewusstloses... » Si le trait caractéristique de la conscience des Modernes est le « setzen », il faut alors comprendre que « als bewusstes » veut dire dans cette phrase : « als gesetztes », et par conséquent « als bewusstloses » veut dire : « noch nicht gesetzt, noch nicht aufgehoben ». D'une façon général le langage de Hegel est toujours à comprendre comme langage spéculatif, et non comme langage « normal ».

Qu'est-ce qu'une proposition spéculative ? Où est sa

* « L'Absolu *doit* être réfléchi » : Sollen indique ici « la tâche de la philosophie. Hegel dit : « L'Absolu doit être construit pour la conscience, telle est la tâche de la philosophie ; mais, comme l'activité, qui produit la réflexion, et ses produits ne sont que des limitations, il y a là une contradiction. »

différence avec une phrase habituelle ? Heidegger prend alors comme exemple la proposition : Deus est ipsum esse : Gott ist das Sein selbst. C'est là une phrase métaphysique *normale*, non spéculative (contrairement à ce que pourrait faire croire la « hauteur » de son thème). J'en arrive au spéculatif lorsque le prédicat de cette phrase (Sein) est fait sujet, devient sujet. Soit : das Sein ist Gott. Mais il ne s'agit pas là d'un simple renversement de la structure grammaticale de la phrase normale. Quelque chose a changé. Ce qui a changé est le sens de « ist ». Le simple renversement voudrait dire : L'être est Dieu, comme le simple renversement de « La rose est une plante » donnerait : « La plante est une rose ». Mais il ne s'agit pas seulement d'un renversement (Umkehrung) mais d'un *contre-coup* porté par le second *ist* sur le premier. Mais alors que signifie : « das so umgestossene ist » ? (le est ainsi transformé grâce à un contre-coup). Istic-heit, disait Maître Eckhart. Das Sein ist Gott, maintenant entendu spéculativement, signifie : das Sein « istet » Gott, c.-à-d. das Sein lässt Gott Gott sein. « Ist » est transitif et actif. Erst Das entfaltete Sein selbst ermöglicht das Gott-sein : C'est seulement *être* développé jusqu'à lui-même (au sens où il l'est dans la *Logique*) qui (en un choc en retour) rend possible : *être-Dieu*.

Sur le silence que crée le vent de la spéculation se termine la séance.

SÉMINAIRE DU THOR

1969

MARDI 2 SEPTEMBRE

Le texte qui va servir de base au travail est *L'Unique Fondement possible d'une preuve de l'existence de Dieu* (Kant, 1763), et plus précisément le chapitre 1er: *De l'existence en général — Vom Dasein überhaupt.*

Le but de ce séminaire est d'éclairer *indirectement* le texte de Kant. Il faut en effet garder en vue que Kant lui-même a modifié son entente de l'être vingt ans plus tard.

Le chemin sur lequel va être tentée notre interprétation médiate, c'est la *Seinsfrage*, la question de l'être, telle qu'elle se développe de *Sein und Zeit* à aujourd'hui.

Posons donc la question: Que veut dire « question de l'être »? Car la question de l'être, en tant que question, présente de grandes possibilités de malentendus — qu'atteste la durable non-compréhension du livre *Sein und Zeit (Être et Temps).*

Que veut dire: « question de l'être »? *Frage nach dem Sein?* Lorsqu'on dit « être », on comprend d'avance ce mot métaphysiquement, c'est-à-dire à partir de la métaphysique. Or, dans la métaphysique et sa tradition, « être » veut dire: ce qui détermine l'étant en tant qu'étant; la question de l'être signifie donc métaphysiquement: question de l'étant *en tant qu'étant*, autrement dit: question du fondement de l'étant.

Dans l'histoire de la métaphysique, une série de réponses est donnée à cette question. Par exemple: ἐνέργεια. Ici, on remarque que la réponse aristotélicienne à la question « qu'est-ce que l'étant en tant qu'étant » est bien ἐνέργεια, et non pas ὑποκείμενον. En effet, l'ὑποκείμενον est l'interprétation de l'étant, non pas de l'être. Tout à fait concrètement ὑποκείμενον c'est l'entrée en présence d'une île, ou d'une montagne, et cette entrée en présence saute aux yeux quand on est en Grèce. Ὑποκείμενον c'est en effet l'étant dans son gisement, tel qu'il se donne à voir, c'est-à-dire: ce qui est là, sous les yeux, venant là de soi-même s'étendre. C'est ainsi qu'est la montagne dans le pays, et l'île sur la mer.

Telle est l'épreuve grecque de l'étant.

Pour nous, l'étant dans son ensemble — τὰ ὄντα — n'est plus qu'un mot vide. Il n'y a plus pour nous cette expérience de l'étant au sens grec. Au contraire, ainsi chez Wittgenstein: « *Wirklich ist, was der Fall ist* » (est réel ce qui est le cas; ce qui veut dire: ce qui tombe sous une détermination, le fixable, le déterminable). Phrase proprement fantasmagorique.

Pour les Grecs au contraire, cette épreuve de l'étant est tellement riche, elle est tellement concrète et *atteint* à ce point l'homme grec qu'il existe des synonymes parlants (Aristote, *Métaphysique a*): τὰ φαινόμενα, τὰ ἀλήθεα. C'est pourquoi traduire τὰ ὄντα littéralement, par *l'étant*, n'avance à rien. On n'a pas, par là, débouché sur ce qu'est l'étant pour le Grec. Or il est précisément: τὰ ἀλήθεα, l'ouvert dans le non-retrait, ce à quoi, un temps, se refuse l'échappée; il est τὰ φαινόμενα, ce qui de soi-même se montre.

Ici s'est posée une question complémentaire à propos de l'ὑποκείμενον. Quelle est la différence de l'épreuve de l'étant quand il est compris comme ὑποκείμενον et quand il l'est comme φαινόμενον? Soit un étant concret, par exemple la montagne du Luberon. S'il est vu comme ὑποκείμενον, c'est que le ὑπό appelle un κατά, et plus précisément le κατά d'un λέγειν τι κατά τινος. Bien sûr, le Luberon ne disparaît pas dans le fait d'être dit comme ὑποκείμενον, mais il n'est plus là en tant que *phénomène* — en tant que se donnant à voir de lui-même. Il ne se présente plus de lui-même. En tant que ὑποκείμενον, il est *ce dont* nous parlons. Et ici, il importe de faire une radicale distinction à propos de parler, en séparant la pure nomination (*Nennen*, ὀνομάζειν) de l'énonciation (*Aussagen*, λέγειν τι κατά τινος).

Dans la pure nomination, je laisse ce qui est présent être ce qu'il est. Assurément la nomination implique celui qui nomme — mais le propre de la nomination est justement que celui qui nomme n'intervient que *pour s'effacer devant* l'étant. Alors, l'étant est pur phénomène.

Au contraire, dans l'énonciation, celui qui énonce intervient en s'intercalant — et il s'intercale comme celui qui surplombe l'étant pour parler *sur* lui. Dès lors, l'étant ne peut plus être compris que comme ὑποκείμενον, et le nom comme un résidu de l'ἀπόφανσις.

Il nous est très difficile, aujourd'hui que toute la langue est d'avance comprise à partir de l'énonciation, d'éprouver la nomination comme pure nomination, en dehors de toute κατάφασις, et de telle sorte qu'elle laisse l'étant entrer en présence comme pur phénomène.

Mais qu'est-ce que le *phénomène* au sens grec? En langage moderne, le phénomène grec est précisément le non-phénomène moderne ; il est la chose elle-même, la chose en soi. Abîme entre Aristote et Kant. Se garder ici de toute interprétation rétrospective. Il faut donc se poser la question décisive : En quoi, pour les Grecs τὰ ὄντα et τὰ φαινόμενα sont-ils synonymes? En quoi le présent, ce qui entre en présence (*das Anwesende*) et ce qui se montre de soi-même (*das Erscheinende, das Sichzeigende*), c'est tout un? Pour Kant, une telle unité est tout simplement impossible.

Pour les Grecs, les choses apparaissent.

Pour Kant, les choses m'apparaissent.

Entre les deux, il s'est passé que l'étant est devenu *Gegen-stand* (objet, ou mieux: ob-stant). Le terme de *Gegenstand* n'a aucun équivalent en grec.

Chez Hegel, la philosophie grecque est interprétée comme « *bloss objektiv* » (purement et simplement objective), ce qui est l'interprétation moderne et hégélienne de ce qu'était vraiment la philosophie grecque. Ce que veut dire en effet Hegel, c'est que les Grecs n'ont pas encore pensé le subjectif comme médiation et donc comme cœur de l'objectivité. Disant ainsi quelque chose qui correspond à la pensée grecque par un côté, Hegel pourtant se coupe radicalement l'accès au sens grec de l'étant, puisque ce que sous-entend cette interprétation hégélienne, c'est que la philosophie grecque n'a pas pensé jusqu'à la médiation dialectique, c'est-à-dire n'a pas pensé la conscience comme clef de la phénoménalisation des phénomènes. S'il pense ainsi, et il pense ainsi, Hegel se coupe définitivement de l'expérience grecque de l'étant comme phénomène.

Les Grecs, dit-il encore, ont l'expérience de l'immédiat. Mais dans son esprit, cela veut dire quelque chose de négatif, une pauvreté de débutants, à qui manque encore l'expérience de la médiation dialectique.

Que s'est-il passé entre les Grecs et Hegel?

La pensée de Descartes. Avec lui, dit Hegel, la pensée atteint pour la première fois « *ein fester Boden* », un sol ferme. En fait, ce que fait Descartes, c'est déterminer le sol par la *fermeté* — donc ne plus laisser être un sol comme il est de lui-même. Descartes en réalité abandonne le sol. Il le quitte pour la fermeté. Quelle est cette fermeté ? D'où vient la fermeté du *firmum* chez Descartes ? Il le dit lui-même : du *punctum firmum et inconcussum. Inconcussum* = inébranlable, c'est-à-dire inébranlable pour le savoir, pour la conscience, pour la *perceptio* (avec Descartes le savoir devient *perceptio*). L'homme est désormais installé dans sa position de *représentant.*

Revenant de là aux phénomènes, se pose la question : par quoi les φαινόμενα sont-ils *possibles* ? Réponse : par l'ἀλήθεια. Les Grecs sont l'humanité qui vécut immédiatement dans l'ouverture des phénomènes — par l'expresse capacité ek-statique de se laisser adresser la parole par les phénomènes (l'homme moderne, l'homme cartésien, *se solum alloquendo*, ne s'adresse la parole qu'à lui-même).

Personne encore n'a été à la hauteur de l'épreuve grecque de l'étant comme phénomène. Pour en pressentir quelque chose, qu'on médite seulement le fait qu'il n'y a aucun mot grec pour dire l'être de l'homme dans l'ἀλήθεια. Il n'y en a pas. Pas même dans la poésie grecque, où cela pourtant se trouve porté à son comble. Quant à appeler cela *exister*, le mot est devenu si courant qu'il prête le flanc à tous les malentendus. S'il n'y a pas de mot grec pour cette existence ek-statique, ce n'est pas par défaut, mais par excès. Les Grecs, en leur être, appartiennent à l'ἀλήθεια où l'étant se dévoile dans sa phénoménalité. Tel est leur destin : Μοῖρα.

Nous plaçant maintenant devant la synonymie entre *étant* et *phénomène*, demandons-nous : comment la philosophie survient-elle du sein de ce séjour des Grecs au milieu des phénomènes ? Comment la philosophie ne peut-elle et n'a-t-elle pu naître que chez les Grecs ? D'où vient à la philosophie l'impulsion première qui la met en route ? Bref : quelle est la naissance de la philosophie ? Ces questions reviennent à une question centrale : Dans le rapport de l'humanité grecque à l'étant comme avéré et phénomène, y a-t-il quelque chose qui rende la philosophie (en quête de l'être de l'étant) nécessaire ?

Si difficile que soit pour nous d'accomplir à nouveau ce qu'ont fait les Grecs en pensant l'étant comme phénomène hors du retrait, comme se-lever-hors-du-retrait (au sens de la φύσις), demandons-nous : que se passe-t-il dans le fait de se-lever-dans-l'ἀλήθεια ? Qu'est-ce qui se trouve d'emblée nommé avec le verbe φύειν ?

C'est la *surabondance*, la *surmesure* du présent. Penser ici à l'anecdote sur Thalès : il est cet homme fasciné par une surabondance stellaire qui le force à porter le regard *uniquement* vers le ciel. Dans le climat grec (Hölderlin, Deuxième lettre à Böhlendorff), l'homme est submergé par l'entrée en présence du présent, qui le contraint à la question du présent *en tant que* présent. Le rapport à cet afflux de la présence, les Grecs le nomment θαυμάζειν (cf. *Théétète* 155 d).

A l'extrême opposé, on peut dire que lorsque les astronautes mettent le pied sur la lune, la lune disparaît *en tant que* lune. Elle ne se lève plus, ni ne se couche. Elle n'est plus qu'un paramètre de l'entreprise technique de l'homme.

En tout cela, l'important est de bien voir que la privation, le ἀ de l'ἀλήθεια s'accommode de l'excès. Privation n'est pas négation. D'autant plus croît ce que désigne le verbe φύειν, d'autant plus vivace est la source d'où cela se lève, la *Verborgenheit* dans l'*Unverborgenheit*.

Toujours insister, par conséquent, sur la dimension parfaitement excessive dans laquelle prend naissance la philosophie. La philosophie en effet est la réponse d'une humanité atteinte par l'excès de la présence — réponse elle-même excessive, ce qui amène à préciser que la philosophie, en tant que philosophie, n'est pas une manière grecque d'exister, mais une manière *hypergrecque*. Là se comprend l'autre côté de l'anecdote sur Thalès, tellement atteint par ce qu'il regarde, qu'il n'en voit plus les choses courantes, à ses pieds, et tombe dans le puits. Ainsi peut-on résumer: les Grecs ont affaire à l'ἀλήθεια de telle sorte qu'ordinairement c'est *dans* l'ἀλήθεια qu'ils sont occupés ; mais que c'est *avec* l'ἀλήθεια que sont occupés ces plus grecs des Grecs que sont les philosophes ; sans pourtant jamais qu'ils en viennent à poser la *question de* l'ἀλήθεια (comme telle).

La question est alors posée: sous quelle forme et dans quelle mesure l'ἀλήθεια fait-elle apparition pour les Grecs? On répond: sous la forme du τὸ αὔτο de νοεῖν et εἶναι — tel qu'il est dit dans le poème de Parménide.

Cette réponse amène à s'interroger sur le sens grec de *savoir*. En grec, savoir se dit νοεῖν et ἰδεῖν — les deux nommant l'être-ouvert à ce qui vient se donner. De là, on peut comprendre le rapport du τὸ αὔτο parménidien au λόγος d'Héraclite: tous deux disent ce recueil dans lequel s'accorde l'être.

C'est pourquoi il faut répondre: pour les Grecs, l'ἀλήθεια fait apparition en tant que λόγος — et λόγος, bien plus radicalement que « parler », veut dire: laisser-entrer-en-présence.

Nous sommes partis de la question: que veut dire *Seinsfrage*? Comprise de façon métaphysique, comme question de l'être de l'étant, *cette* question aboutit précisément à ce que la question de l'être *en tant qu'être* ne soit jamais posée.

Nous en faisons la contre-épreuve en examinant l'une des réponses éminentes à la question métaphysique de l'être de l'étant — celle de Platon.

L'εἶδος, c'est l'être de l'étant ; non moins d'ailleurs que, dans les Temps modernes, l'*idée* en son acception cartésienne. Qu'est-ce que l'εἶδος en tant que première réponse à la question grecque: qu'est ce que l'être de l'étant? Comment comprendre cette réponse à partir de ce que nous avons vu?

Que l'être de *ce* livre soit « idée », voilà qui est exactement incompréhensible! Pour Platon, ce livre est un μὴ ὄν. Ce n'est pourtant pas un οὐκ ὄν, un néant, un non-étant, puisque le voilà. Mais ce n'est pas un étant, en ceci que ce *n'est* pas *ce* qui le fait être comme cet étant qu'il est.

Ce livre n'est qu'une certaine manière de rendre sensible l'essence-livre. Distinguer ici οὐκ ὄν de μή ὄν, négation de privation. La privation se traduit par un manque, et ce manque éclate dans la différence entre εἶδος et εἴδωλον. Ce livre n'est pas εἶδος mais εἴδωλον.

Il y a pourtant bien des livres, qui ne sont pas *ce* livre, et qui sont bel et bien des livres. Quelle est la pure essence du livre? En quel sens peut-on dire que c'est l'εἶδος qui est l'ὄντως ὄν? En quoi consiste la surabondance excessive (*Übermass*) dans le cas de ce livre-ci? En quoi l'idée platonicienne correspond-elle exactement à ce que les Grecs appelaient *présence*, οὐσία, *Anwesenheit*?

Changer, s'altérer, c'est s'absenter: *abwesen*. Seule l'idée est pure présence, présence jamais absente, se-présenter-en-permanence. C'est cela qui surabonde: la présence entrant en présence, *die anwesende Anwesenheit* — c'est cela l'ὄντως ὄν. De cela Nietzsche a le sentiment le plus vif, notamment dans le texte: *Comment le monde-vérité devint fable (Crépuscule des Idoles)*.

On remarque alors que chez Platon, il faut toujours entendre « l'étant » au sens verbal: *das Seiend*, plutôt qu'au sens nominal: *das Seiende*.

Ne jamais perdre de vue que les déterminations du φαίνεσθαι et de l'ἀληθές jouent à plein dans l'εἶδος platonicien. Dans ἰδέα, on est toujours tenté d'entendre ἰδεῖν, alors que ce qui prime c'est le visage, l'allure qu'a la chose, non la vue qu'on en a et qu'on n'en peut prendre que parce que premièrement elle la *donne*. Rien n'est moins grec que ce que dit Schopenhauer de Platon (phrase sur le désert qui existe du seul fait que je le pense) ; Aristote au contraire de Schopenhauer : même si personne ne les voyait, les astres n'en brilleraient pas moins (*Métaphysique* Z 1041 a).

Que veut dire maintenant *Seinsfrage* dans *Être et Temps ?* Dans *Être et Temps*, la question n'est pas : qu'est-ce que l'étant ? mais : qu'est-ce que le « est » ?

Aussitôt, on tombe dans des difficultés. En effet, si le « est » *est*, il est un étant ! Et si, d'autre part, il n'est pas, sera-t-il la simple copule vide d'un jugement ?

De cette aporie, il faut sortir. D'un point de vue purement grammatical, être n'est pas seulement un verbe, c'est un auxiliaire. Mais si l'on questionne plus avant que la grammaire, il faut demander : *être*, en tant qu'infinitif, n'est-il qu'une abstraction dérivée du « est » — ou bien ne peut-on dire « est » que si par avance l'*être* est ouvert et manifeste ?

C'est pourquoi *Être et Temps* attaque la question dans l'optique du *sens* de l'être.

Sens, *Sinn*, a dans *Être et Temps* une signification tout à fait précise, même si aujourd'hui elle est devenue insuffisante. Que veut dire *Sinn von Sein* (sens de l'être) ? Cela se comprend à partir du domaine de projet (*Entwurfsbereich*) que déploie la compréhension de l'être (*Seinsverständnis*). Compréhension, *Verständnis*, doit être à son tour entendu au sens premier de *Vorstehen* : être debout devant, être de niveau avec, être de taille à soutenir ce devant quoi on est*.

Sinn se comprend à partir de *Entwurf* qui s'explique par *Verstehen*.

L'inconvénient de cet angle d'attaque, c'est qu'il laisse

* Cf. *Sein und Zeit*, p. 143.

trop ouverte la possibilité d'entendre le projet (*Entwurf*) comme une performance humaine ; dès lors il n'y a plus qu'à voir le projet comme structure de la subjectivité — ce que fait Sartre s'appuyant sur Descartes (chez qui l'ἀλή-θεια n'est pas présente en tant qu'ἀλήθεια).

Pour prévenir cette méprise, pour garder à l'*Entwurf* la signification dans laquelle il est pris (celle d'ouverture ouvrante), la pensée, après *Être et Temps*, remplace la locution de « sens de l'être » par celle de « vérité de l'être ». Et pour éviter tout contresens sur vérité, pour éviter qu'elle soit comprise comme justesse, « vérité de l'être » est commentée par *Ortschaft des Seins* — vérité comme localité de l'être. Cela présuppose bien sûr une compréhension de l'être-lieu du lieu. D'où l'expression de *Topologie de l'être*, qui se trouve par exemple dans *L'Expérience de la pensée* ; voir aussi le texte édité par Franz Larese : *L'Art et l'espace*.

JEUDI 4 SEPTEMBRE

On commence par des compléments au protocole du 2 septembre.

On a trop rapidement passé sur la distinction entre ὑποκείμενον et φαινόμενον. A cette occasion, on n'a pas assez insisté sur ce à quoi les deux se réfèrent en divergeant :

a) le φαινόμενον se rapporte en effet à, et présuppose toujours comme son horizon, l'ἀλήθεια — mais l'ἀλήθεια toujours déjà d'avance comprise à partir du λέγειν (même chez Homère ; pour cette question voir *Hegel et les Grecs*, Questions II, *sub fine*). Cette entente décisive et première de l'ἀλήθεια comme ἀλήθεια du λόγος bloque, pour les Grecs eux-mêmes, la possibilité de penser l'ἀλήθεια comme ἀ-λήθεια (comme non-retrait) ; c'est-à-dire comme Clairière. L'important, ici, est que seule la pensée de la Clairière de l'être peut apporter la clarté nécessaire pour rendre intelligible le λόγος lui-même.

b) l'ὑποκείμενον, c'est l'étant (donc le φαινόμενον), mais en tant qu'expressément pris en vue à l'intérieur d'un λέγειν τι κατά τινος (d'un « dire quelque chose à propos de quelque chose »). On remarque alors que l'analyse aristotélicienne du langage achève d'une certaine façon l'entente la plus initiale du langage, telle qu'elle gouverne déjà la poésie d'Homère (comme poésie *épique*). En grec, nommer signifie toujours déjà d'avance *énoncer, aussagen* ; et énoncer, c'est manifester quelque chose *comme* quelque chose. C'est dans cette entente sous-jacente que se meut la poésie homérique (méditer ici la portée du mot de Mallarmé, cité dans Henri Mondor, *Vie de Mallarmé*, p. 683: « La poésie s'est entièrement détournée de sa voie depuis la grande déviation homérique »).

Heidegger soulignant qu'au contraire, pour Hölderlin, nommer c'est lancer un appel (« *bei Hölderlin ist das Nennen ein Rufen* »), on constate la nature foncièrement *non poétique* de l'entente grecque de la langue. Et pourtant, pas de plus haute poésie qu'en Grèce!

Une chose pourtant est sûre: la conception du dire comme énoncer bloque l'accès à la compréhension de l'essence de la poésie. Comme document, il suffit de lire la *Poétique* d'Aristote.

En second lieu, on revient sur la distinction entre εἶδος et εἴδωλον, en remarquant que la nature du *manque*, présent dans l'εἴδωλον, est d'altérer la présence de l'εἶδος. Le bois — en quoi est faite une canne — pour Platon est bien plutôt le brouillage que le support de l'εἶδος. Ce qui se voit par exemple, si, éloignant encore plus l'εἶδος-canne, je plonge cette canne-ci dans l'eau:

alors la canne se casse. Ainsi peut-on dire que pour Platon le bois de la canne casse l'εἶδος-canne ; le résultat de cette casse étant cette canne-ci, idole de canne : μὴ ὄν. Chez Aristote, précise-t-on pour terminer ces compléments, l'εἶδος devient μορφή (la μορφή impliquant la ποίησις) ; et la ὕλη devient le *de quoi* pour la μορφή (le bois pour l'εἶδος-canne) — où l'on perçoit nettement l'accentuation du caractère poiétique dans l'analyse aristotélicienne de l'étant.

Reprise du séminaire :

La précédente séance s'était achevée par un rappel de la mise en train de la question de l'être dans *Être et Temps*. Heidegger se propose maintenant d'exposer le processus de pensée qui a donné naissance à l'œuvre.

Il commence par donner le nom propre de la méthode suivie : c'est la *destruction* — qu'il faut entendre strictement comme *de-struere, ab-bauen*, dé-faire, et non pas dévaster.

Mais qu'est-ce qui est défait ? Réponse : ce qui recouvre le sens de l'être, les structures accumulées les unes sur les autres et qui masquent le sens de l'être.

La Destruction vise alors la mise à découvert du sens initial de l'être. Ce sens initial, c'est l'*Anwesenheit* — l'être-arrivé-en-présence. Ce sens gouverne à son insu toute l'entente grecque de l'être. Quand Platon détermine l'ἰδέα comme ὄντως ὄν, il fixe de façon déterminante l'être de l'étant comme présence entrant en présence (*anwesende Anwesenheit*).

Mais dans cette détermination par la *présence* gît un moment temporel. Ce qui contraint la pensée en quête du sens de l'être à poser expressément la question du rapport entre l'être ET le temps.

Arrivé à cette mise en question, une difficulté nouvelle surgit : de quel temps s'agit-il, et comment penser le temps ? Or il se trouve qu'Aristote a écrit, avec *Physique IV*, le traité fondamental pour toute la pensée philosophique du temps. Peut-on, pour la mise en question de *Être et Temps*, se référer à l'analyse aristotélicienne ? Non. Car Aristote pense le temps *à partir* de l'interprétation grecque de l'être — à laquelle est sous-jacente (en tant qu'entrée en présence) une détermination temporelle. Autrement dit, Aristote pose à propos du temps la question : qu'est-ce que le temps ? — questionnant ainsi en fait : qu'est-ce qui est étant dans le temps ? sans tenir compte du fait que dans cette réduction travaille déjà d'avance et subrepticement une pré-détermination temporelle.

Toute la métaphysique jusqu'à Hegel continuera à penser le temps à partir chaque fois des interprétations régnantes de l'être de l'étant. Ainsi par exemple chez Kant, le temps est compris, dans l'horizon de l'ob-jectivité (*Gegen*-ständ-*lichkeit*), comme *ce qui se tient constamment* dans le flux continu des maintenants.

Il y a donc dans la métaphysique, à commencer par Aristote, un véritable court-circuit de la méditation du temps où s'illustre ce que *Être et Temps* appelle le recouvrement du sens de l'être. La pensée doit donc entreprendre de mettre en train une nouvelle manière — non métaphysique — de penser le temps, une manière qui ne soit pas à son insu régie par le présupposé ontologique de l'étantité du temps, dont l'incidence sur le concept métaphysique de temps fait que celui-ci est entièrement centré sur le *présent* (en effet, seul le présent *est* ; et à côté du présent, passé et avenir sont affectés du manque d'être, et sont par conséquent des μὴ ὄντα).

Comment une pensée non métaphysique du temps est-elle possible ? Elle est possible avec l'analyse de la temporalité du *Dasein*. Le caractère essentiel de cette temporalité repose dans l'*ek-stase*, c'est-à-dire la fondamentale ouverture du *Dasein* dans l'ἀλήθεια. L'*ek-stase* n'est en effet pas autre chose que la relation du *Dasein* à l'ἀλήθεια, où s'origine toute temporalité.

Dans cette perspective, le temps n'est plus succession de maintenants, mais horizon même de la compréhension de l'être. L'analytique du *Dasein* fournit donc l'instrument qui permet de cerner en un sens non métaphysique le sens de l'être. La destruction est ainsi menée à son terme. Mais alors apparaît que les divers recouvrements du sens initial de l'être entretiennent une relation essentielle avec ce qu'ils recouvrent. L'histoire de la métaphysique change donc radicalement de signification. Ses diverses étapes peuvent dès lors être comprises positivement comme modifications successives du sens initial, dans l'unité d'un seul envoi — d'où le nom de *Seinsgeschick* (destin de l'être) pour désigner les époques de l'être.

Dans l'histoire de ce retrait de l'être qu'est l'histoire de la métaphysique, la pensée peut suivre en effet l'histoire de l'être lui-même, et par conséquent entamer le pas suivant de son cheminement : la prise en vue de l'être *comme être*.

SAMEDI 6 SEPTEMBRE

Le matin même, arrivée de Roger Munier, dont Heidegger souhaite examiner sept questions sur la technique, présentées le 11 septembre 1966, en ce même lieu.

Voici les sept questions :

1° Vous parlez dans *Gelassenheit* (*Questions III* p. 172)

de « la puissance cachée dans la technique moderne ». Qu'est-ce que cette puissance sur laquelle nous ne savons pas encore mettre de nom et qui « ne procède pas de l'homme »? Est-elle positive en son principe?

2° Vous semblez admettre qu'il faille sinon lui obéir, du moins y correspondre d'une certaine manière, intégrer à l'humain le rapport nouveau qu'elle instaure entre l'homme et le monde.

A cet égard, ce que vous dites de Hebel, l'ami de la maison, est significatif: « Nous errons aujourd'hui dans une maison du monde d'où l'ami est absent, celui que ses penchants inclinent, avec une force égale, vers l'univers techniquement aménagé *et* vers le monde conçu comme la maison d'un habitat plus originel. Manque l'ami qui pourrait réinvestir le caractère mesurable et technique de la nature dans le secret ouvert d'un naturel de la nature à nouveau éprouvé » (*ibid.* p. 64). Quel penseur pourra jamais nous aider à réconcilier ces deux domaines devenus étrangers l'un à l'autre et qui « s'éloignent l'un de l'autre à une vitesse toujours plus folle »: « la nature techniquement maîtrisable qui fait l'objet de la science, et la nature naturelle du séjour humain »?

Qui pourra, en un mot, définir les conditions d'un nouvel enracinement?

3° La *Gelassenheit*, l'attitude d'acquiescement, implique avant tout une réserve prudente. Elle est ouverte au secret, à l'inconnu que représente pour nous le monde dominé techniquement vers lequel nous allons. Elle est d'abord refus de condamner ce monde. Mais il y a plus. Vous dites expressément que « n'est pas lui-même dépourvu de sens » cet « autre rapport aux choses » que le monde technique, « la construction et l'utilisation des machines exigent sans doute de nous ». En quel sens l'entendez-vous?

4° En d'autres termes, quelle valeur exacte s'attache aux objets techniques ? Ont-ils une autre portée que celle de simplement nous aider à améliorer les conditions de notre vie matérielle et par là même de nous libérer pour des tâches plus hautes ? Ont-ils une valeur en soi, et quelle valeur ?

5° Si l'on ne veut considérer que le danger que représente leur envahissement croissant, ne peut-on dire que cet envahissement même, par son excès, est de nature à nous ramener à l'attention au simple ?

La prolifération des objets techniques ne finira-t-elle pas par engendrer une pauvreté essentielle à partir de laquelle et par le détour même de l'errance, un retour de l'homme à la vérité de son essence deviendra possible ?

6° Ou faut-il penser qu'une dimension nouvelle de l'essence de l'homme est à découvrir, à partir de l'épreuve que l'homme a faite de son pouvoir sur la nature ? La lecture positive du monde et des phénomènes naturels fait perdre chaque jour davantage à l'homme une naïveté immémoriale. Est-ce pourtant un mal si cela nous rend attentifs à ce que signalaient ces apparences du monde désormais maîtrisées, si d'autres modes plus radicaux d'expression du mystère, qu'elles ne continuent pas moins d'attester, devaient en être issues ? Quelle valeur faut-il attacher à cette vision nouvelle et non poétique du monde qui nous entoure ?

7° En fait, tout ce qui vient d'être évoqué est encore conjectural. Nous n'en sommes qu'à nous interroger sur le sens de cet univers technique dont le pouvoir est chaque jour grandissant. Peut-on espérer qu'il s'éclaire au niveau de l'essence de l'homme ou doit-il par lui-même nous rester fermé. En quel sens faut-il entendre cette affirmation, selon laquelle : « le sens du monde technique se cèle *(verbirgt sich)* » ?

Après la lecture de ces questions, Heidegger rappelle qu'elles lui ont été proposées par écrit voici trois ans, et qu'elles sont restées jusqu'ici sans réponse.

Le long délai indique assez la difficulté qu'elles soulèvent. Répondre à ces questions n'est pas facile. Avant tout s'agirait-il peut-être de préparer la véritable *exposition* que présupposent ces questions, autrement dit : déployer la question de l'essence de la technique.

Or il se trouve que, par un heureux hasard, le travail entrepris au Thor depuis deux séances s'est concentré sur le texte *La Thèse de Kant sur l'être*, où est étudiée l'entente de l'être qui, bien que de façon non reconnue, est au fond de toute la science moderne et de son esprit technique.

On a ainsi dès l'abord une unité de question où viennent s'articuler d'une part l'interprétation moderne de l'être comme *position*, et d'autre part l'ensemble de présupposés allant de soi en quoi la pensée technique moderne trouve pour ainsi dire sa nourriture.

Il existe un texte de Kant où cette unité d'articulation paraît explicitement : c'est la préface aux *Premiers principes métaphysiques d'une science de la nature* — où déjà le titre signale la jonction des deux domaines.

Cette préface de Kant, Heidegger le remarque en passant, serait un excellent texte pour un séminaire : s'y trouve en effet entamé le problème de la *mobilité* — si central déjà pour la *Physique* d'Aristote — mais qui, remarquable événement et signe de modernité, n'est plus saisi par Kant à l'intérieur du tableau des Catégories, ce qui revient à dire que la relation de la mobilité à l'*être* reste chez Kant inexpliquée.

On voit donc ici, sur un exemple éminent, la difficulté de penser à la fois, ou plutôt l'une par rapport à l'autre, la question de la technique et la question de l'être — qui sont pourtant inextricablement liées.

C'est pourquoi le séminaire proprement dit, après lecture du protocole de la séance précédente, reprend avec l'explication de la locution *Seinsvergessenheit.*

Couramment on comprend *vergessen* au sens d'oublier, comme lorsqu'on oublie quelque part son parapluie. Ce n'est pas dans ce sens que l'être est oublié.

Il faut toujours entendre *vergessen* et *Vergessenheit* à partir de la Δήθη et de ἐπιλανθάνεσθαι — ce qui élimine tout caractère négatif.

Ainsi quand Héraclite, par exemple, dit: φύσις κρὺπτιεσθαι φιλεῖ, le se-retirer est le cœur même du mouvement d'apparaître. A ce propos, on fait une remarque de traduction: φιλεῖ ne peut se rendre par « aime » (lui-même entendu ontiquement comme penchant occasionnel). φιλεῖ veut dire ici: « est essentiel à... pour qu'il déploie son propre être. »

Dès lors le fragment devient: l'éclosion a pour nécessité propre le retrait. Dans la traduction de Jean Beaufret: « Rien n'est plus propre à l'éclosion que le retrait » ou mieux: « Rien n'est plus *cher* à l'éclosion que le retrait. »

Telle est chez Héraclite la notion éminente de la φύσις. Mais que veut dire φύσις? Vers quoi fait-elle signe?

Bien plus que vers la *Natura* — où, malgré l'accent manifestatoire du *nasci*, le retrait fait complètement défaut — la φύσις fait signe vers l'ἀλήθεια elle-même. Dans cette parole d'Héraclite transparaît donc encore à plein le sens parfaitement positif de la *Vergessenheit*, transparaît que l'être n'est pas « sujet à l'oubli », mais *se retire lui-même*, autant et pour autant qu'il est manifestation. Ceci rappelé, on reprend l'examen de la « question de l'être ».

Question de l'être signifie traditionnellement question de l'être de l'étant, autrement dit question de l'étance de l'étant, où se détermine l'étant *en tant qu'*étant. Cette question est *la* question métaphysique.

Dès *Être et Temps*, pourtant, « question de l'être » prend un sens tout différent. Il s'y agit de la question de l'être en tant qu'être. Cette question porte thématiquement, dans *Être et Temps*, le nom de « question du sens de l'être ».

Cette formulation est abandonnée plus tard pour celle de « question de la vérité de l'être » — et finalement pour celle de « question du lieu, ou de la localité de l'être » — d'où le nom de *Topologie* de l'être.

Trois termes, qui se relaient tout en marquant les étapes sur le chemin de la pensée :

SENS — VÉRITÉ — LIEU (τόπος)

Si l'on cherche à clarifier la question de l'être, il est nécessaire de saisir ce qui lie, et ce qui différencie ces trois formulations successives.

D'abord *vérité* :

Remarquer que l'expression « vérité de l'être » n'a aucun sens, si on entend vérité comme justesse d'un énoncé. *Vérité* est entendu ici au contraire comme « état de non-retrait » *(Unverborgenheit)*, et plus précisément encore, si l'on se place dans l'optique du *Dasein*, comme *Lichtung*, la Clairière. Vérité de l'être veut dire Clairière de l'être.

Que s'est-il donc passé dans et par le changement qui remplace le *sens* par *vérité* ?

D'abord que veut dire « sens » ? Dans *Être et Temps*, le sens est défini par le domaine de projet ; et le projet est l'accomplissement du *Dasein*, c'est-à-dire de l'instance ek-statique face à l'ouverture de l'être. Le *Dasein*, ek-sistant, déploie du *sens*. En abandonnant le terme de sens de l'être pour celui de vérité de l'être, la pensée issue de *Être et Temps* insiste désormais plus sur l'ouverture même de l'être que sur l'ouverture du *Dasein* face à l'ouverture de l'être.

Telle est la signification du Tournant *(die Kehre)*, par lequel la pensée se tourne toujours plus résolument vers l'être en tant qu'être.

Quel est donc, maintenant, le lien qui unit et réfère l'un à l'autre le *sens* et la *vérité* (comme non-retrait)?

Sens, au sens courant, signifie signification. Ainsi, par exemple le titre de Brentano: *De la signification multiple de l'étant chez Aristote*. Le sens est ici compris comme donation de sens, c'est-à-dire comme attribution d'une signification. Chez Husserl aussi dans le chapitre des *Recherches logiques* intitulé « Expression et signification », il est question d'actes « donateurs de signification ».

Or *Être et Temps* entreprend non de fournir une nouvelle signification de l'être, mais bien d'ouvrir l'écoute pour la parole de l'être — d'être interpellé par l'être. Il s'agit, pour *être* le Là, d'être interpellé par l'être.

Mais ici une question se pose: l'être *parle-t-il*? Et ne sommes-nous pas déjà en danger de réduire l'être à un étant-parlant? Mais qui décide que seul un étant peut parler? Qui a mesuré l'essence de la parole? Il est clair que ces réflexions mènent tout droit à une méditation nouvelle de la parole: *Unterwegs zu Sprache (Acheminement vers la parole)*.

Pourtant, déjà avec ces remarques, quelque chose s'est spontanément dégagé: toutes nos réflexions s'appuient sur une distinction radicale, formulable ainsi: l'être n'est pas étant.

Cela, c'est la *différence ontologique*.

Comment comprendre? *Différence*, διαφορά, c'est tenir à l'écart l'un de l'autre. La différence ontologique maintient à distance l'un de l'autre l'être et l'étant.

Cette différence n'est pas faite par la métaphysique, mais elle soutient et porte la métaphysique. En langage kantien, la différence ontologique est la condition de possibilité de l'Ontologie.

Pourquoi la métaphysique ne peut-elle pas avoir pour thème la différence ontologique? Pour la raison que si cela était, la différence ontologique serait un étant, et non plus la différence de l'être et de l'étant. Ici devient claire l'impossibilité du projet diltheyien de métaphysique de la métaphysique.

En résumé, on peut dire: dans toute la philosophie court, sous-jacent et jamais comme thème, la différence de l'être et de l'étant. Mais dès que, entreprenant avec *Être et Temps* l'écoute de l'être en tant qu'être, dès que, par conséquent, la différence ontologique devient thème explicite, la pensée ne se voit-elle pas contrainte d'énoncer la phrase étrange: « l'être n'est pas étant », c'est-à-dire « l'être est né-ant »?

Étrange en ce sens de l'être on dit qu'il « est », alors que seul l'étant *est*. Résistance opiniâtre de la différence à se laisser dire *comme* différence; de l'être, à se laisser dire *comme* être.

Heidegger indique qu'il vaut mieux abandonner ici le « est » — et écrire simplement:

Être: Rien

Cependant, ne va-t-on pas objecter que ces formulations, dont nous venons de souligner l'étrangeté, sont en fait *déjà* présentes dans la métaphysique? Ainsi, Hegel, au début de la *Logique* (Premier livre, première section, premier chapitre, C, 1) n'énonce-t-il pas: « *L'être pur et le néant pur est ainsi le même* »? Ici se pose la question, d'abord, de comprendre correctement la phrase. Plus radicalement encore: quel rapport peut-il y avoir entre l'être et le néant chez Hegel, et la formulation à laquelle aboutit la reconnaissance extra-métaphysique de la différence ontologique comme source en retrait de la métaphysique? Pour aborder cette question, le séminaire s'interroge alors sur le *lieu* où, dans la pensée de Hegel, se trouve la proposition sus-dite.

Elle se trouve au début de la *Logique*. La *Logique* est en réalité intitulée *Wissenschaft der Logik* (Savoir [en son articulation organique] de la logique). La proposition parle depuis l'horizon d'un *Wissen*, d'un Savoir (que Hegel image en disant qu'il s'agit des pensées de Dieu avant la création).

Ce Savoir a un sens philosophique strict. Il n'est pas savoir au sens où la science de la nature est un savoir. Il s'agit bien plutôt de ce Savoir dont Fichte a fait le centre et le nœud de sa pensée dans la *Wissenschaftslehre* (Doctrine du Savoir) de 1794.

Il s'agit, plus radicalement que de tout savoir d'objet, du Savoir par lequel *se* sait *ce* qui sait. Avec Fichte, on assiste à l'absolutisation du *cogito* cartésien (qui n'est *cogito* que dans la mesure où il est *cogito me cogitare*) en SAVOIR ABSOLU.

Le Savoir absolu est le lieu de la certitude absolue dans laquelle le Savoir absolu se sait lui-même. Seulement ainsi peut se comprendre la *Wissenschaft*, ou Savoir du Savoir — qui devient alors synonyme strict de « philosophie ».

Le lieu où se déploie la proposition hégélienne peut donc être défini précisément: *Bewusstsein*, le lieu de l'être-conscient. La constitution de l'être-conscient implique qu'il n'y a conscience d'un objet que pour autant que la conscience est plus radicalement être-conscient-de-soi. Plus précisément encore — et l'on reconnaît ici l'apport kantien s'ajoutant au thème cartésien — la certitude de quoi que ce soit passe par la médiation de la certitude-de-soi. Autrement dit : tout savoir de l'objectivité est d'abord un Savoir-de-soi.

Maintenant peut se comprendre pourquoi l'*être*, chez Hegel, est l'immédiat indéterminé. Face à la conscience, qui n'est conscience de quoi que ce soit que pour autant qu'elle est d'abord et radicalement réflexion de la conscience sur elle-même, l'être est l'*antipode* de la conscience. Face à la conscience qui est médiation, il est l'im-médiat. Face à la conscience qui est détermination, il est l'indéterminé. C'est pourquoi l'être est chez Hegel le moment de l'aliénation absolue de l'Absolu. C'est pourquoi le Néant est le Même que l'être. Comprendre que le Néant est tout aussi radicalement saisi à partir de la conscience que l'être.

Dans la conférence *Qu'est-ce que la métaphysique ?* le point de départ est d'avance changé du tout au tout. La conférence ne parle pas en effet à partir de l'être-conscient de la conscience, mais à partir de l'être-le-Là, du *Dasein*.

Il reste à faire le dernier pas, le plus difficile : s'interroger sur la différence d'expérience du Néant, du Rien, dans *Qu'est-ce que la métaphysique ?* et dans la proposition hégélienne.

La séance se termine par le rappel de la proposition « pourquoi y a-t-il de l'étant et non pas plutôt rien », formule énoncée la première fois par Leibniz, la seconde fois par Schelling et reprise une troisième fois par la conférence *Qu'est-ce que la métaphysique ?* (cf. trad. par R. Munier *in Le Nouveau Commerce*, cahier 14, 1969, p. 55 *sqq.*).

Méditer les trois visages successifs de la proposition, c'est être en route vers une notion nouvelle de l'être — avec laquelle sans doute il serait possible d'aborder dans leur véritable sérieux les questions sur la technique qui ont ouvert la présente séance de travail.

DIMANCHE 7 SEPTEMBRE
(Au Rebanqué)

Dans la proposition de Hegel : « *Das reine Sein und das reine Nichts ist also dasselbe* » (L'être pur et le néant pur est ainsi le même) figurent les mêmes mots *Être* et *Néant* (Rien) que dans la conférence *Qu'est-ce que la métaphysique* ? D'où une question : dans quelle mesure est-il possible d'employer les mêmes noms à l'intérieur et à l'extérieur de la métaphysique ?

Heidegger renvoie ici à la dernière page de *Acheminements vers la parole* :

« Que l'idée d'une métamorphose possible et suffisante de la langue ait pénétré dans la pensée de Wilhelm von Humboldt, c'est ce qu'attestent les termes de son essai *Sur la diversité de structure des langues humaines*. Comme son frère l'écrit dans la préface, Wilhelm von Humboldt a travaillé à cet essai jusqu'à sa mort « solitairement et à proximité d'une *tombe* ». Wilhelm von Humboldt, dont nous ne devons pas cesser d'admirer les coups d'œil sombres et profonds jusqu'à l'être de la langue, déclare :

"L'*application* aux buts internes de la langue de formes possible aux périodes moyennes de la *formation de la langue*. Par une illumination intérieure et par la grâce de circonstances extérieures favorables, un peuple pourrait impartir à la langue qu'il a héritée une forme tellement différente qu'elle en deviendrait une langue tout à fait autre et neuve" (§ 10). Plus loin, on peut lire (§ 11) :

"Sans modifier la langue dans ses sonorités et moins encore dans ses formes et lois, c'est le *temps* qui souvent, par un développement croissant des idées, une élévation de la force de pensée et un approfondissement de la capacité de ressentir, introduit en elle ce qu'autrefois elle ne possédait pas. Alors, dans la même demeure vient se placer un sens nouveau, sous le même sceau s'offre quelque chose de différent et en obéissant aux mêmes lois de liaison s'annonce un autre échelonnement du cours des idées. Cela est le fruit constant de la littérature d'un peuple et, à l'intérieur de celle-ci, surtout de la poésie et de la philosophie." »

Ce texte indique la possibilité que la langue métaphysique, sans changer de termes, devienne une langue non métaphysique. Le séminaire commence donc par l'examen des deux conditions de ce changement.

1. *L'illumination intérieure.*
2. *Les circonstances extérieures favorables.*

Premièrement: Qu'est-il exigé pour qu'une telle illumination intérieure se produise? Réponse: que l'être lui-même se manifeste, autrement dit que le *Dasein* déploie ce que *Être et Temps* nomme une « compréhension de l'être ». Que, dans *Être et Temps*, la question de l'être *comme* être soit posée comme question est une transformation telle de la compréhension de l'être qu'elle en appelle à un renouveau de la langue. Mais la langue de *Être et Temps*, dit Heidegger, manque de sûreté. La plupart du temps elle parle encore avec des expressions tirées de la métaphysique et tente de dire ce qui est à dire à l'aide de formations nouvelles, créant des mots nouveaux. En 1959, rapporte Jean Beaufret, Gadamer disait de son maître: « C'est Hölderlin qui lui a délié la langue. » Heidegger précise alors que c'est à travers Hölderlin qu'il a compris l'inutilité de forger des mots nouveaux ; c'est bien après *Être et Temps* qu'il s'est rendu compte de la nécessité d'un retour à la simplicité essentielle de la langue.

Deuxièmement: En ce qui concerne les circonstances favorables, il faut remarquer aujourd'hui deux phénomènes graves:

a) Le déclin et l'appauvrissement de la langue elle-même, évident si l'on compare la pauvreté de la langue parlée aujourd'hui à la richesse de la langue encore recensée au siècle dernier par les Grimm.

b) En réaction, un mouvement inverse qui tend à prendre pour étalon de la langue les possibilités de calcul de l'ordinateur. Le danger, ici, réside dans la fixation de la langue hors de ses possibilités de croissance naturelle.

Roger Munier fait remarquer que c'est en effet un caractère essentiel des langues de l'informatique que de constituer de toutes pièces, à partir d'une analyse réductrice, une structure nouvelle et absolument pauvre de ce qui fonctionnera désormais comme essence de la langue dans toutes les opérations techniques. La langue est ainsi décapitée et rendue immédiatement conforme à la machine. Il est clair que le rapport à la langue qui rend possible un tel phénomène est la compréhension de celle-ci comme simple instrument d'information.

Pour autant qu'on peut le présumer, les conditions extérieures d'aujourd'hui sont *défavorables*. Entre la philosophie et cette interprétation de la langue, il n'y a plus le moindre terrain commun pour un dialogue.

Quelle conséquence pratique tirer de cet état de fait? Autrement dit: que reste-t-il à faire au philosophe?

Le présent séminaire constitue déjà une forme de réponse. « Et c'est pourquoi je suis ici », dit Heidegger. Il s'agit, à quelques-uns, inlassablement, de travailler en dehors de toute publicité à maintenir vivace une pensée attentive à l'être, tout en sachant que ce travail doit viser à fonder, dans un lointain avenir, une possibilité de tradition — étant bien entendu que ce n'est pas en dix ou vingt ans qu'on peut mettre de côté un héritage bimillénaire.

Au lieu de cela, la « philosophie » d'aujourd'hui se borne à courir après la science, dans la méconnaissance des deux seules réalités de l'époque présente : le développement *économique* et l'*équipement* qui le requiert.

Le marxisme a conscience de ces réalités. Mais il propose aussi d'autres tâches : les philosophes n'ont fait qu'*interpréter* diversement le monde, il s'agirait de le *transformer*.

Critique de cette thèse : y a-t-il une opposition diamétrale, entre l'*interprétation* et la *transformation* du monde ? Est-ce que toute interprétation n'est pas déjà transformation du monde — à supposer que cette interprétation soit le fait d'une pensée authentique ? Et d'autre part, toute transformation du monde ne suppose-t-elle pas, à titre d'instrument, une prévision théorique ?

Ainsi, de *quelle* transformation du monde s'agit-il chez Marx ? D'une transformation dans les rapports de production. Mais où la production a-t-elle sa place ? Dans la Praxis. Mais cette praxis, par quoi est-elle déterminée ? Par une certaine théorie qui détermine la notion même de production en tant que production de l'homme par lui-même. Marx a donc une représentation théorique de l'homme — représentation bien précise et qui comporte la philosophie hégélienne comme base*.

Renversant à sa manière l'idéalisme de Hegel, Marx exige qu'on donne la préséance à l'être sur la conscience. Comme il n'y a pas de conscience dans *Être et Temps*, on peut croire lire ici du Heidegger ! C'est du moins ainsi que Marcuse a lu *Être et Temps*.

L'être, pour Marx, est processus de production. Telle est l'idée qu'il reçoit de la métaphysique, à partir de l'interprétation hégélienne de la vie comme processus. La notion pratique de production ne peut avoir d'existence qu'à partir d'une conception de l'être issue de la métaphysique.

On retrouve là l'étroite liaison entre la théorie et la

* « Sans Hegel, Marx n'aurait pas pu changer le monde », dit posément Heidegger.

pratique, en qui Auguste Comte voyait deux sœurs. Sœurs peut-être, mais, dit Heidegger, nées de père et mère inconnus !

Qu'entend-on aujourd'hui par théorie? S'agit-il d'une programmation ? Un programme de concert n'est cependant pas une théorie de la musique. Théorie, c'est le grec θεωρία. Θεωρία dit le séjour dans le regard qui maintient l'être en ce qu'il est.

Dans l'*Ethique à Nicomaque* (X, 5-6), c'est pour l'homme la plus haute façon d'être-en et à-l'œuvre ; de ce fait, c'est la plus haute praxis humaine. Le propre de la θεωρία est en effet, précise Jean Beaufret, de se diviser en trois πραγματεῖαι (occupations).

Où la théorie émerge-t-elle à nouveau avec un sens fondamental ? Avec le *Cosmotheoros* de Kepler, suivi par la Physique de Galilée et les *Principia* de Newton. De quoi s'agit-il ? Galilée le dit en toute clarté : « *subjecto vetustissimo novam promovemus scientiam.* » Le sujet en question, c'est le mouvement — qu'Aristote le premier avait pris en vue comme tel : ἡ τοῦ δυνάμει ὄντος ἐντελέχεια ᾗ τοιοῦτον κίνησίς ἐστιν (*Physique* Γ, 201 a).

Cette définition qui deviendra pour la scolastique *motus est actus entis in potentia prout in potentia* sera pour Descartes et Pascal un objet de dérision. Ils en rient, mais parce qu'ils n'ont plus en vue ce qui apparaissait au contraire en toute clarté à Aristote : le mouvement de la mobilité *comme phénomène*. Ce qui veut dire que l'ἀλήθεια a disparu, où pouvaient apparaître à Aristote dans leur unité secrète les multiples figures du mouvement, dont une seule avec Galilée vient occuper toute la place : la φορά. Mais la φορά elle-même a changé de sens, car le concept de lieu (τόπος) auquel elle se réfère s'efface lui-même devant celui de position d'un corps dans l'espace géométriquement homogène, pour quoi les Grecs n'avaient pas même de nom.

Il s'agit donc d'un projet mathématique de la nature sur fond d'homogénéité de l'espace.

Pourquoi cet étrange projet ? Pour que la nature devienne calculable, cette calculabilité étant elle-même posée comme principe d'une maîtrise.

Où en sommes-nous au juste ? C'est la question de la théorie et de la pratique qui nous a conduits là. Poser la nature comme calculable et maîtrisable à la façon de Galilée, c'est cela la nouvelle théorie dont le propre est de rendre possible la méthode expérimentale.

Mais quel est le sens *ontologique* des concepts de Galilée et de Newton, ceux d'homogénéité, tridimensionalité de l'espace, de mouvement local, etc. ? C'est que l'espace et ses propriétés passent pour véritablement étants. Voilà ce que signifie hypothèse chez Newton : mes hypothèses, dit-il, je ne les forge pas, rien d'imaginaire en elles.

Mais que se passe-t-il plus tard avec Niels Bohr et les physiciens modernes ? Ils ne croient plus un seul instant que le modèle d'atome qu'ils proposent constitue l'étant comme tel. Le mot d'hypothèse — donc la théorie elle-même — a changé de sens. Elle n'est plus qu'un « supposé que » à développer. Elle a aujourd'hui un sens seulement méthodologique, et plus aucun sens ontologique, ce qui n'empêche nullement Heisenberg de continuer à prétendre qu'il *décrit* la nature. Mais alors que veut dire pour lui « décrire » ? En réalité, la voie de la description est bouchée par l'expérimentation ; la nature est dite « décrite » à partir du moment où elle est amenée à une forme mathématique dont la fonction est, visant l'expérimentation, d'aboutir à l'exactitude. Mais qu'entendre par exactitude ? C'est la possibilité d'une répétition identique de l'expérience, dans le cadre du schéma : « si *a*..., alors *y*. » L'expérimentation vise donc l'*effet*. Si l'effet ne suit pas, on change la théorie. La théorie est donc essentiellement modifiable, donc purement méthodologique. Elle n'est plus au fond que l'une des variables de la recherche.

Tout ceci aboutit à la thèse sur l'être de Max Planck: « Est réel ce qui est mesurable. » Le sens de l'être est donc la mesurabilité qui vise non pas tant à savoir « combien », mais ne sert finalement qu'à la maîtrise et domination de l'étant comme objet. Telle est la pensée de Galilée, antérieure même au *Discours de la méthode*.

Nous commençons à voir en quoi la technique ne repose pas sur la physique, mais au contraire la physique sur l'essence de la technique.

Compléments sur l'*effet*:

Effet veut dire:

1. Conséquence de ce qui est « avancé » dans la théorie.
2. Fixation objective de la réalité sur la base de la répétition *ad libitum* de l'expérience.

La notion scientifique d'effet s'éclaire par l'énoncé de la seconde analogie de l'expérience de Kant: « Tout ce qui commence d'être suppose quelque chose à quoi il succède d'après une règle. » Bien comprendre « *à quoi* » au sens de la simple succession et non au sens de *à partir*. Pour la physique moderne, le tonnerre fait suite à l'éclair, sans plus. Cette physique ne voit plus la nature que comme succession des choses les unes aux autres, et non plus comme succession des choses *sortant* les unes des autres comme chez Aristote.

Ce qui, pour Aristote, était *Auseinanderfolge* (succession par sortie hors de, ἐκ-εἰς), est devenu *Aufeinanderfolge* (succession selon l'avant et l'après) — la première pensée n'étant plus que celle d'une « qualité obscure », décriée par les cartésiens, bien que réhabilitée en un certain sens par Leibniz.

MARDI 9 SEPTEMBRE

Heidegger commence par ajouter quelques compléments à la détermination du concept de théorie amorcée à la séance précédente. Il fait remarquer que la conception qu'ont Newton et Galilée de la théorie tient le milieu entre la θεωρία au sens grec et l'acception contemporaine du mot. De l'interprétation grecque elle maintient une visée ontologique de la nature considérée comme ensemble de mouvements dans l'espace et le temps. La théorie contemporaine au contraire abandonne cette ambition ontologique ; elle n'est que la fixation des éléments nécessaires à une expérience, ou si l'on préfère le mode d'emploi pour la mise au point d'une expérience.

Jean Beaufret cite alors la phrase d'*Essais et Conférences*: « les phénomènes n'apparaissent plus, mais s'annoncent (*melden sich*). » Le *sich melden*, commente Heidegger, doit être compris au sens où la théorie de la physique contemporaine, pour opératoire qu'elle soit, ne peut cependant aboutir à un système totalement inventé, mais doit toujours donner des nouvelles de la nature. Seulement, ces nouvelles ne sont pas une description de la nature. Elles sont orientées exclusivement sur la calculabilité de l'objet. Si description il y a, elle ne consiste pas à amener devant les yeux le visage d'un objet, mais se borne à fixer quelque chose de la nature dans une formule mathématique qui est une loi du mouvement.

Heidegger prend alors pour exemple la formule universelle du monde à laquelle travaille depuis longtemps Heisenberg. Cette formule, pour autant qu'elle soit possible, ne saurait être une description de la nature ; elle ne peut être qu'une équation fondamentale : ce avec quoi il faut compter pour qu'on puisse à chaque fois compter sur quelque chose. Mais quelle est la détermination fondamentale de la nature dans la physique? La calculabilité? Reste à savoir ce qui est calculable. Sera-ce l'énergie? Encore faut-il entendre ce que ce mot signifie. En fait, la physique expérimentale moderne, à l'instar d'Aristote, cherche toujours les lois du mouvement. Tel est le sens de la formule universelle fondamentale, telle qu'elle permettrait de déduire dans leur variété infinie toutes les possibilités du mouvement. Heidegger demande alors ce que signifierait pour la physique la découverte de cette formule. La réponse est: la fin de la physique. Une telle fin changerait radicalement la situation de l'homme. Elle le placerait devant l'alternative suivante:

— ou bien s'ouvrir à un tout autre rapport à la nature;

— ou bien, la tâche d'exploration achevée, s'installer dans la pure et simple exploitation de la découverte.

Ici s'annonce, plus inquiétante que la conquête de l'espace, la transformation de la biologie en *biophysique*. Cela signifie que l'homme peut être produit, conformément à une vue déterminée, comme n'importe quel objet technique. Rien n'est plus normal ici que de se demander si la science saura s'arrêter à temps. Mais un tel arrêt est principiellement impossible. Il ne s'agit pas en effet de poser une limite à la curiosité humaine dont parle Aristote. Le fond de l'histoire est plutôt un rapport moderne de *puissance*, un rapport politique. Il faudrait ici méditer dans cette optique l'apparition d'une nouvelle forme de nationalisme, fondé sur la puissance technique et non plus (par exemple) sur les caractères ethniques. Les deux hypothèses envisagées: fin de la physique ou institution d'un nouveau rapport à la nature, supposant la découverte de la formule fondamentale universelle, le physicien présent objecte la vétusté de l'idée de cette formule, à laquelle on avait cru parvenir dès la fin du XIXe siècle (Maxwell), et à la découverte de laquelle la relativité a apporté de nouveaux obstacles.

Jean Beaufret répond : il s'agit moins d'une découverte ontique que d'une prédécouverte ontologique. Ontologiquement parlant, la physique est déjà achevée.

L'important, ajoute Heidegger, est de comprendre que la physique ne peut pas faire le saut hors d'elle-même. Ce saut ne peut être non plus accompli par la politique, dans la mesure où celle-ci vit aujourd'hui dans la dimension de la science, par elle et pour elle. Le danger suprême est que l'homme, se fabriquant lui-même, n'éprouve plus d'autres besoins que ceux suscités par la nécessité de son autofabrication. Où nous retrouvons la question de la langue des ordinateurs.

Ce qui apparaît dans cette hypothèse vraisemblable, c'est à la fois la fin de la langue et la fin de la tradition. Mais l'inquiétant est moins la table rase que sa non-apparition comme telle. L'afflux de l'information voile la disparition du passé, la prospective n'est qu'un nom pour le blocage de l'avenir.

Quant à l'intérêt de l'Amérique pour la *Seins-frage*, il voile aux yeux des intéressés la réalité de l'Amérique : collusion de l'industrie et des militaires (le développement économique et l'équipement qui le requiert).

Mais la décision n'appartient pas à l'homme. L'important, si l'on veut y parvenir, est de comprendre que l'homme n'est pas un étant qui se fait lui-même, sans quoi l'on en reste à l'opposition prétendue politique entre la société bourgeoise et la société industrielle, oubliant que l'idée de société n'est qu'un avatar ou un miroir, ou un élargissement de la subjectivité.

Les Grecs n'avaient pas de culture, ni de religion, ni de rapports sociaux. L'histoire grecque n'a duré que trois cents ans. Mais la limitation essentielle, la finitude, est peut-être la condition de l'existence authentique. Pour l'homme qui vit réellement il y a toujours du temps.

Après ces réflexions sur l'époque, Heidegger revient à la question posée lors d'une précédente séance : comment se différencie la phrase de Hegel « l'être pur et le néant pur sont le même » et la thèse de *Qu'est-ce que la métaphysique ?* sur les rapports de l'être et du rien ? Pour Hegel, l'être aussi bien que le rien sont l'absolu en sa plus extrême aliénation. Mais pour Heidegger ?

L'identité de l'être et du rien est dite à partir de la différence ontologique. Mais dans quelle dimension se meut la détermination hégélienne, vue à partir de la différence ontologique ? La proposition de Hegel ne porte pas sur la différence ontologique : elle est une phrase ontologique, comme l'indique le titre même de l'ouvrage de Hegel. En tant que telle, elle est portée par la différence ontologique. Toute la *Logique* en effet est un ensemble de propositions ontologiques énoncées sous la forme dialectique-spéculative, à partir de quoi se comprend que la *Logique* rassemble les pensées de Dieu avant la création. Mais que veut dire « création » ? Création est création du monde. En allemand : *Herstellung*, en grec : ποίησις. Sont créés les étants. De quoi cependant la production d'étants a-t-elle besoin ? Il faut songer ici à l'exemple aristotélicien de l'architecte. L'architecte crée à partir de l'εἶδος. Dieu, avant la création, pense l'εἶδος du monde, c'est-à-dire la totalité des catégories. Tel est le sens de l'ontologie, ou *Logique* hégélienne. Telle quelle, elle présente l'ontologie sur laquelle Dieu prend la mesure de sa création.

En termes kantiens, tel est le sens de l'*intuitus originarius*.

Vue depuis la différence ontologique, la proposition de Hegel se meut sur l'un des versants de la différence : le versant ontologique. Son affaire est d'énoncer l'être de l'étant — qui, depuis Kant, est l'objectivité de l'objet.

Mais qu'advient-il au rien dans *Qu'est-ce que la métaphysique ?* A partir d'où Heidegger peut-il énoncer :

Être: Rien: Même?

A partir d'un questionnement sur l'essence de la métaphysique, laquelle n'est rien de métaphysique. La parole de Heidegger n'est ni du côté de l'étant, ni simplement du côté de l'être — elle est là où l'horizon de la différence elle-même devient visible. La différence ontologique est, si l'on veut, la condition de possibilité de la métaphysique, le lieu où elle se tient.

Mais quel est le thème de l'énoncé heideggerien? C'est la différence elle-même. Heidegger parle de la différence sans s'y tenir, en quoi il a quitté la métaphysique. On peut alors se demander ce qui caractérise le rien dont il est question. Si le rien n'est pas négatif, quel est pour lui la qualification? Il est, rappelle Heidegger, le *nichtendes Nichts* (le rien néantissant). L'essence du rien consiste à se détourner de l'étant, à prendre ses distances de l'étant. Dans ce distancement seul, l'étant peut devenir manifeste comme tel. Le rien n'est pas la simple négation de l'étant. Au contraire, le rien dans son néantir nous renvoie à l'étant dans sa manifestation. Le néantir du néant « est » l'être.

Tel est le sens de la conférence prononcée devant le corps rassemblé des savants et des facultés: montrer aux savants qu'il y a autre chose que l'objet de leur préoccupation, et que cette autre chose rend précisément possible qu'il y ait cela même dont ils s'occupent.

Alors s'éclaircit la phrase finale de la conférence, qui pose la question de fond de la métaphysique: pourquoi donc y a-t-il de l'étant et non pas plutôt rien?

Cette phrase n'est autre que la question de Leibniz. Mais la réponse leibnizienne est théologique. Elle se borne à renvoyer à l'étant suprême, créateur du meilleur des mondes possibles.

La question de Heidegger, au contraire, ne s'enquiert

pas de la cause première, mais tente de rétrocéder de l'oubli de l'être. Elle veut dire : d'où vient que vous vous occupiez tant de l'étant et si peu de l'être ?

Pourquoi l'étant vient-il au premier plan dans la pensée de l'homme ? D'où vient l'effacement, le rien néantissant ? En d'autres termes : qu'est-ce qui commande la domination du *Verfall an das Seiende* (de l'aval à l'étant) ? *Verfall* (l'aval, la pente, la « chance ») n'est pas à entendre ontiquement comme *chute* ; mais ontologiquement comme détermination essentielle du *Dasein* quotidien. Le *Verfallen*, entendu ontologiquement, est la naturalité même du *Dasein* tel qu'il ne peut s'occuper des choses qu'en ne s'occupant pas de l'être. Mais s'occuper de l'étant n'est possible et compréhensible que par le déval à partir de l'être. S'il est nécessaire que l'être, dans la vie humaine, demeure athématique, si, en d'autres termes, le but de *Être et Temps* n'est pas de ramener le *Dasein* quotidien à une thématisation de l'être qui ne constitue pas son propre, il n'en reste pas moins que la « vie humaine » ne serait pas possible en tant que telle sans l'éclaircissement préalable et insu de l'être.

Tel est le sens des analyses célèbres et pourtant méconnues de l'ustensilité dans *Être et Temps*. Le caractère ustensilié des objets n'a pas besoin, pour être, de devenir thématique, et pourtant c'est sur la chaise *en tant que* chaise que je suis assis.

JEUDI 11 SEPTEMBRE

La distinction entre *nichten* et *verneinen* — entre néantir et nier. Recoupe-t-elle la distinction de οὐκ et de μή en grec ? Si *Nichten* est du côté du οὐκ grec, alors *nicht* veut dire le vide total *(nihil negativum)* ; l'étant est tout simplement nié : il n'y a pas d'étant. Si au contraire on entendait le *nicht* de *Nichten* au sens de μὴ, il voudrait dire un certain manque du côté de l'être. Mais si l'être et le rien sont le même, le rien en question ne peut signifier une privation. Il ne saurait donc être question de comprendre *Nichten* de façon privative-négative. Il s'agit de quelque chose d'autre, de tout à fait propre et particulier.

Gardons toujours en vue la thèse :

Être : Rien : Même

Rien est la caractéristique de l'être. Ce n'est pas l'étant — mais en un sens tout à fait différent de la proposition : l'étant n'est pas (qui serait une proposition ontique). Dire au contraire : le rien caractérise l'être, est un énoncé ontologique. Vu à partir de l'horizon ontique, l'être ce n'est justement pas de l'étant ; vu à partir des catégories, cela n'*est* pas. Autrement dit : dans la mesure où le rien et son néantir ne sont pas compris négativement, l'être est quelque chose de tout à fait autre que l'étant. L'important dans la formule participiale *néantissant*, c'est que le participe indique une certaine « activité » de l'être, par laquelle seulement l'étant *est*. On peut parler de provenance, à condition d'écarter toute nuance ontique-causale : il y a survenue de l'être, comme condition de l'avènement de l'étant : l'être laisse être l'étant.

Comprendre ici que le sens le plus profond de *être*, c'est *laisser (lassen)*. Laisser être l'étant. C'est cela le sens non causal, celui du « *lassen* » de *Temps et Être* . Ce « laisser » est quelque chose de fondamentalement différent de « faire ». La tendance du texte *Temps et Être* serait d'entreprendre de penser ce « laisser » plus originellement encore comme « donner ».

Ce *donner* est le *geben* de l'expression : *es gibt* (traduite habituellement par « il y a » — à propos de quoi Heidegger précise que « il y a » est trop ontique, en tant que faisant signe vers une présence d'étants).

« *Es gibt* »:

Es gibt, c'est en latin: *habet*. Construit avec l'accusatif, cela exprime une relation ontique.

Il s'agit ici de travailler à lever les possibilités de confusion. Car ainsi qu'on vient de le voir, la locution *Es gibt* n'est pas à l'abri d'une entente ontique. Remarquons donc:

1° On est tenté d'entendre *es gibt* au sens de « cela laisse *entrer en présence* ». Et le donner du « *es gibt* » est compris ontiquement dans l'accentuation du *entrer-en-présence (Anwesen-lassen)*. Ainsi, quand je dis en français: il y a des truites dans ce ruisseau, le « il y a » est entendu en direction de la présence des étants, de leur approche dans la présence — et « laisser entrer en présence » est entendu à la limite comme « faire entrer en présence ». Ainsi entendu, le *es gibt* se comprend ontiquement, en sorte que l'accent porte sur le fait d'être.

2° Mais si le « *es gibt* » est pensé en direction d'une interprétation du *lassen* lui-même, alors l'accentuation change.

Ce n'est plus l'entrée en présence qui est soulignée, mais le *laisser* lui-même. *Es gibt* signifie alors strictement: « *laisser* l'entrer en présence. » Alors ce n'est plus du tout la présence de l'étant qui appelle le regard, mais cela sur le fond de quoi elle se détache en le masquant — le laisser lui-même, la donation du « donner qui ne donne que sa donation, mais qui, se donnant ainsi, pourtant se retient et se soustrait » (*Temps et Être*, dans ce volume, p. 203).

La possibilité s'offre alors peut-être de sortir de l'inextricable difficulté qu'on a à dire « l'impossible »: « l'être est ». Peut-être peut-on dire plutôt: « *es gibt Sein* » — « cela donne être », au sens de: « cela *laisse* être. »

Disons, pour résumer (cf. le *Protocole*, *ibid.*, p. 243) que ce « laisser être » admet trois acceptions.

La première qui fait signe vers cela qui est (vers l'étant). A cette première acception s'opposerait celle où l'attention est attirée moins vers *ce* qu'il y a que vers l'*entrée en présence* elle-même. Il s'agit alors d'une interprétation de l'être telle que la donne la métaphysique.

Mais, au cœur de cette seconde accentuation, prend place la troisième, où l'accent est cette fois décidément mis sur le *laisser* lui-même, qui *laisse* l'entrer en présence. Laissant (délaissant?) l'entrée en présence, c'est-à-dire laissant l'être, cette troisième accentuation fait signe vers l'ἐποχή de l'être. Dans cette troisième acception, on est placé devant l'être en *tant qu'*être, et non plus devant l'une des figures de sa destination.

Quand l'accentuation est: Anwesen *lassen* (traduction forcée: « l'entrer dans la présence, le *laisser* »), le nom même de l'être n'a plus lieu d'être. Le *laisser* est alors le pur *donner*, qui lui-même renvoie au *Es* (au Cela) qui donne, ce qui est compris comme l'*Ereignis*.

Le séminaire, parvenu en ce lieu, entreprend de se clarifier la notion d'*Ereignis*.

La première remarque souligne que le mot français d'avènement est tout à fait inadéquat pour traduire *Ereignis*. On se replie alors sur la traduction tentée pour *Temps et Être*, *Ereignis*, l'appropriement.

Suivent des questions: quel rapport l'*Ereignis* entretient-il avec la différence ontologique? Comment dire l'*Ereignis*? Comment s'articule-t-il avec l'histoire de l'être? L'être serait-il le visage de l'*Ereignis* pour les Grecs? Peut-on, enfin, dire « *Sein ist durch das Ereignis ereignet* »? Réponse: oui.

Pour entrer quelque peu dans ces questions (qui restent trop difficiles tant que leur compréhension n'est pas suffisamment préparée), retenons d'abord une série d'*indications* susceptibles de ménager des voies variées et convergentes d'accès à la *question* de l'*Ereignis*.

— Le texte à conseiller pour aborder cette question est la conférence *Le Principe d'identité* (*Questions I*, p. 257 *sqq.*) qu'il vaudrait mieux *écouter*, encore, que lire.

— L'un des bons chemins pour arriver à l'*Ereignis* serait de porter le regard jusque dans l'essence du *Gestell* (l'arraisonnement), en ce qu'il est un passage de la métaphysique à l'autre pensée (« une tête de Janus », dit le *Protocole*, plus haut p. 264), car le *Ge-stell* est essentiellement ambigu. C'est ce que disait déjà *Le Principe d'Identité*: le *Ge-stell* (le dispositif, comme unité rassemblante de tous les modes du *stellen*, du « poser ») est achèvement et accomplissement de la métaphysique, et en même temps préparation découvrante de l'*Ereignis*. C'est bien pourquoi il n'est absolument pas question de voir l'avènement de la technique comme un événement négatif (mais pas davantage comme un événement positif, au sens du paradis sur terre).

— Le négatif photographique pour ainsi dire de l'*Ereignis* est le *Gestell*.

— On ne saurait arriver à penser l'*Ereignis* avec les concepts d'être et d'histoire de l'être ; pas davantage à l'aide du grec (qu'il s'agit précisément de « dépasser »). Avec l'être, disparaît aussi la différence. Aussi faudrait-il voir de façon anticipée la continuelle référence à la différence ontologique, de 1927 à 1937, comme une impasse nécessaire.

Avec l'*Ereignis*, ce n'est plus grec du tout ; et le plus fantastique ici, c'est que le grec continue à garder sa signification essentielle et *à la fois* n'arrive plus du tout à parler comme langue. La difficulté tiendrait peut-être à ce que la langue parle trop vite. D'où la tentative d'aller en *Acheminement vers la parole*.

— Avec l'*Ereignis*, l'histoire de l'être est moins à son terme, qu'elle n'apparaît *comme* histoire de l'être. Il n'y a pas d'époque pour l'*Ereignis*. *Das Schicken ist aus dem Ereignen* (l'envoi de la destination est à partir de l'appropriement).

— On peut, certes, dire: *das Ereignis ereignet das Sein* (l'appropriement approprie l'être), mais en remarquant que chez les Grecs l'être n'est ni pensé, ni mis en question *en tant qu'être*. Le retour au grec n'a de sens que comme retour à l'être.

— Le *Schritt zurück* (le pas qui rétrocède de la métaphysique) a seulement le sens de rendre possible, dans le recueil de la pensée sur elle-même, un regard anticipateur sur ce qui vient. Il signifie que la pensée se reprend afin d'apercevoir dans l'essence de la technique le signe annonciateur, *den verdeckenden Vorschein*, la pré-apparition recouvrante de l'*Ereignis* lui-même.

Essayons maintenant de dégager cette pré-apparition de l'*Ereignis* sous le voile du *Gestell*.

Il faut commencer par revenir à l'histoire de l'être. Les différentes époques de l'histoire de l'être. Les différentes époques de l'histoire de l'être — les différentes et successives suspensions de l'être en son envoi destinal — sont les époques des diverses façons dont se destine à l'homme occidental la *présence*. Si l'on prend l'une de ces destinations, telle qu'elle s'envoie à l'homme au XIXe et au XXe siècle, qu'en est-il?

Le mode de cette destination est l'*objectivité* (comme être-objet de l'objet). Or, plus la technique moderne se déploie, plus l'objectivité, *Gegen-ständlichkeit*, se transforme en *Beständlichkeit* (se tenir à disposition). Aujourd'hui déjà, il n'y a plus d'*objets*, plus de *Gegenstände* (l'étant en tant qu'il se tient debout face à un sujet qui le prend en vue) — il n'y a plus que des *Bestände* (l'étant qui se tient prêt à être consommé) ; en français, on pourrait peut-être dire: il n'y a même plus de *substances*, mais seulement des *subsistances*, au sens de « réserves ». D'où les politiques de l'énergie et de l'aménagement du territoire, qui n'ont effectivement plus affaire à des objets, mais, à l'intérieur d'une planification générale, mettent en ordre systématiquement l'espace en vue de l'exploitation future. Tout (l'étant en sa totalité) prend place d'emblée dans l'horizon de l'utilité, du commandement, ou mieux encore du *commanditement* de ce dont il faut s'emparer. La forêt cesse d'être un objet (ce qu'elle était pour l'homme scientifique du XVIIIe-XIXe siècle), et devient, pour l'homme enfin démasqué comme technicien, c'est-à-dire l'homme qui vise l'étant *a priori* dans l'horizon de l'utilisation, « espace vert ». Plus rien ne peut apparaître dans la neutralité objective d'un face à face. Il n'y a plus rien que des *Bestände*, des stocks, des réserves, des fonds.

La détermination ontologique du *Bestand* (de l'étant comme fonds de réserve) n'est pas la *Beständigkeit* (la permanence constante), mais la *Bestellbarkeit*, la possibilité constante d'être commandé et commandité, c'est-à-dire l'être en permanence à disposition. Dans la *Bestellbarkeit*, l'étant est *posé* comme fondamentalement et exclusivement *disponible* — disponible pour la consommation dans le calcul global.

Or l'un des moments essentiels de ce mode d'être de l'étant contemporain (la disponibilité pour une consommation planifiée), c'est l'*Eretzbarkeit*, le fait que chaque étant devient essentiellement *remplaçable*, dans un jeu généralisé où tout peut prendre la place de tout. C'est ce que manifeste empiriquement l'industrie des produits de « consommation » et le règne de l'ersatz.

Être, aujourd'hui, c'est être-remplaçable. L'idée même de « réparation » est devenue une idée « anti-économique ». A tout étant de la consommation est essentiel qu'il soit *déjà* consommé, et appelle ainsi à son remplacement. Nous avons là l'un des visages de la disparition du traditionnel, de ce qui se transmet de génération en génération. Même dans le phénomène de la *mode*, l'essentiel n'est plus la *parure* (la mode est ainsi devenue en tant que parure aussi anachronique que le raccommodage), mais la remplaçabilité des modèles, de saison en saison. Le vêtement n'est plus changé lorsque et parce qu'il est devenu défectueux, mais parce qu'il a le caractère essentiel d'être « l'habit du moment en attendant le suivant ».

Transposé au *temps*, ce caractère donne l'*actualité*. La permanence n'est plus la constance du transmis, mais le toujours-nouveau du changement permanent. Les slogans de mai 1968 contre la société de consommation vont-ils jusqu'à reconnaître dans la consommation le visage *actuel* de l'être?

Seule la technique moderne rend possible la production de tous ces stocks exploitables. Elle en est plus que la base, le fonds même, et ainsi l'horizon. Ainsi ces matières synthétiques, qui remplacent de plus en plus les matières « naturelles ». Là aussi la nature en tant que nature se retire...

Mais il ne suffit pas de déterminer ontiquement ces réalités. La question, c'est que *l'homme moderne se trouve désormais dans un rapport à l'être fondamentalement nouveau* — ET QU'IL N'EN SAIT RIEN.

Dans le *Gestell*, l'homme est mis en demeure de correspondre à l'exploitation-consommation; la relation à *être* dans cette relation. L'homme n'a pas la technique en main. Il en est le jouet. Dans cette situation règne la plus complète *Seinsvergessenheit*, le plus complet retrait de l'être. La cybernétique devient l'ersatz de la philosophie, et de la poésie. La politologie, la sociologie, la psychologie deviennent prépondérantes, disciplines qui n'ont plus le moindre rapport avec leur propre fondement. En ce sens, l'homme moderne est l'esclave de l'oubli de l'être.

Par là s'annonce (autant qu'on puisse voir) le fait que l'homme est « utilisé » par l'être — *gebraucht vom Sein. Gebraucht* est le mot qui sert à traduire le Χρή d'Anaximandre. C'est bien « utilisé », mais au sens où ce que l'on « utilise », on en a besoin.

Ainsi, nécessairement, l'homme appartient à, et a sa place dans l'ouverture (et maintenant dans l'oubli) de l'être. Mais l'être, pour s'ouvrir, a besoin de l'homme en tant que Là de sa manifestation.

C'est pourquoi la lettre à Jean Beaufret parle de l'homme comme du *berger* de l'être — remarquer que, pour une fois, le français parle plus ouvertement que l'allemand: *berger* est celui qui héberge. L'homme est le lieutenant du Rien.

Si l'être est ainsi en besoin de l'homme pour être, il faut en présumer une *finitude de l'être* ; que l'être ne soit donc pas absolutisé à part soi, c'est l'antithèse la plus aiguë par rapport à Hegel. Car si Hegel dit bien que l'absolu n'est pas « sans nous », il ne le dit qu'en écho au « Dieu a besoin des hommes » chrétien. Pour la pensée de Heidegger au contraire, l'être n'est pas sans sa relation au *Dasein**.

Rien n'est plus loin de Hegel et de tout idéalisme.

* Cf. *Kant et le problème de la Métaphysique*: « Plus originel que l'homme est la finitude du *Dasein* en lui » (§ 41, p, 285).

LE SÉMINAIRE DE ZÄHRINGEN

SÉMINAIRE DE ZÄHRINGEN

1973

I

Après les séminaires du Thor, s'ouvre le séminaire de Fribourg. De même qu'en 1968 et 1969, avait été tenté un accès à la *question de l'être* à partir de Hegel puis de Kant, cette fois cet accès sera tenté à partir de Husserl.

Le point de départ est une lettre de Jean Beaufret, dans laquelle sont posées deux questions :

1° Dans quelle mesure peut-on dire qu'il n'y a pas chez Husserl de question de l'être ?

2° En quel sens Heidegger peut-il lui-même qualifier l'analyse du *monde ambiant* (*Être et Temps*, § 14-24) de « acquis essentiel » (*E. et T.*, p. 352), tout en disant par ailleurs qu'elle demeure « de signification subordonnée » (*De l'essence du fondement*, note 55, *Questions* I, p. 130) ?

Le travail commence par l'examen de la seconde question.

L'analyse de la mondialité du monde est bien une

« conquête essentielle », dans la mesure où, pour la première fois dans l'histoire de la philosophie, l'être-dans-le-monde apparaît comme le mode primaire de rencontre avec l'étant ; mieux : l'être-dans-le-monde est découvert comme *fait* primaire et irréductible, toujours déjà donné, et donc radicalement « antérieur » à toute prise de conscience.

Et cependant, cette analyse demeure « de signification subordonnée ». Pour comprendre en quoi, il suffit de rappeler le propos directeur de *Être et Temps* : « poser à neuf la *question en quête du sens de l'être* » (*Être et Temps*, p. 1). En toute clarté, il faut donc dire : l'analyse de la mondialité du monde n'est, dans le projet de Heidegger, que la manière « concrète » d'attaquer le projet lui-même qui, en tant que tel, n'implique pas cette analyse autrement que comme moyen, subordonné par rapport au projet. Autrement dit, lire les paragraphes 14 à 24 de *Être et Temps* pour eux-mêmes (détachés du projet) pourrait bien être un fondamental contresens par rapport à toute la tentative de pensée qui a lieu avec Heidegger.

Il faut donc sans cesse revenir au centre de cette pensée, la question de l'être. La première question de Jean Beaufret nous y ramène directement : dans quelle mesure peut-on dire qu'il n'y a pas chez Husserl de question en quête de l'être ? Que veut dire « question en quête de l'être » *(Seinsfrage)* ? Cela veut dire : question en quête du sens d'« être ». Heidegger précise : après *Être et Temps*, l'expression « sens » fera place à « vérité » — si bien que la question de l'être, entendue comme question en quête de la vérité de l'être, ne peut plus du tout être entendue comme une question métaphysique.

La métaphysique en effet est en quête de l'être de l'étant. La question de Heidegger vise en propre (s'il est licite de parler ainsi) l'être de l'être ; mieux : la *vérité* de l'être. *Wahrheit des Seins*, où il faut comprendre *Wahrheit* à partir de la sauvegarde en laquelle l'être est gardé comme être. En ce sens rigoureux, il n'y a pas de question en quête de l'être chez Husserl. Husserl en effet aborde des problèmes strictement métaphysiques, par exemple le problème des catégories.

Et cependant, indique Heidegger, Husserl touche, effleure la question de l'être dans la sixième chapitre de la sixième *Recherche logique*, avec la notion d'« intuition catégoriale ». Notre premier travail se dessine donc clairement : comprendre en quoi la notion d'*intuition catégoriale* est, pour Heidegger, le point brûlant de la pensée husserlienne.

La question de départ se formule : comment Husserl est-il parvenu à l'intuition catégoriale ? Pour retracer cet itinéraire, il faut situer exactement l'intuition catégoriale à sa place. La seconde section de la sixième *Recherche logique* est intitulée : *Sensibilité et entendement*. Et le chapitre sixième, qui ouvre cette seconde section, porte le titre : « Intuition sensible et intuition catégoriale ». On peut donc dire que Husserl, pour parvenir à l'intuition catégoriale, part de l'intuition sensible.

Mais qu'est-ce que l'intuition sensible ? Quel est le point de départ de Husserl quand il analyse l'intuition sensible ?

Jean Beaufret rappelle à ce moment le célèbre exemple husserlien : l'*encrier*. Heidegger : « Est-ce un encrier ? » Non, ce n'est pas un encrier ; dans le contexte de la réflexion husserlienne, l'encrier ne peut être appréhendé que comme autre chose. Exactement : l'encrier fonctionne ici seulement comme exemple d'objet sensible. L'encrier est : *objet de perception sensible*.

Mais quel est le fondement de la perception sensible ? Sur quoi l'objet sensible est-il fondé en tant qu'il est sensible ?

Le fondement du sensible est ce que Husserl nomme la *Hylè*, c'est-à-dire ce qui affecte sensiblement, bref les données sensorielles (le bleu, le noir, l'extension spatiale, etc.). Qu'est-ce qui est perçu sensiblement? Ce sont les données sensorielles elles-mêmes. Or, *avec* ces données sensorielles a lieu, dans la perception, l'apparition d'un *objet*. L'objet n'est pas donné dans l'impression sensible. L'objectivité de l'objet ne peut pas être perçue sensiblement. En résumé, le fait que l'objet soit objet ne ressortit pas d'une intuition sensible.

Et pourtant cet objet est bien perçu. Dans le langage de la tradition philosophique, cet objet s'appelle une chose, et une chose est une *substance*. Chez Kant, la substance est l'une des catégories de l'entendement. Ce qui signifie, si l'on se rappelle la « révolution copernicienne », que la *chose* se règle par avance sur le pouvoir de connaître, ou que la catégorie « substance » sert par avance à mettre en forme le divers des données hylétiques. Par la connaissance, donc, qui est pour Kant un travail de mise en forme effectué par l'entendement, l'objet est posé comme synthèse d'intuition et de concept.

A la différence de Kant, pour qui la mise en forme n'est, comme concept, qu'une fonction de l'entendement, Husserl va chercher à rendre présent ce que Kant se borne à caractériser par le concept de forme. Or l'idée kantienne d'intuition débouche directement sur l'idée d'un *donné* à l'intuition. Que la catégorie soit davantage qu'une forme, la locution d'*intuition catégoriale* le dit excellemment. Intuition catégoriale en effet veut dire strictement : une intuition qui donne à voir une catégorie ; ou bien : une intuition (un être-présent à) *donnant* directement *sur* une catégorie.

Avec la locution d'intuition catégoriale, Husserl parvient à penser le catégorial comme *donné*.

Je vois bien ce livre. Mais où est dans ce livre la substance? Je ne la vois pas du tout comme je vois le livre. Et pourtant ce livre est bel et bien une substance, que je dois « voir » en quelque façon, sans quoi je ne saurais rien voir du tout (*L.U.*,p. 131). Nous rencontrons ici l'idée husserlienne d'*excédent* (Ueberschuss). Heidegger explique : le « est » — par lequel je constate la présence de l'encrier comme objet ou substance — est « en excédent » parmi les affections sensibles : en effet, le « est » n'est pas ajouté aux impressions sensibles ; il est « vu » — même s'il est autrement *vu* que ce qui est visible. Pour être ainsi « vu », *il faut* qu'il soit *donné*.

Pour Husserl, le catégorial (c'est-à-dire les formes kantiennes) est tout autant *donné* que le sensible. Il y a donc bien INTUITION CATÉGORIALE.

Ici la question initiale rebondit : sur quel chemin Husserl en arrive-t-il à l'intuition catégoriale ? La réponse est claire : l'intuition catégoriale étant *comme* l'intuition sensible (étant donnante), Husserl parvient à l'intuition catégoriale sur le chemin de l'*analogie*. Dans une analogie, quelque chose donne mesure pour la correspondance. Dans l'analogie entre les deux types d'intuition, qu'est-ce qui correspond à quoi ? Réponse : les données sensibles donnent la mesure, et le catégorial est l'*analogon* des données sensibles. L'intuition catégoriale est « analoguée » à l'intuition sensible.

Ce qui est frappant et parlant grâce à cette analogie, c'est que le catégorial, les formes, le « est » sont rendus abordables, sont donnés accessiblement, alors que chez Kant, cela est seulement déduit de la table des jugements. Chez Kant, tout se fait au fil conducteur du jugement (qui lui vient de la tradition logique), sans que se dresse nulle part le *fait de la catégorie* — cela, que la catégorie soit aussi rencontrable qu'une donnée des sens.

Ici, Heidegger cite la phrase de la page 130 :

« Ich *sehe* weisses Papier und *sage* weisses Papier, damit drücke ich, genau anmessend, nur das aus, was ich sehe. »

(« Je *vois* du papier blanc et je *dis* papier blanc, ainsi j'exprime, en en prenant exactement la mesure, seulement ce que je vois. »)

Quelle est la découverte décisive de Husserl, et du même coup la difficulté essentielle?

Je vois du papier blanc. Mais il y a voir et voir; deux visions: la vision sensible et la vision catégoriale.

La difficulté vient de la double signification de *voir* — double signification qui gouverne déjà la pensée de Platon. La difficulté consiste en ceci que si je vois du papier blanc, je ne vois pas la substance « comme » je vois du papier blanc. Antisthène déjà, chez Platon, exprimait cette difficulté (Simplicius: in *Cat. Ar.*, scolie 66 b 45).

Répétons encore: quand je vois ce livre, je vois bien une chose substantielle, sans pour autant voir la substantialité comme je vois le livre. Or c'est pourtant la substantialité qui, dans son inapparence, permet à ce qui apparaît d'apparaître. En ce sens on peut même dire qu'elle est plus apparente que l'apparent lui-même.

Tel est l'apport décisif de Husserl, celui qui a été pour Heidegger un stimulant essentiel. Mais en quoi au juste?

L'unique question qui a mis en mouvement Heidegger demeure, nous ne nous lassons pas de le répéter, la question en quête de l'être: que veut dire « être »? Or, dans toute la tradition philosophique (excepté à son extrême début grec), le seul statut de l'être est la copule du jugement — ce qui, remarque Heidegger, est un statut juste et exact *(richtig)* mais néanmoins non-vrai *(unwahr)*. Avec ses analyses de l'intuition catégoriale, Husserl a libéré l'être de sa fixation dans le jugement (cf. Beaufret, *Dialogue avec Heidegger* t. III, p. 126). Ce faisant, c'est tout le terrain d'enquête de l'interrogation qui se trouve ré-orienté. Si je pose (dit Heidegger) la question en quête du sens de l'être, il faut d'avance que je sois par-delà l'être entendu comme être de l'étant. Plus précisément encore : dans la question en quête du sens de l'être ce auprès de quoi je questionne *(das Befragte)* est l'être, c'est-à-dire l'être de l'étant ; ce en vue de quoi je questionne *(das Erfragte)* est le sens de l'être — ce qui plus tard sera nommé la vérité de l'être.

Pour pouvoir même déployer la question du sens de l'être, il fallait que l'être soit *donné*, afin d'y pouvoir interroger son sens. Le tour de force de Husserl a justement consisté dans cette mise en présence de l'être, phénoménalement présent dans la catégorie. Par ce tour de force, ajoute Heidegger, j'avais enfin le sol : « être », ce n'est pas un simple concept, une pure abstraction obtenue grâce au travail de la déduction. Le point, cependant, que ne franchit pas Husserl est le suivant : ayant quasiment obtenu l'être comme *donné*, il ne s'interroge pas plus avant. Il ne déploie pas la question : que veut dire « être » ? Pour Husserl, il n'y avait pas là l'ombre d'une question possible, vu que pour lui va de soi qu'« être » veut dire : être-objet.

Ici ce n'est pas Husserl, mais Heidegger qui apporte une caractérisation décisive : l'objectivité est un mode de l'être-présent. En toute précision : l'objectivité est l'être-présent dans la dimension ou « espace » de la subjectivité, qu'il s'agisse (avec Kant) de la subjectivité d'un sujet fini, ou (avec Hegel) de la subjectivité du sujet absolu qui, dans le savoir de soi-même, pénètre aussi bien l'objet que le sujet, et la relation des deux.

Mais d'où Heidegger peut-il apporter cette caractérisation ? De la lecture interrogative de Platon et Aristote. Dans les textes de Platon et Aristote, en effet, pour celui qui sait que l'être n'est pas un concept abstrait, a lieu la première détermination de l'être de l'étant, la détermination fondatrice pour toute la pensée philosophique : être, c'est entrer en présence. Ni Platon ni Aristote ne mettent en question cette détermination, qui pour eux est tout simplement *manifeste*.

Toute l'histoire de la métaphysique s'articule de là comme la suite des diverses constitutions de l'être de l'étant, sur le fond de la détermination première où « être » est appréhendé comme παρουσία.

Toute l'histoire de la métaphysique se caractérise donc bien comme histoire de l'être de l'étant.

On est par conséquent, face à l'histoire de la métaphysique, dans une situation à première vue équivoque :

— d'une part il n'est jamais question, dans la métaphysique, d'autre chose que de l'être ;

— d'autre part, il n'y est jamais question du *sens* de l'être.

Le résultat de cette équivoque est la tentation de lire la philosophie comme posant, à chacune de ses époques, la question fondamentale du *sens* de l'être. Heidegger invite les auditeurs du séminaire à réfléchir, en vue du travail à venir, à la question : peut-on dire que la question en quête du sens de l'être est déjà posée dans toute l'histoire de la philosophie ? Il ne s'agit pas en effet de se contenter simplement de répondre ici par la négative.

La séance se termine avec un retour à l'idée husserlienne de « données sensorielles » — cette fois dans la perspective de ce que deviennent ces données dans *Être et Temps*.

Dans *Être et Temps*, il n'est plus question de la conscience. La conscience est purement et simplement mise entre parenthèses — ce qui constituait pour Husserl un pur scandale !

A la place de *Bewusstsein* (conscience), nous lisons *Dasein*. Mais que veut dire *Dasein* ? Et lequel des deux est fondé en l'autre ?

Il faut ici s'interroger sur la signification de *Bewusstsein*. Dans *Bewusstsein*, il y a *wissen*, le savoir — lui-même référé à *videre*, au sens où savoir, c'est avoir-vu. La conscience se meut dans la dimension du voir, où elle est éclairée par le *lumen naturale*. Que « fait » la lumière? Elle procure la clarté. Et que rend possible la clarté? Qu'avant tout, je puisse parvenir jusqu'aux choses. Le mot français *regarder* parle ici avec force. Regarder signifie en effet garder, re-garder, au sens de: me laisser approcher par ce que je regarde.

Sur quoi se fonde l'avoir-vu de toute conscience? Sur la possibilité radicale pour l'être humain de traverser une ouverture pour parvenir jusqu'aux choses.

Cet être-dans-une-ouverture, voilà ce que *Être et Temps* nomme (Heidegger ajoute même « maladroitement et comme j'ai pu »): *Dasein*.

Dasein, il faut l'entendre comme *die Lichtungsein*: être l'éclaircie. Le *Là*, en effet, est le mot pour l'ouverture.

Nous voyons ici clairement que la conscience s'enracine dans le *Dasein*, et non l'inverse.

Bewusstsein et *Dasein* — dans ces deux mots est présent le verbe « être ».

Le séminaire d'aujourd'hui s'achève avec la question: quel est le sens de *sein* dans *Bewusstsein* et *Dasein*? Telle est la tâche pour demain.

II

La séance d'aujourd'hui, vendredi 7 septembre 1973, commence par la lecture du protocole.

Cette lecture achevée, Heidegger remarque qu'une foule de compléments pourrait être apportée à ce qui a été débattu le premier jour. Mais son propos, dans ce séminaire, est tout autre. C'est pourquoi il se restreindra à deux observations, dont le but est d'éviter toute simplification excessive.

En ce qui concerne Kant, il a été question hier d'une déduction abstraite des catégories. Heidegger interroge : n'y a-t-il pas dans la doctrine kantienne des catégories davantage et autre chose qu'abstraction et déductibilité quant à leur manière d'être accessibles et perceptibles ? Jean Beaufret intervient en mentionnant le *schématisme*. De fait, dans le schématisme, Kant effectue la mise en rapport des catégories avec le temps, ce qui est — murmure Heidegger — la façon kantienne d'articuler l'être et le temps.

En ce qui concerne Husserl, Heidegger demande en quel contexte les *Recherches logiques* rencontrent l'intuition catégoriale. Il faut remarquer que ce n'est pas dans le contexte d'une élaboration du problème des catégories — c'est-à-dire du problème métaphysique de l'être. Ce contexte est au contraire formé par le rapport d'analogie entre entendement et sensibilité, ces deux instances entendues dans l'unité où devient possible la constitution de l'objet comme objet d'expérience. Il s'agit donc d'une problématique de la théorie de l'expérience — par quoi Husserl se rattache à l'héritage kantien.

A l'intérieur de ce contexte, souligne Heidegger, l'intuition catégoriale fait apparition sans nullement ressortir d'une explicite thématique ontologique.

Ces deux remarques, on le voit, corrigent les propos d'hier, ou mieux : elles empêchent de les prendre de façon unilatérale. Que chez Kant les catégories soient déduites n'implique nullement que le catégorial soit isolé abstractivement de toute « concrétion » possible ; qu'il y ait, chez Husserl, rencontre immédiatement concrète du catégorial n'implique nullement que Husserl puisse déployer à partir de là l'interrogation en quête de la vérité de l'être.

Cette mise au point faite, le cours prévu du séminaire peut reprendre, avec le rappel du thème posé à la fin de la dernière séance : quel est le rapport entre *Bewusstsein* et *Dasein* (entre conscience et être-le-là) ?

Pour aborder correctement la question, il faut s'interroger sur le sens du verbe « être » dans les deux mots. En français, le mot de conscience n'inclut pas le verbe être. Néanmoins la conscience implique un caractère d'être. Quel est-il? Lorsque je dis: « je suis conscient », cela implique: je me suis présent à moi-même *(Ich bin mir meiner selbst bewusst)*. La présence à soi, caractère d'être de la conscience, est déterminée par la subjectivité. Mais la subjectivité elle-même n'est pas mise en question quant à son être ; depuis Descartes en effet, elle est le *fundamentum inconcussum*. Dans toute la pensée moderne, issue de Descartes, la subjectivité constitue par conséquent le barrage à la mise en route de la question en quête de l'être.

Si nous nous interrogeons sur le caractère de la présence qui règne dans la « présence à soi » qu'est toute conscience, il faut convenir que cette présence à soi a lieu dans l'*immanence*.

Quoi que soit ce dont je suis conscient, il m'est présent — ce qui signifie: il est *dans* la subjectivité, il est *dans* ma conscience.

Si l'on ajoute l'intentionalité à la conscience, alors l'objet intentionné n'en a pas moins sa place dans l'immanence de la conscience.

Dans *Être et Temps*, au contraire, l'« objet » a sa place non plus dans la conscience, mais *dans le monde* (qui lui-même n'est pas immanent à la conscience).

Ainsi, malgré l'intentionalité, Husserl reste bloqué dans l'immanence — et la conséquence de cette position, ce sont les *Méditations cartésiennes*.

Assurément, la position de Husserl est-elle un progrès par rapport au néo-kantisme, dans lequel l'objet n'est plus qu'une multiplicité sensible organisée par les concepts de l'entendement. Avec Husserl, l'objet retrouve sa consistance propre ; Husserl sauve l'objet — mais en l'installant dans l'immanence à la conscience.

Chez Husserl, donc, la sphère de la conscience n'est pas entamée, encore moins brisée — et Heidegger ajoute : on ne peut d'ailleurs pas la briser tant que l'on part de l'*ego cogito* ; car l'*ego cogito* (à l'instar de la monade chez Leibniz), c'est constitutivement qu'il n'a point de fenêtres par lesquelles quelque chose y puisse entrer ou sortir. L'*ego cogito* est ainsi une boîte. L'idée de « sortir » de cette boîte est contradictoire en elle-même. C'est pourquoi il faut partir d'ailleurs que de l'*ego cogito*.

Le point de départ de Heidegger est effectivement autre ; on pourrait même, à première vue, le qualifier de plus grossier : si je considère l'encrier, dit-il, je le prends lui-même en vue, l'encrier lui-même, sans référence à des données hylétiques et à des catégories. Il s'agit de faire une expérience fondamentale de la chose elle-même. Cette expérience est impossible à faire en partant de la conscience. Pour la faire, il faut un autre domaine que celui de la conscience. C'est cet autre domaine qui est nommé *Da-sein*.

Que veut dire, maintenant, le mot « être » quand est dit *Da-sein*. Au contraire de l'immanence à la conscience que disait « être » dans Bewusst-*sein*, « être » dans Da-*sein* dit l'être-hors-de... Le domaine dans lequel tout ce qui s'appelle une chose peut être rencontré comme tel est un domaine qui laisse à cette chose la possibilité de se manifester « au-dehors ». L'être, dans *Da-sein*, doit sauvegarder un « au-dehors ». C'est pourquoi le mode d'être du *Da-sein* est caractérisé dans *Être et Temps* par l'*ekstase*. *Da-sein* veut donc dire rigoureusement : être ek-statiquement le là.

L'immanence, ici, est brisée de part en part.

Le *Dasein* est essentiellement ek-statique. Ce caractère ek-statique, il faut l'entendre non seulement eu égard à ce qui se présente, au sens de ce qui vient séjourner à notre rencontre, mais aussi comme ek-stase relativement au passé, au présent et à l'avenir.

Être, donc, dans la locution être-le-là *(Da-sein)*, signifie l'ek-statique de l'ek-sistence.

Ici, il importe de reconnaître l'impulsion que Heidegger a reçue de la notion husserlienne d'intentionalité. Le travail de Heidegger, cette impulsion reçue, consista en la recherche des implications radicales de l'intentionalité. Or, penser l'intentionalité à fond, c'est la situer dans l'ek-statique du *Da-sein*. En un mot, il faut reconnaître que la conscience est fondée dans le Dasein.

Aujourd'hui, ajoute Heidegger, je formulerais ce rapport autrement. Je parlerais non plus simplement d'ek-stase, mais de INSTÄNDIGKEIT in der LICHTUNG, d'instance dans l'éclaircie ; cette locution devrait à son tour être entendue comme l'unité de deux significations :

1° Tenir la balance des trois ek-stases ;

2° Soutenir et endurer l'être à travers l'entièreté qu'est être-le-là.

Ainsi, les sens radicalement différents de *être* dans *Bewusstsein* (être-conscient) et *Da-sein* (être-le-là) sont précisés. A partir de là, on peut comprendre à quel point, dans une pensée centrée sur le *Da-sein*, le statut de tout ce qui se présente à lui est bouleversé. En effet, l'homme, désormais, est ek-statiquement face à face avec ce qui est lui-même — et non plus avec une représentation (qui, par définition, est représentation d'un fantôme de ce qui est). Heidegger explique en posant la question : si, me remémorant, je pense à René Char aux Busclats, qu'est-ce qui m'est donné là ?

C'est René Char lui-même ! Non pas Dieu sait quelle « image » par laquelle je serais médiatement référé à lui.

Cela est si simple que c'est extrêmement difficile à faire comprendre philosophiquement. Au fond, ajoute Heidegger, ce n'est encore pas du tout compris. Un participant au séminaire intervient : passer de la conscience au *Da-sein*, n'est-ce pas radicalement la « révolution du mode de penser » dont parle Kant, ou le « retournement de tous les modes de représentation et de toutes les formes » dont parle Hölderlin ? Heidegger corrige : il vaudrait mieux parler de révolution de la localité du penser *(der Ortschaft des Denkens)*. Plutôt même que « révolution », il faudrait simplement entendre *déplacement*, entendu au sens premier où la pensée engagée avec *Être et Temps* dé-place ce que la philosophie a placé *dans* la conscience. Alors se remarque même que c'est la philosophie qui, situant le lieu dans la conscience, déplace *(verliegt)* tout, en remplaçant ce qui est nommé *Da-sein* chez Heidegger par ce lieu clos sur lui-même qu'est la conscience. Ici est enfin exposée dans toute son ampleur la relation entre conscience et *Da-sein*. Ici peut se comprendre ce que signifie que la conscience soit fondée dans le *Da-sein*.

C'est alors que Heidegger, rappelant le texte *Mon chemin de pensée et la phénoménologie* (cf. plus haut, p. 321), revient à Husserl. Il souligne que le point de départ philosophique de Husserl a été Franz Brentano, l'auteur de la *Psychologie du point de vue empirique*. Or, remarque-t-il, mon propre point de départ a été le même Franz Brentano — mais non pas avec cette œuvre de 1874 ; c'est en effet dans la *Signification multiple de l'étant chez Aristote* (Fribourg, 1862) que Heidegger a appris à lire la philosophie. Étrange et significative coïncidence, chez Husserl et Heidegger, que cet identique premier pas avec le même philosophe, mais non avec le même livre. Mon Brentano, dit en souriant Heidegger, est le Brentano d'Aristote !

Pourquoi avoir souligné cette différence ? Pour préciser la différence entre la pensée grecque et la pensée scolastico-moderne. Toutes les tentatives pour assigner précisément cette différence doivent prendre le plus extrême soin et user de termes rigoureux. Ainsi, rapporte Heidegger, Romano Guardini, cherchant à dire la particularité de la pensée grecque, parlait d'une pensée « plus objective » que la pensée moderne. Or ce terme d'« objectivité » ne peut aucunement caractériser la pensée grecque. D'abord, en effet, il n'y a pas de mot en grec pour dire *objet* — *Gegenstand*. Pour la pensée grecque, il n'y a pas *Gegenstand*, mais: cela qui, à partir de soi-même, entre en présence (*das von sich her Anwesende*).

A la question de savoir si, malgré tout, on ne pourrait pas entendre *Gegenstand* dans ce dernier sens, Heidegger répond que cela est impossible, parce que le moment constitutif du *Gegenstand* est la *Vorstellung*. C'est en effet la représentation qui, première par rapport à l'objet, pose l'objet en face d'elle, de sorte que jamais l'objet ne peut de lui-même entrer premièrement en présence.

Il faut donc bien quitter la dimension de la conscience et de sa représentation si l'on veut pouvoir penser ce qu'ont pensé les Grecs. Quitter la dimension de la conscience, et gagner la dimension du *Da-sein*, pour bien voir alors que: entendu comme *Da-sein*, (c'est-à-dire à partir de l'ek-statique) l'homme n'est que sortant de lui jusqu'à ce tout autre que lui qu'est la clairière (*Lichtung*) de l'être.

Cette clairière, cette *Lichtung* — ici Heidegger souligne la difficulté qu'il y a à dire cela — cette dimension libre (*dieses Freie*), l'homme n'en est pas le créateur, l'homme ne l'est pas. Elle est au contraire cela qui pour lui est destiné, s'adressant à lui: *Es ist das ihm zugeschickte.*

A ce propos, Heidegger renvoie à l'essai sur *L'Origine de l'œuvre d'art*, et aux développements sur le *Geviert*, par exemple dans la conférence *La Chose* de *Essais et Conférences*. L'essentiel à voir, c'est que la pensée en sa nouvelle localité abandonne dès le départ le primat de la conscience, et sa conséquence, le primat de l'homme. La *Lettre sur l'humanisme* disait déjà, se référant à une phrase de Sartre (« précisément nous sommes sur un plan où il y a seulement des hommes »): « Si l'on pense à partir de *Être et Temps*, il faudrait plutôt dire: Précisément nous sommes sur un plan où il y a principalement l'être. »

C'est ce que se propose d'indiquer le pas suivant du travail, et à partir de la position la plus antagoniste. Heidegger ouvre le volume des *Frühschriften* de Marx et lit la phrase suivante, tirée de la *Contribution à la critique de la philosophie du droit de Hegel* (Kröner, 1968, p. 216):

« Radikal sein ist die Sache an der Wurzel fassen. Die Wurzel für den Menschen ist aber der Mensch selbst. »

« Être radical, c'est prendre ce dont il s'agit par la racine. Mais la racine, pour l'homme, c'est l'homme même. »

Sur cette thèse, explique Heidegger, repose tout le marxisme. Le marxisme pense en effet à partir de la *production*: production sociale de la société (la société se produit elle-même), et autoproduction de l'homme comme être social. Pensant ainsi, le marxisme est bien la pensée d'aujourd'hui, la pensée qui correspond à la situation d'aujourd'hui, où effectivement règne l'autoproduction de l'homme et de la société.

Je voudrais soutenir, ou plutôt présumer, dit Heidegger, que l'autoproduction de l'homme produit le péril de l'autodestruction.

Que voyons-nous en effet? Qu'est-ce qui règne aujourd'hui, déterminant la réalité du monde entier?

L'impératif du progrès (der Progressionszwang).

Cet impératif du progrès exige un impératif de production qui se couple d'un impératif de besoins toujours nouveaux. Or l'impératif de besoins toujours nouveaux implique que tout ce qui est nouveau, impérativement, soit aussi immédiatement périmé, dépassé, remplacé par du « plus nouveau », et ainsi de suite. Dans cette course subie a lieu en particulier la rupture avec toute possibilité de tradition. Le passé ne peut plus être — sinon sous la forme du *dépassé*, par conséquent du nul et non avenu.

Une fois admis que c'est l'homme qui produit tout cela, la question est: la domination de ces impératifs pourra-t-elle jamais être brisée par l'homme lui-même?

Le marxisme et la sociologie nomment « impératifs » ces contraintes de la réalité d'aujourd'hui.

Heidegger en rassemble la nomination sous le vocable de *Gestell*. *Ge-stell*, c'est le rassemblement, l'ensemble de tous les modes de position qui s'imposent à l'être humain dans la mesure où ce dernier ek-siste aujourd'hui. Ainsi, *das Ge-stell* n'est aucunement le produit de la machination humaine ; il est au contraire le mode extrême de l'histoire de la métaphysique, c'est-à-dire du destin de l'être. A l'intérieur de ce destin, l'homme est passé de l'époque de l'objectivité à l'époque de la disponibilité (*die Bestellbarkeit*): dans cette époque, désormais la nôtre, tout est constamment à disposition, moyennant le compte d'une commande. Il n'y a plus, rigoureusement parlant, d'*objets* ; seulement des « biens de consommation » à disposition de chaque consommateur, lui-même situé dans le marché de la production-consommation.

L'homme selon Marx, l'homme qui est à lui-même sa propre racine est bien l'homme de cette production-consommation. C'est bien l'homme de notre temps.

Mais l'homme compris comme *Da-sein*, instance ek-statique dans l'éclaircie de l'être, est à l'opposé de la thèse qu'énonce Marx. Peut-on alors dire que, pour Heidegger, c'est le *Da-sein* qui sera la racine de l'homme? Non. L'idée de « racine » ne permet pas de porter au langage le rapport de l'homme à l'être. On revient à la question déjà effleurée plus haut: l'homme de ce temps, l'homme qui se comprend et agit en tant que producteur de toute « réalité », l'homme qui se trouve pris aujourd'hui dans le réseau toujours plus contraignant des « impératifs » socio-économiques (qui sont, vus depuis l'histoire de l'être, les retombées du *Ge-stell*), cet homme peut-il lui-même produire les moyens de se sortir de la contrainte des « impératifs »?

Comment le pourrait-il sans renoncer à sa propre détermination de *producteur*? Et même, ce renoncement est-il possible dans l'horizon de la réalité d'aujourd'hui? Que signifierait en effet ce renoncement? Il s'agirait de renoncer au progrès lui-même, de s'engager à une limitation générale de la consommation et de la production. Prenons un exemple simple et immédiat: dans l'optique de ce renoncement, plus de « tourisme » possible, mais se limiter en restant chez soi.

Or y a-t-il encore, en ce temps, quelque chose de tel qu'un « chez soi », une habitation, une demeure. Non, il y a des machines à habiter, des concentrations urbaines, bref: le produit industrialisé, et non plus une *maison*.

Toutes les questions que nous agitons, remarque Heidegger, mettent en jeu la réalité d'aujourd'hui. Ce séminaire, avec son point de départ apparemment si spécialisé, en réalité se confronte aux options dernières que cette réalité nous force à assumer.

Car, si l'on a bien suivi ce qui est apparu lorsqu'on a opposé la détermination philosophique de l'homme comme conscience et la tentative qui s'efforce de penser l'homme à partir du *Da-sein*, il devient clair qu'à l'abandon du primat de la conscience en faveur d'un nouveau domaine, celui du *Dasein*, correspond qu'il n'y a, pour l'homme, qu'une seule possibilité de se rapporter à ce nouveau domaine: celle d'y entrer, d'aller s'y loger (*einkehren*), afin d'y entretenir rapport à ce que l'homme n'est pas, recevant pourtant de là le ton. L'entrée dans ce domaine n'est pas provoquée par la pensée telle qu'elle est entreprise par Heidegger. Ce serait en effet encore imaginer la pensée sur le modèle de la production que de la croire capable de changer le lieu de l'homme. Alors?

Alors, en toute prudence, disons que la pensée commence par préparer les conditions de cette entrée. En d'autres termes, dit Heidegger, cette pensée avant tout prépare l'homme à être prêt.

III

La séance d'aujourd'hui, samedi 8 septembre 1973, s'ouvre avec la lecture du protocole.

A propos du travail d'hier, Heidegger veut apporter d'abord quelques compléments:

1° D'abord en ce qui concerne ce qui a été dit au sujet des « impératifs ». En allemand, cela se dit « *die Zwänge* », où l'on entend *zwingen*: forcer, faire violence.

Cette façon de parler sociologique ou anthropologique — souligne Heidegger — malgré les incontestables résultats d'analyse qu'elle permet (à ce propos, consulter par exemple le chapitre VII, « La crise du progrès » dans le livre de Robert Heiss: *Utopie und Revolution*, Serie Piper, Munich, 1973) — laisse cependant la notion même d'« impératif » indéterminée quant à son caractère ontologique.

Or la détermination ontologique de l'impératif, ajoute Heidegger, je la vois dans le *Gestell*.

Qu'est-ce que le *Gestell*? D'abord, d'un point de vue strictement linguistique, cela signifie:

Ge-, le rassemblement, la concentration, l'assemblement de tous les modes du *Stellen*, c'est-à-dire du « poser ». Soyons plus précis à propos du *stellen*. Heidegger dit: le sens de *stellen* est ici: mettre au défi (*herausfordern*), réclamer, exiger, provoquer. C'est ainsi qu'on peut dire: « die Natur wird auf ihre Energie gestellt » — la nature est traquée de livrer son énergie, ou: la nature est forcée à fournir son énergie. L'idée est bien celle d'une *mise* en demeure, dans laquelle ce qui est mis en demeure est du même coup forcé de prendre une certaine figure, de faire figure, cette figure où, désormais *réduit*, il paraît comme tel. La nature, mise en demeure de fournir de l'énergie, comparaît désormais comme « réservoir d'énergie ».

Mais, complète aussitôt Heidegger, si la nature est mise en demeure (*gestellt*) de fournir son énergie, simultanément l'homme est forcé (*gestellt*) de répondre et correspondre à ces énergies produites — au point même qu'on peut dire: plus grande la mise au défi de la nature, plus grand le défi auquel est soumis l'homme lui-même. Pour donner un exemple: le charbon, devenu énergie, entraîne la découverte du pétrole comme énergie, qui à son tour pousse à mettre en œuvre l'énergie nucléaire. Un jour, même l'énergie nucléaire sera relayée. Revenons à la notion de *Gestell*: c'est un mot dont la forme est remarquable. En passant, et pour éviter toute ambiguïté, soulignons qu'il ne saurait en aucun cas désigner, dans l'usage qu'en propose Heidegger, une simple chose.

Sa facture est typique. Il existe dans la langue allemande des mots du même type. Ainsi, chez Jakob Grimm le mot: *das Geschüh* (formé à partir de *Schuh*, le soulier), qui signifie la « chaussure », au sens de: la manière d'être chaussé.

Dans la *Griechische Kulturgeschichte*, Jakob Burckhardt, parlant des Athéniens, signale qu'ils étaient gouvernés par *das Gerühm* (formé à partir de *Ruhm*, la gloire, la renommée) ; *das Gerühm* signifie donc : tout ce qui a trait à la gloire. Et dans Goethe se trouve bien, pour dire les amas de paille dans les rues de Palerme, *das Geströhde* (formé à partir de *Stroh*, la paille).

Ainsi, le mot *das Gestell*, au sens de : rassemblement de tous les modes de *stellen*, est-il bien linguistiquement possible.

Ici s'intercale une incise à propos de la notion d'*objet*. Car le mot scolastique *objectum* est bien la traduction d'un mot grec : ἀντικείμενον. Y aurait-il donc quand même quelque chose de tel qu'un objet grec ?

Ce serait ne pas porter attention à la différence essentielle. Que veut dire en effet κεῖσθαι, le verbe d'où dérive ἀντικείμενον ? Il veut dire : à partir de soi, d'avance, s'étendre (« von sich aus schon vorliegen »). Or ce qui caractérise l'*objet*, c'est d'être amené à se tenir en face, par la représentation. C'est la représentation qui s'objecte l'objet. L'ἀντικείμενον se tient, c'est-à-dire s'étend (*liegt vor*) à partir de lui-même. L'expérience grecque n'implique pas que la représentation joue un rôle dans la position de l'étant. Que l'étant *soit*, les Grecs le pensent à partir de la φύσις — qu'Aristote interprète à partir de la ποίησις comme : menée dans l'être-ouvert (*hervorbringen in die Offenbarkeit*). De cette notion grecque de la ποίησις il faut distinguer la notion moderne de Production qui est : disposer dans la disponibilité (*herstellen in die Verfügbarkeit*).

2° Le second complément porte sur Marx.

La phrase citée hier — « Être radical, c'est prendre ce dont il s'agit par la racine. Mais la racine, pour l'homme, c'est l'homme même » — cette phrase, dit Heidegger, n'est pas une phrase politique, mais une phrase métaphysique, qui s'éclaire dans l'horizon du retournement par Feuerbach de la métaphysique de Hegel. Cela se voit ainsi :

pour Hegel, ce dont il s'agit (*die Sache des Wissens*), c'est l'Absolu dans son devenir dialectique. Or Feuerbach retourne Hegel en faisant de l'*homme*, et non plus de l'Absolu, ce dont il s'agit. Dans le texte de Marx, trois lignes après la phrase citée, on peut lire ceci (qui va exactement dans le sens de la critique feuerbachienne): « La critique de la religion s'achève avec la doctrine qui enseigne que l'*homme est l'être le plus haut pour l'homme*... » (Die Kritik der Religion endet mit der Lehre, dass der *Mensch das höchste Wesen für den Menschen* sei...).

Mon interprétation de Marx, explique Heidegger, n'est pas politique. Elle a en vue l'être et la manière dont il se destine. C'est dans cette visée et dans cette vision que je puis dire: avec Marx est atteinte la position du plus extrême nihilisme.

Cette thèse ne signifie pas autre chose que: dans la doctrine qui énonce explicitement que l'*homme* est l'être (*das Wesen*) le plus haut pour l'homme se fonde et se justifie enfin que l'être en tant qu'être ne soit plus *rien* (nihil) pour l'homme.

Comprendre *politiquement* la phrase de Marx, c'est donc faire de la politique l'un des modes de l'autoproduction — ce qui est parfaitement cohérent avec la pensée de Marx.

Mais comment *lire* cette phrase autrement, comment la lire en tant que phrase métaphysique?

En remarquant l'étrange *saut* qu'effectue Marx par-dessus un chaînon qui manque. Que dit en effet la phrase?

« Être radical, c'est prendre ce dont il s'agit par la racine. Mais la racine, pour l'homme, c'est l'homme même. »

Ici, remarque Heidegger, manque une pensée intermédiaire, qui permet de passer de la première pensée à la seconde. *C'est l'idée que ce dont il s'agit* (die Sache) *soit l'homme*. D'avance, pour Marx, est décidé que l'homme et uniquement l'homme (et rien d'autre) est ce dont il s'agit. D'où cela est-il décidé? Comment? De quel droit? Par quelle autorité?

On ne peut répondre à ces questions qu'en prenant appui sur l'histoire de la métaphysique. La phrase de Marx demande donc bien à être entendue comme phrase métaphysique.

Ces compléments apportés, nous pouvons retourner à la question qui anime tout ce séminaire: celle de l'accès à l'être (*die Frage des Zugangs zum Sein*).

Heidegger parle:

A mon avis, l'entrée dans le domaine du *Dasein*, cette entrée dont il a été question à la fin de la séance d'hier — cette *Einkehr* qui rende possible l'épreuve de l'instance dans la clairière de l'être, est seulement possible par le détour d'un retour au commencement.

Mais ce retour n'est pas un « retour à Parménide ». Il ne s'agit pas de revenir à Parménide. Il faut simplement se tourner *vers* Parménide.

Le retour a lieu dans l'écho de Parménide (Die Rückkehr erfolgt im *Echo* des Parmenides). Il a lieu en tant que l'écoute qui prête oreille à la parole de Parménide à partir de notre époque d'aujourd'hui, l'époque de la destination de l'être comme *Gestell*.

Dans *Être et Temps*, il y a bien déjà un tel *retour*, bien qu'il soit encore un peu maladroit. Dans *Être et Temps*, en effet, cela se fait comme *Destruction*, c'est-à-dire comme démontage, dé-structuration de ce qui, depuis le commencement, se destine comme *être* dans la succession ininterrompue de métamorphoses qu'est l'histoire de la philosophie.

Mais dans *Être et Temps* n'avait pas encore lieu une véritable connaissance de l'histoire de l'être, d'où la maladresse et proprement la naïveté de la « destruction ontologique ».

Depuis, cette nécessaire naïveté de novice a cédé la place à une connaissance (*Erkenntnis*).

Heidegger propose, pour illustrer la question de l'accès à l'être, de lire un texte qu'il a écrit durant l'hiver 1972-1973. Ce texte a pour thème le « cœur de l'ἀλήθεια » dont parle Parménide. Ce thème, explique Heidegger, consonne avec celui du *Dasein*, car il y va de l'éclaircie elle-même, de la *Lichtung*. Il s'agit en quelque sorte de voir comment cela se présentait à Parménide. En même temps, dans ce texte, Heidegger effectue une correction essentielle à ce qui est dit à la fin de la conférence « La Fin de la philosophie et la tâche de la pensée » (voir plus haut, p. 300). Ouvrant ce texte, Heidegger cite la phrase :

« Ou bien cela (que l'ἀλήθεια comme éclaircie demeure en retrait) a-t-il lieu parce que le se-retirer, l'être-en-retrait, la Λήθη fait partie et appartient à l''Α-λήθεια non comme une simple adjonction, non comme l'ombre appartient à la lumière, mais bien au contraire comme le cœur de l''Αλήθεια ? »

Il commente : ce qui est dit ici ne va pas (*es stimmt nicht*) ; Parménide ne dit rien de tel.

Il s'agit donc de se mettre à l'écoute de Parménide. Le texte s'intitule.

'Αληθείης εὐκυκλέος ἀτρεμὲς ἦτορ

Heidegger lit à voix lente. Ce qui suit rend autant que possible le mouvement et l'articulation du texte ainsi que les commentaires ajoutés en passant par le lecteur. 'Αλήθειη est traduit par *Unverborgenheit*, l'état de non-retrait. Cette traduction est littérale. Quant à ce qui se dit avec cette parole, il faut souligner que cela n'a encore rien à voir avec la *vérité*. Tout, au contraire, y retourne du non-retrait, ce qui fait signe vers le Là que, pour l'homme, il s'agit d'être.

Εὐκυκλέος se comprend le plus souvent comme « bien-arrondi », et s'entend alors comme une qualité des choses. Mais comme le mot, ici, porte sur l'ἀλήθεια, et que mettre hors retrait (*Entbergen*) n'est pas une chose, on ne peut pas traduire de cette manière. Il faut donc comprendre autrement. Pour cela, penser comme « ce qui entoure bien, ce qui entoure comme il faut » (*gut, schicklich umkreisend*). Alors s'entend que c'est l'ἀλήθεια qui entoure bien. 'Ατρεμές ἦτορ : le cœur sans tremblement. Qu'est-ce que cela ? Pour l'apprendre, considérer les deux premiers vers du fragment 8 :

> ... *unique pourtant reste le dire du chemin*
> *qui mène là-bas, devant « qu'il est... »*

Mais, au juste, qu'est-ce qui est ?

Manifestement *est* l'étant, et non pas rien. Ainsi ce « qu'il est » (ὡς ἔστιν, 8, 2) ce serait τὰ ἐόντα (l'ensemble de tous les étants) ?

Mais pour établir un tel constat, point n'est besoin — contrairement à ce que dit Parménide — d'un chemin inhabituel. Par conséquent, il s'agit sûrement d'autre chose. Que le chemin soit inhabituel, cela signale qu'il s'agit de ce qu'il y a de plus difficile à penser. Nous sommes bien ici dans la situation d'accéder à l'être, tout comme Husserl avec la notion d'intuition catégoriale — mais *ici* cela a lieu dans l'écho de Parménide, et non dans une analyse de la sensibilité et de l'entendement, portée par la théorie de la connaissance. Il s'agit du « qu'il est ». Notre question, reposée, demande : qu'est-ce qui est ? La réponse de Parménide se trouve au vers I du fragment 6 :

ἔστι γὰρ εἶναι

non pas les étants, mais l'être. « *Est* en effet être. »

Sur cette parole, longtemps, je me suis interrogé ; longtemps même je m'y suis empêtré. Car ne rabaisse-t-elle pas l'être au niveau de l'étant ? Seulement de l'étant on peut dire qu'il est.

Or voici que Parménide dit : l'être *est*.

Cette parole inouïe mesure exactement la distance du chemin inhabituel de Parménide par rapport à la pensée courante.

La question est maintenant de savoir si nous sommes capables d'entendre d'une oreille grecque cette parole grecque parlant de ἔστι et de εἶναι ?

Pensé en grec, εἶναι veut dire : entrer en présence (*anwesen*). On ne peut assez souligner à quel point le grec est ici plus *montrant*, donc plus précis que nous.

Ce qu'il s'agit de penser c'est donc : ἔστι γὰρ εἶναι — « entre en présence en effet entrer en présence ».

Une nouvelle difficulté surgit : cela est une tautologie manifeste. En effet ! C'est une authentique tautologie : elle nomme une fois seulement le Même, et à la vérité en tant que soi-même.

Nous sommes ici dans le domaine de l'inapparent :

entre en présence entrer en présence même.

Le nom pour cela, qui est ce dont il s'agit en sa consistance propre (*der Sachverhalt*), c'est : τὸ ἐόν qui n'est ni l'étant, ni simplement l'être, mais τὸ ἐόν

anwesend : anwesen selbst

entrant en présence : entrer en présence même.

Dans ce domaine de l'inapparent, pourtant (disent les vers 2 et 3 du fragment 8)

« sur ce chemin, il y a des signes en grand nombre... »

Signe doit être entendu ici au sens grec : non pas quelque chose qui serait « signe » pour autre chose, mais : le signe est ce qui montre et donne à voir en dessinant ce qu'il s'agit de voir.

Ainsi, au vers 29 du fragment 8, un tel *signe*, qui montre l'être :

Ταὐτόν τ'ἐν ταυτῷ τε μένον καθ'ἑαυτό τε κεῖται.

« Même, dans le même séjournant, et en lui-même, il repose. »

Ce vers est lui-même εὔκυκλος, redondant et abondant ; il dit sur elle-même la tautologie entière.

Mais une question se pose : où et comment l'entrée en présence entre-t-elle elle-même en présence ?

Réponse : elle entre en présence dans le non-retrait *(in der Unverborgenheit)*. Alors, le cœur sans tremblement de l'ἀλήθεια c'est τὸ ἐὸν lui-même !

C'est bien ce que dit Parménide. Au vers 4 du fragment 8, il nomme en effet ἀτρεμὲς τὸ ἐόν.

L'ἀλήθεια n'est pas une ouverture vide, une béance immobile. Il faut la penser comme la déclosion (*die Entbergung* : la libération hors du retrait) qui entoure comme il convient l'ἐόν, c'est-à-dire l'*entrant en présence : entrer en présence même*.

Ayant ainsi répondu à la question de départ, ne sommes-nous pas du même coup arrivés dans l'indémontrable ? Assurément. Il faut même présumer que c'est là l'unique accès possible à la fois à l'ἐόν et à l'ἀλήθεια. En tout cas, c'est bien ce que dit Parménide, au vers 28 du fragment I :

« Il faut que tu fasses l'épreuve du tout. »

Parménide dit ici πυθέσθαι. Ce n'est pas une épreuve habituelle, mais la vraie épreuve, celle dont parle le vers I du fragment 6 :

« Il faut le Dire (le se-laisser-montrer) et le Comprendre (qui s'accomplit avec lui) »

Χρὴ τὸ λέγειν τε νοεῖν

Cette épreuve, ce qu'elle donne, c'est justement ce que dit la fin du même vers :

... « entrant en présence entrer en présence »

ἐόν ἔμμεναι
(anwesend anwesen)
Cette pensée de Parménide n'est ni jugement, ni preuve, ni justification fondée. Elle est plutôt un se fonder sur ce qui est apparu au regard.

Comme le signale Goethe, le plus difficile peut-être, c'est d'arriver à la remarque pure (*reine Bemerkung*). Avec Parménide, il s'agit précisément de cette difficulté : arriver à prendre en vue *das anwesend* : anwesen (le entrant en présence : entrer en présence).

Cela, venant en présence-présence même, traverse et donne le ton au non-retrait qui le libère de toute clôture en l'entourant de sa pulsation (das anwesendanwesen selbst durchstimmt die schicklich es entbergende umkreisende Unver-borgenheit).

Ici s'achève la lecture.

Heidegger poursuit : la pensée qui est ici demandée, je l'appelle la pensée tautologique. C'est le sens originaire de la phénoménologie. Ce genre de pensée est encore en deçà de toute distinction possible entre théorie et praxis. Pour comprendre cela, il faut que nous apprenions à distinguer entre *chemin* et *méthode*. Dans la philosophie, il n'y a que des chemins ; dans les sciences au contraire, seulement des méthodes, c'est-à-dire des manières de procéder.

Ainsi comprise, la phénoménologie est un chemin qui mène là-bas, devant (ein Weg der hinführt vor...) ; et se laisse montrer ce devant quoi il est conduit (und sich zeigen lässt das wovor es geführt wird). Cette phénoménologie est une phénoménologie de l'inapparent. Là seulement devient compréhensible que chez les Grecs il n'y avait pas de concepts. Dans concevoir, en effet, il y a le geste d'une capture. L'ὁρισμός grec au contraire entoure tendrement ce que le regard prend en vue ; il ne conçoit pas.

Dans le silence qui suit, Jean Beaufret remarque: Le texte que nous venons d'entendre vient en quelque sorte achever la longue méditation où vous avez tour à tour regardé vers Parménide et vers Héraclite. Or entre Héraclite et Parménide, on pourrait dire que votre pensée a varié. Ainsi, dans *Essais et Conférences* la primauté semble être donnée à Héraclite. Quelle serait aujourd'hui la place d'Héraclite par rapport à Parménide?

Heidegger: D'un point de vue simplement historique, Héraclite est le premier pas en direction de la dialectique. De ce point de vue, donc, Parménide est plus profond et plus essentiel (s'il est vrai que la dialectique, comme dit *Être et Temps*, soit « eine echte philosophische Verlegenheit » — un authentique embarras de la philosophie). En ce sens, il faut en effet reconnaître que la tautologie est le seul moyen de penser ce que la dialectique ne peut que voiler.

Mais si l'on est capable de lire Héraclite à partir de la tautologie parménidienne, alors il apparaît lui-même au plus près de la même tautologie, lui-même dans le mouvement d'approche unique qu'est l'accès à l'être.

QUESTIONS III

QUESTIONS IV

DU MÊME AUTEUR

Aux Éditions Gallimard

TRAITÉ DES CATÉGORIES ET DE LA SIGNIFICATION CHEZ DUNS SCOT

ÊTRE ET TEMPS

LES PROBLÈMES FONDAMENTAUX DE LA PHÉNOMÉNOLOGIE

INTERPRÉTATION PHÉNOMÉNOLOGIQUE DE LA « CRITIQUE DE LA RAISON PURE » DE KANT

DE L'ESSENCE DE LA LIBERTÉ HUMAINE. Introduction à la philosophie

KANT ET LE PROBLÈME DE LA MÉTAPHYSIQUE

LA « PHÉNOMÉNOLOGIE DE L'ESPRIT » DE HEGEL

INTRODUCTION À LA MÉTAPHYSIQUE

QU'EST-CE QU'UNE CHOSE ? (Tel, *n° 137*)

SCHELLING. Le Traité de 1809 sur l'essence de la liberté humaine

NIETZSCHE, I et II

CONCEPTS FONDAMENTAUX

CHEMINS QUI NE MÈNENT NULLE PART

APPROCHE DE HÖLDERLIN

QUESTIONS, I et II (Tel, *n° 156*)

ESSAIS ET CONFÉRENCES

QU'EST-CE QUE LA PHILOSOPHIE ?

LE PRINCIPE DE RAISON

ACHEMINEMENT VERS LA PAROLE

HÉRACLITE. Séminaire du semestre d'hiver 1966-1967 *(en collaboration avec Eugen Fink)*

LES HYMNES DE HÖLDERLIN : « LA GERMANIE » ET « LE RHIN »

ARISTOTE, MÉTAPHYSIQUE θ 1-3. De l'essence et de la réalité de la force

LES CONCEPTS FONDAMENTAUX DE LA MÉTAPHYSIQUE
Monde-finitude-solitude

Aux Éditions Montaigne

LETTRE SUR L'HUMANISME (édition bilingue)

Aux Presses Universitaires de France

QU'APPELLE-T-ON PENSER ?

tel

Dernières parutions

141. Bertrand Russell : *Histoire de mes idées philosophiques.*
142. Jamel Eddine Bencheikh : *Poétique arabe (Essai sur les voies d'une création).*
143. John Kenneth Galbraith : *Le nouvel État industriel (Essai sur le système économique américain).*
144. Georg Lukács : *La théorie du roman.*
145. Bronislaw Malinowski : *Les Argonautes du Pacifique occidental.*
146. Erwin Panofsky : *Idea (Contribution à l'histoire du concept de l'ancienne théorie de l'art).*
147. Jean Fourastié : *Le grand espoir du XXe siècle.*
148. Hegel : *Principes de la philosophie du droit.*
149. Sören Kierkegaard : *Post-scriptum aux Miettes philosophiques.*
150. Roger de Piles : *Cours de peinture par principes.*
151. Edmund Husserl : *La crise des sciences européennes et la phénoménologie transcendantale.*
152. Pierre Francastel : *Études de sociologie de l'art.*
153. Gustav E. von Grunebaum : *L'identité culturelle de l'Islam.*
154. Eugenio Garin : *Moyen Âge et Renaissance.*
155. Meyer Schapiro : *Style, artiste et société.*
156. Martin Heidegger : *Questions I et II.*
157. G. W. F. Hegel : *Correspondance I, 1785-1812.*
158. G. W. F. Hegel : *Correspondance II, 1813-1822.*
159. Ernst Jünger : *L'État universel* suivi de *La mobilisation totale.*
160. G. W. F. Hegel : *Correspondance III, 1823-1831.*
161. Jürgen Habermas : *La technique et la science comme « idéologie ».*
162. Pierre-André Taguieff : *La force du préjugé.*

163. Yvon Belaval : *Les philosophes et leur langage.*
164. Sören Kierkegaard : *Miettes philosophiques — Le concept de l'angoisse — Traité du désespoir.*
165. Raymond Lœwy : *La laideur se vend mal.*
166. Michel Foucault : *Les mots et les choses.*
167. Lucrèce : *De la nature.*
168. Élie Halévy : *L'ère des tyrannies.*
169. Hans Robert Jauss : *Pour une esthétique de la réception.*
170. Gilbert Rouget : *La musique et la transe.*
171. Jean-Paul Sartre : *Situations philosophiques.*
172. Martin Heidegger : *Questions III et IV.*
173. Bernard Lewis : *Comment l'Islam a découvert l'Europe.*
174. Émile Zola : *Écrits sur l'art.*
175. Alfred Einstein : *Mozart (L'homme et l'œuvre).*
176. Yosef Hayim Yerushalmi : *Zakhor (Histoire juive et mémoire juive).*
177. Jacques Drillon : *Traité de la ponctuation française.*
178. Francis Bacon : *Du progrès et de la promotion des savoirs.*
179. Michel Henry : *Marx I (Une philosophie de la réalité).*
180. Michel Henry : *Marx II (Une philosophie de l'économie).*
181. Jacques Le Goff : *Pour un autre Moyen Âge (Temps, travail et culture en Occident : 18 essais).*
182. Karl Reinhardt : *Eschyle. Euripide.*
183. Sigmund Freud : *Correspondance avec le pasteur Pfister (1909-1939).*
184. Benedetto Croce : *Essais d'esthétique.*
185. Maurice Pinguet : *La mort volontaire au Japon.*
186. Octave Nadal : *Le sentiment de l'amour dans l'œuvre de Pierre Corneille.*
187. Platon : *Hippias mineur, Alcibiade, Apologie de Socrate, Euthyphron, Criton, Hippias majeur, Charmide, Lachès, Lysis.*
188. Platon : *Protagoras, Gorgias, Ménon.*
189. Henry Corbin : *En Islam iranien,* I.
190. Henry Corbin : *En Islam iranien,* II.
191. Henry Corbin : *En Islam iranien,* III.
192. Henry Corbin : *En Islam iranien,* IV.
193. Herbert Marcuse : *L'Ontologie de Hegel et la théorie de l'historicité.*
194. Peter Szondi : *Poésie et poétique de l'idéalisme allemand.*
195. Platon : *Phédon, Le Banquet, Phèdre.*

196. Jean Maitron : *Le mouvement anarchiste en France,* I.
197. Jean Maitron : *Le mouvement anarchiste en France,* II.
198. Eugène Fleischmann : *La philosophie politique de Hegel.*
199. Otto Jespersen : *La philosophie de la grammaire.*
200. Georges Mounin : *Sept poètes et le langage.*
201. Jean Bollack : *Empédocle,* I *(Introduction à l'ancienne physique).*
202. Jean Bollack : *Empédocle,* II *(Les origines).*
203. Jean Bollack : *Empédocle,* III *(Les origines).*
204. Platon : *Ion, Ménexène, Euthydème, Cratyle.*
205. Ernest Renan : *Études d'histoire religieuse* (suivi de *Nouvelles études d'histoire religieuse).*
206. Michel Butor : *Essais sur le roman.*
207. Michel Butor : *Essais sur les modernes.*
208. Collectif : *La revue du cinéma (Anthologie).*
209. Walter F. Otto : *Dionysos (Le mythe et le culte).*
210. Charles Touati : *La pensée philosophique et théologique de Gersonide.*
211. Antoine Arnauld, Pierre Nicole : *La logique ou l'art de penser.*
212. Marcel Detienne : *L'invention de la mythologie.*
213. Platon : *Le politique, Philèbe, Timée, Critias.*
214. Platon : *Parménide, Théétète, Le Sophiste.*
215. Platon : *La République (livres I à X).*
216. Ludwig Feuerbach : *L'essence du christianisme.*
217. Serge Tchakhotine : *Le viol des foules par la propagande politique.*
218. Maurice Merleau-Ponty : *La prose du monde.*
219. Collectif : *Le western.*
220. Michel Haar : *Nietzsche et la métaphysique.*
221. Aristote : *Politique (livres I à VIII).*
222. Géralde Nakam : *Montaigne et son temps. Les événements et les* Essais *(L'histoire, la vie, le livre).*
223. J.-B. Pontalis : *Après Freud.*
224. Jean Pouillon : *Temps et roman.*
225. Michel Foucault : *Surveiller et punir.*
226. Étienne de La Boétie : *De la servitude volontaire ou Contr'un* suivi de sa réfutation par Henri de Mesmes suivi de *Mémoire touchant l'édit de janvier 1562.*
227. Giambattista Vico : *La science nouvelle (1725).*
228. Jean Kepler : *Le secret du monde.*

229. Yvon Belaval : *Études leibniziennes (De Leibniz à Hegel).*
230. André Pichot : *Histoire de la notion de vie.*
231. Moïse Maïmonide : *Épîtres (Épître sur la persécution — Épître au Yémen — Épître sur la résurrection des morts — Introduction au chapitre Helèq).*
232. Épictète : *Entretiens (Livres I à IV).*
233. Paul Bourget : *Essais de psychologie contemporaine (Études littéraires).*
234. Henri Heine : *De la France.*
235. Galien : *Œuvres médicales choisies,* tome 1 *(De l'utilité des parties du corps humain).*
236. Galien : *Œuvres médicales choisies,* tome 2 *(Des facultés naturelles — Des lieux affectés — De la méthode thérapeutique, à Glaucon).*
237. Aristote : *De l'âme.*
238. Jacques Colette : *Kierkegaard et la non-philosophie.*
239. Shmuel Trigano : *La demeure oubliée (Genèse religieuse du politique).*
240. Jean-Yves Tadié : *Le récit poétique.*
241. Michel Heller : *La machine et les rouages.*
242. Xénophon : *Banquet* suivi d'*Apologie de Socrate.*
243. Walter Laqueur : *Histoire du sionisme,* I.
244. Walter Laqueur : *Histoire du sionisme,* II.
245. Robert Abirached : *La crise du personnage dans le théâtre moderne.*
246. Jean-René Ladmiral : *Traduire, théorèmes pour la traduction.*
247. E. E. Evans-Pritchard : *Les Nuer (Description des modes de vie et des institutions politiques d'un peuple nilote).*
248. Michel Foucault : *Histoire de la sexualité, 1 (La volonté de savoir).*
249. Cicéron : *La République* suivi de *Le Destin.*
250. Gilbert Gadoffre : *Du Bellay et le sacré.*
251. Claude Nicolet : *L'idée républicaine en France (1789-1924) Essai d'histoire critique.*
252. Antoine Berman : *L'épreuve de l'étranger.*
253. Jean Bollack : *La naissance d'Œdipe.*
254. Donald Kenrick et Grattan Puxon : *Destins gitans.*
255. Isaac Newton : *De la gravitation* suivi de *Du mouvement des corps.*
256. Eberhard Jäckel : *Hitler idéologue.*

257. Pierre Birnbaum : *Un mythe politique : la « République juive ».*
258. Peter Gay : *Le suicide d'une République (Weimar 1918-1933).*
259. Friedrich Nietzsche : *La volonté de puissance, I.*
260. Friedrich Nietzsche : *La volonté de puissance, II.*
261. Françoise van Rossum-Guyon : *Critique du roman (Essai sur « La Modification » de Michel Butor).*
262. Leibniz : *Discours de métaphysique* suivi de *Monadologie.*
263. Paul Veyne : *René Char en ses poèmes.*
264. Angus Wilson : *Le monde de Charles Dickens.*
265. Sénèque : *La vie heureuse* suivi de *Les bienfaits.*
266. Rémy Stricker : *Robert Schumann.*
267. Collectif : *De Vienne à Cambridge.*
268. Raymond Aron : *Les désillusions du progrès.*
269. Martin Heidegger : *Approche de Hölderlin.*
270. Alain Besançon : *Les origines intellectuelles du léninisme.*
271. Auguste Comte : *Philosophie des sciences.*
272. Aristote : *Poétique.*

Composition Eurocomposition.
Impression Bussière Camedan Imprimeries
à Saint-Amand (Cher), le 22 février 2000.
Dépôt légal : février 2000.
Premier dépôt légal : novembre 1990.
Numéro d'imprimeur : 000751/1.
ISBN 2-07-072-130-2./Imprimé en France.

95127